S0-BYQ-663

© Ediciones Universidad de Salamanca y los autores
Cuadernos de la Cátedra Miguel de Unamuno CCMU
https://revistas.usal.es/index.php/0210-749X
Época III - número 50 - octubre de 2022
ISSN: 0210-749X - e-ISSN: 2792-7830
https://doi.org/10.14201/ccmu202250

Deposito Legal: S. 215-1994

Diseño de cubierta e interior: La Casa Torcida
Motivo de cubierta: "Unamuno leyendo en la cama", fotografía de Cándido Ansede.
Patronato Carmen Conde - Antonio Oliver. Cartagena (Murcia)
Las imágenes de papiroflexia que ilustran el último artículo
de este volumen pertenecen a la Casa Museo Unamuno.
Maquetación: Intergraf
Impresión y encuadernación: Nueva Graficesa
Tirada: 300 ejemplares
Impreso en España - Printed in Spain

Ediciones Universidad de Salamanca
Plaza San Benito, s/n - 37002 Salamanca (España)
eusal@usal.es - webeus.usal.es

MIGUEL DE

UNAMUNO

CUADERNOS DE LA CÁTEDRA

ÉPOCA III
NÚMERO 50
AÑO 2022

ÍNDICE

UNAMUNO Y LAS MUJERES

UNAMUNO Y LAS MUJERES

ESTUDIO E
INVESTIGACIÓN

UN JUEGO DE EXISTENCIAS: LA MUJER COMO "YO" Y COMO "EL OTRO" EN LA OBRA LITERARIA DE MIGUEL DE UNAMUNO

A GAME OF EXISTENCE: THE WOMAN AS "SELF" AND "OTHER" IN THE LITERARY WORKS OF MIGUEL DE UNAMUNO

Katrine Helene ANDERSEN
Universidad de Copenhague
Kandersen@hum.ku.dk

Las mujeres en la obra narrativa de Miguel de Unamuno aparecen, en muchas ocasiones, como madres dominantes y controladoras –por ejemplo, en *La tía Tula* y *Dos madres*– o como un objeto de deseo para los hombres –en *Niebla* y *Abel Sánchez*–. En palabras del mismo Unamuno, las mujeres pasan silenciosamente por su obra (Unamuno, 1975: 68), aunque, en muchos casos, se trata de un silencio cargado de significado por cuanto que contribuye a la diégesis y al esquema existencial presentado en muchas de sus obras. Se ha estudiado el concepto de mujer tal como se esboza en sus cartas, así como su actitud hacia ellas en su vida personal y la influencia que sobre él tuvo su mujer, Concha Lizárraga (Sandoval Ullán, 2004; Dobón Antón, 1999). No obstante, poca atención se ha prestado a la presencia de mujeres en la obra narrativa de Unamuno y menos a su concepto de mujer y de madre desde una perspectiva filosófica.

Es bien sabido que el proyecto intelectual de Unamuno se desarrolla a caballo entre la filosofía y la literatura, y que ambos contribuyen en igual medida al resultado final (Marías, 1960; Andersen, 2015). Teniendo en cuenta esta dualidad genérica, el bilbaíno funda, a lo largo de su obra, una filosofía de la existencia que se debate entre el esencialismo y el constructivismo social, aunque Unamuno no adopta estas cualificaciones. No se decide unívocamente por ninguno de los dos, aunque el componente social, la intersubjetividad y la presencia de «el otro» van cobrando cada vez más importancia a lo largo de su obra. Crea una especie de juego de existencias y de contradicciones tanto a nivel temático como a nivel metódico. En el temático, la relación entre el yo y el otro tiene importantes consecuencias para la creación de una identidad personal, pero, además, la existencia del otro es menester para la existencia de un yo en términos filosóficos. En el segundo de esos niveles, el lector no es solo un receptor pasivo, sino que contribuye como co-creador de contenido. Además, Unamuno le extiende su obra literaria para que en ella el lector corrobore su propia existencia. El presente estudio se centra en la mujer como yo y como otro, tal como se presenta en su obra narrativa a raíz de este juego de existencias; pues examina el concepto de *mujer* en el esquema existencial unamuniano configurado a lo largo de su obra. Especialmente los casos de *La tía Tula, Dos madres* y *El marqués de Lumbría* sirven de ejemplo para mostrar que la mujer ocupa un lugar privilegiado en la filosofía antropológica de Unamuno porque ellas crean una correspondencia entre su circunstancia y su yo puro (interior).

Unamuno fue un ávido lector cuyas lecturas resuenan en su propio *idearium*, como influencia directa o como inspiración. No obstante, también existen tendencias contemporáneas a finales del siglo XIX y principios del siglo XX que no encontraban hueco en su biblioteca y lecturas, pero que, aun así, de alguna manera se dejan sentir en la obra del bilbaíno. O fue Unamuno percusor de las filosofías del sujeto y de la persona europea o se materializaban en él tendencias intelectuales de las primeras décadas del siglo XX. Algunos de los temas contemporáneos de la época son, según García Bacca, el tiempo, la conciencia intencional o fenomenológica, el ser, los valores, los límites de la racionalidad, muchos de los cuales se tratan directa o indirectamente en la obra de Unamuno. Y, lo que es más importante, constituyen el telón de fondo de su pensamiento filosófico. Unamuno introduce, sostiene García Bacca, todo el hombre y en especial el sentimiento en una tradición filosófica centrada en la idea de conocer y «caer en cuenta de que se conoce» para poder tratar «los problemas de la filosofía sobre una base real, real de verdad o en realidad de verdad» (García Bacca, 1990: 87).

En todo caso, la obra filosófica de Unamuno, centrada en el hombre de carne y hueso, constituye una importante aportación a las filosofías del yo y del sujeto del siglo XX. En muchos sentidos, su idea del yo se aproxima a la idea husserliana de la intersubjetividad, la que al comprobar la existencia de un ego transcendental también aprueba la existencia de otros egos transcendentales, o, tal vez, al *Dasein* heideggeriano por no hablar de su *Mitsein*; ambas ideas cobran una forma menos solipsista y más existencialista que el ego transcendental husserliano. Para Unamuno la dimensión social es un ámbito en el que existen otros yoes que contribuyen a la consolidación del yo a nivel existencial (solo existe el yo porque existen los demás) y, también, el mundo y los demás influyen en la identidad personal de cada uno. Es decir, que «yo» y «otro» aparecen como entidades contradictorias necesarias para el estar-en-el-mundo; el yo necesita del otro para tener con o *contra* quién medirse y crearse, pero para Unamuno mismo resulta difícil llegar a una definición de aquello que considera real, y el mundo real es un problema filosófico que a la vez instituye la condición necesaria de la existencia. En momentos en los que la epistemología ha ganado terreno en la filosofía y, como consecuencia, la ha girado hacia las posibilidades de la conciencia, Unamuno anhela una ontología que pueda asegurarle la existencia y no solo el saber. Pero, igual que muchos de sus contemporáneos, se da cuenta de que ser para el hombre de carne y hueso es un estar-en-el-mundo o un existir.

El hombre de carne y hueso co-existe con otros individuos necesarios para su existencia. Es un tema frecuente en sus ensayos, pero también en su obra narrativa, donde aparece la dicotomía yo-otro como pareja de contrarios relevante para la construcción de una identidad personal además de como base filosófica del «ser con otros» o «ser para otros». El papel de la mujer frente al hombre es, en este contexto, digno de estudio. En primer lugar, porque la mujer, desde la perspectiva biológica, se contrapone a la masculinidad (Unamuno vive en tiempos de un binomio genérico) y, en segundo lugar, porque la mujer como madre ocupa un lugar especial en el concepto de la realidad y la historia de Unamuno. La mujer es «otro» («otra») y al mismo tiempo es la cuna de la humanidad. Para muchas de las mujeres en la obra de Unamuno el objetivo más importante es ser madre. La maternidad, en ocasiones, se consigue sin el parto, y la madre desempeña un papel primordial en la construcción del hijo y del padre a nivel espiritual y no necesariamente biológico.

En el prólogo a *El hermano Juan*, Unamuno ensaya una definición de la mujer en términos filosóficos. Las reflexiones que ahí expone empiezan siendo una explicación de por qué escribió la obra y un comentario acerca de la figura de Don Juan, antes de centrarse fugazmente en la idea de la mujer. Tal como se presenta también en la mayoría de sus obras narrativas, el prólogo insiste en la idea de la mujer fundamentalmente como madre. No obstante, la maternidad no es exclusivamente un fenómeno biológico, aunque Unamuno deja entender que le parece natural el anhelo de querer concebir un niño, tanto que incluso las monjas rinden culto al Niño Jesús más que al Esposo (Unamuno, 1975: 63). La idea de la madre virgen no es un fenómeno ajeno a la obra de Unamuno como vemos en *La tía Tula* y como tampoco lo es en la Biblia. Precisamente esta división entre lo biológico, por un lado, y lo espiritual, por otro, se refleja en toda su concepción de la historia. La historia se divide entre el materialismo y la biología, por un lado, y el espíritu y la biografía, por otro (56-57). Esta última rama de la historia, que es para Unamuno también metafísica, porque toda historia universal lo es, se convierte en una lucha de representación y de personalidad como vemos en el caso de Caín y Abel. Ambos luchan por obtener la aprobación del Señor, pero, dado que este ve con buenos ojos las ofrendas de Abel, Caín mata a su hermano por envidia. Es una batalla de representación y afán por eternizarse e incorporarse en la memoria de Dios. Esta idea se repite en la obra unamuniana y divide su visión de la historia y de la realidad en dos: el mundo tangible, físico y material, por un lado, y el mundo espiritual y literario, por otro. Ambos son reales y ambos tienen efecto sobre la posterioridad y la humanidad en general. Curiosamente, la mujer parece insertarse en el lado espiritual más que en el físico de la historia, es decir, que la biología, que en primer lugar define a la mujer como madre, pasa a un segundo plano para dejar que fluya la dimensión espiritual. Solo se comprende al ser humano si se le comprende como parte de la pareja compuesta de padre y madre que es la humanidad. No tiene sentido hablar de uno sin hablar de otro porque:

> [c]on el hombre acabado, con la pareja humana, aparecen la paternidad y la maternidad conscientes, y con esto alborea el nombre, esto es, la historia. Y con la historia, con la tradición histórica, la religión. Los animales no reconocen ni abuelos ni nombres; carecen de abolengo y de lenguaje. Y la tradición es, sobre todo, como el lenguaje, maternal. Decimos lengua madre, y no sólo porque el nombre «lengua» sea femenino, pues no se dice lenguaje padre. Ni el compadraje es comadreo. El sentimiento maternal es tradicional y conservador; anabólico, que diría un fisiólogo en su jerga. La leche de la cultura brota de pechos maternales, y lo demás es mera literatura.

> El sentido de maternidad –y con ello de paternidad–, que es arranque de la historia, de la tradición, del nombre, pare la religiosidad. (1975: 60-61)

Es evidente que Unamuno no percibe la humanidad sin hombre y mujer, aunque reconoce diferencias entre ambos. La mujer desempeña un papel primordial porque en ella se halla tanto nuestro origen biológico como cultural y religioso. Con todo, en la narrativa de Unamuno la mujer ocupa un lugar más retrotraído o, como dice el mismo autor, las mujeres pasan por sus obras «casi siempre en silencio, a lo más susurrando, rezando, callándose al oído –al oído del corazón– de sus hombres, ungiéndose con el rocío de su entrañada humanidad» (68). Los personajes femeninos aparecen como aquel ruido de fondo del corazón que no se hace conceptualmente presente sin la ayuda de la razón.

Si bien en las novelas de Unamuno los protagonistas son ante todo hombres con la excepción de *La tía* Tula, *Dos madres* y *El marqués de Lumbría*, las mujeres ocupan un lugar central en obras como *El otro* (teatro), *Abel Sánchez*, *Niebla* e incluso *Nada menos que todo un hombre*. Aunque el protagonista sea hombre, este solo se percibe como tal gracias a la presencia de una mujer. El juego de existencias depende de la existencia de otro y en muchas ocasiones este otro es femenino. Aunque el yo entendido a nivel existencial no tenga género, también aparece la misma relación entre el yo y el otro a nivel de identidad y personalidad. En este caso, la cuestión genérica se revela de la máxima importancia. Además, a raíz de la dualidad fundamental que subyace a su concepción de la realidad de la historia presentada en el prólogo a *El hermano Juan*, posee una gran relevancia estudiar la diferencia entre el ser masculino y el ser femenino. En virtud de todo esto, al estudioso de la obra de Unamuno se le plantean las siguientes preguntas: ¿qué papel juega la mujer en el esquema existencial de Unamuno? y ¿en qué sentido se diferencia del hombre en sus obras narrativas?

Antes de acometer un análisis de la narrativa unamuniana es relevante esbozar la filosofía del yo que subyace a su concepto del ser humano y a su filosofía de la existencia para poder determinar si la mujer y el hombre representan diferencias filosóficas.

1. JUEGO DE EXISTENCIAS

Unamuno concibe nuestra esencia como un juego de existencias en el que uno se crea en colaboración con los demás, aunque en ocasiones le cuesta abandonar la idea de una esencia inamovible y constante en nuestro interior. Esta idea se expresa tanto a nivel temático como a nivel metodológico en sus obras narrativas, pues ambos niveles contribuyen a su filosofía existencial, fundamentalmente vinculada a la literatura y la creación literaria (Andersen, 2015). Aunque, en un principio, Unamuno entiende el yo en busca de su esencia, con el tiempo se da cuenta de que esa esencia no existe en su interior, sino que el yo es un proyecto en construcción continua. «¡Adentro!» resume esta problemática:

> No te empeñes en regular tu acción por tu pensamiento; deja más bien que aquélla te forme, informe, deforme y trasforme éste. Vas saliendo de ti mismo, revelándote a ti propio; tu acabada personalidad está al fin y no al principio de tu vida: sólo con la muerte se te completa y corona. El hombre de hoy no es el de ayer ni el de mañana, y así como cambias, deja que cambie el ideal que de ti propio te forjes. Tu vida es ante tu propia conciencia la revelación continua, en el tiempo, de tu eternidad, el desarrollo de tu símbolo; vas descubriéndote conforme obras. Avanza, pues, en las honduras de tu espíritu, y descubrirás cada día nuevos horizontes, tierras vírgenes, ríos de inmaculada pureza, cielos antes no vistos, estrellas nuevas y nuevas constelaciones. Cuando la vida es honda, es poema de ritmo continuo y ondulante. No encadenes tu fondo eterno, que en el tiempo se desenvuelve, a fugitivos reflejos de él. Vive al día, en las olas del tiempo, pero asentado sobre tu roca viva, dentro del mar de eternidad; al día en la eternidad, es como debes vivir. (Unamuno, 1900: 8-10).

La cita es larga, pero vale la pena reproducirla aquí ya que expresa las dos dimensiones claves y contradictorias en la filosofía ontológica y antropológica de Unamuno. Por un lado, manifiesta la idea de una esencia ubicada en «las honduras de tu espíritu» y «tu fondo eterno» y, por otro lado, la personalidad acabada se sitúa al final de la vida como resultado de una construcción continua. Unamuno presenta al ser humano que se define a lo largo de su vida por sus obras y no por su pensamiento, lo cual requiere una existencia en tiempo, aunque no por ser el individuo temporal es ajeno a la eternidad. Unamuno no abandona del todo la idea de un «adentro» que constituye algo así como un núcleo, un sujeto de experiencias y de la personalidad. No obstante, cobra conciencia de que el sujeto, el «fondo eterno», no debe «encadenarse» ya que el paso del tiempo tiene como consecuencia un sujeto (un yo) que también está en evolución y construcción continua. Al fin y al cabo, lo único estable es el cambio.

Unamuno evoluciona desde un esencialismo frustrado hacia una filosofía que expresa la creencia en un yo que se construye gracias a y en colaboración con los demás. En este sentido, Unamuno anticipa el constructivismo social que empieza a manifestarse a lo largo del siglo XX, pero no abandona por completo el esencialismo, ya que el yo en muchas ocasiones lo pronuncia un ser preestablecido y estático que se manifiesta en oposición al mundo. Es un sujeto frente al objeto, pero también bajo la influencia del mismo. Esta indecisión por parte del autor se refleja también en su obra narrativa. Se ha debatido qué función desempeña el lenguaje y la literatura en el proyecto filosófico de Unamuno. A mi modo de ver, no cabe duda de que la narración juega un papel decisivo en la construcción del sujeto, no solo del sujeto narrador, sino del sujeto en términos filosóficos, del yo. En esta misma línea se manifiesta Longhurst al mantener que el lenguaje está vinculado a la cognición del yo, porque el objetivo más importante de escribir es precisamente expresar el yo más íntimo (Longhurst, 2006a: 132). Para Unamuno, la palabra y los textos son una manera de construirse como individuo. Constituyen algo así como un lugar común en el que se encuentra el autor con el lector y con el texto y los personajes. No se trata solamente de una idea de la novela como género epistemológico, como ha señalado Marías (1953), sino de un lugar creativo que moviliza algunos de los componentes ontológicos más fundamentales del individuo.

Según Cerezo Galán, Unamuno es un hombre de letras, pero no siempre se concilia con la palabra en su intento de compaginar lenguaje e ideas. La palabra se convierte en su manera de existir de la misma manera de la que existe una obra de arte. Esto conduce a una incongruencia eterna ya que las palabras son insuficientes para expresar la vida del yo; pues Unamuno no logra alcanzar la palabra original. Opina Cerezo Galán que esto conduce a una crisis interior trágica, porque, mientras que Hegel entendía que aquello que era un acto de exteriorización y un distanciamiento podría ser interiorizado, Unamuno considera que la re-apropiación es imposible. Aquello que se ha objetivado corre el riesgo siempre de ser desfigurado y transformado en cualquier otra cosa. El lenguaje es objetivo y cuando el autor escribe, vierte su ser, su yo, en las palabras y se somete a interpretación continua (Cerezo Galán, 1996: 32-33). En el fondo se trata de un conflicto entre sustancia y forma. Cerezo Galán mantiene que a Unamuno le preocupa perder la esencia a favor de la representación, mientas que otros teóricos consideran que representación e interpretación son centrales en el pensamiento unamuniano. Álvarez Castro, por su lado, subraya la importancia del lector y la interpretación en un proyecto que busca la inmortalidad y que tiene como consecuencia la fusión entre autor y lector (Álvarez Castro, 2015: 103-106). Orringer y La Rubia Prado expresan esa misma idea al subrayar que la existencia del narrador de *Cómo se hace una novela* depende del lector o que el autor de la obra es un lector más (Orringer, 1988: 221; La Rubia Prado, 1999: 39). En cualquier caso, Unamuno se pone en manos de sus lectores y acepta que la palabra marque el camino más directo a la inmortalidad.

En el centro de la cuestión está la idea del yo y el conflicto entre un yo interior y estable, por un lado, y el yo como una construcción social, es decir, sometido a y dependiente de la influencia exterior y la interpretación de otros, por otro. En ambos casos la exteriorización es lingüística y, aunque estoy de acuerdo con Cerezo Galán en cuanto a la insuficiencia de la palabra, no me parece que la continua interpretación aparezca como una amenaza al yo estable, sino como una posibilidad de creación ya que es, con todo, el lenguaje lo que hace posible la interpretación y la creación del yo. El lenguaje es un lugar común en el que se encuentran el yo y el otro. Ambos dependen del otro para su propia existencia. La existencia es intersubjetiva igual que lo es también el lenguaje, pero teniendo en cuenta la insuficiencia de la palabra es menester crear un ámbito para la creación y la interpretación, como es el caso de una obra literaria. La sociedad, el otro, el lenguaje y la razón aparecen como aspectos imprescindibles para la idea del hombre de carne y hueso, tal como la presenta en *Del sentimiento trágico de la vida* (huelga subrayar que Unamuno con esta idea del «hombre» quiere decir «ser humano» o «individuo»), y también lo es la novela como lugar de auténtica creación y manifestación del ser. Vale la pena detenerse en la argumentación para reparar en el vínculo entre ellos:

> [E]l hombre ni vive solo ni es individuo aislado, sino que es miembro de sociedad, encerrando no poca verdad aquel dicho de que el individuo, como el átomo, es una abstracción. Sí, el átomo fuera del universo es tan abstracción como el universo aparte de los átomos. Y si el individuo se mantiene es por el instinto de perpetuación de aquél. Y de este instinto, mejor dicho, de la sociedad, brota la razón.
>
> La razón, lo que llamamos tal, el conocimiento reflejo y reflexivo, el que distingue al hombre, es un producto social.
>
> Debe su origen acaso al lenguaje. Pensamos articulada, o sea reflexivamente, gracias al lenguaje articulado, y este lenguaje brotó de la necesidad de transmitir nuestro pensamiento a nuestros prójimos. Pensar es hablar consigo mismo, y hablamos cada uno consigo mismo gracias a haber tenido que hablar los unos con los otros, y en la vida ordinaria acontece con frecuencia que llega uno a encontrar una idea que buscaba, llega a darla forma, es decir, a obtenerla, sacándola de la nebulosa de percepciones oscuras a que representa, gracias a los esfuerzos que hace para presentarla a los demás. El pensamiento es el lenguaje interior, y el lenguaje interior brota del exterior. De donde resulta que la razón es social y común. (Unamuno, 1999: 94-95).

El lenguaje es intersubjetivo, pero lo intersubjetivo se convierte en interior y subjetivo de modo que se establece un paralelo entre el yo y lo intersubjetivo. El pensamiento que en «¡Adentro!» estaba bajo la influencia de los actos cobra ahora una forma lingüística que contribuye a la aclaración de la idea. No obstante, el lenguaje no es la idea misma, sino una herramienta relevante para darle la forma necesaria para que aparezca entre y dentro de nosotros.

A pesar de no elaborar una filosofía del lenguaje como tal, Unamuno es consciente de su importancia filosófica. Su importancia radica en que es insuficiente y aun así es una herramienta imprescindible en la filosofía, en la literatura y para nuestra identidad. El lenguaje no alcanza a ocupar el lugar de la realidad, no equivale a la realidad, sino que la representa, la (re-)crea. En este sentido, Unamuno se parece más a Nietzsche que a Gadamer. El primero opina que pretender que el lenguaje corresponda con la realidad es vivir en ilusión, pero da margen a la creación, mientras que Gadamer mantiene que el lenguaje es especulativo y, si no existe la representación lingüística de algo, ese algo no existe (para nosotros) (Nietzsche, 2006; Gadamer, 1977: t. II, 3.ª parte). Unamuno concede a la dimensión lingüística y especialmente a la literatura un lugar privilegiado dentro de su filosofía, pues la novela es una creación lingüística y, como tal, una manifestación del ser que deja que el querer ser (la voluntad de ser que en última instancia se manifiesta como creación) tanto del autor y el lector como del personaje de ficción se ponga en marcha, lo cual acontece a través de la palabra. La clave está en la creación que, para Unamuno, igual que lo era para Nietzsche, resulta fundamental para nuestra existencia.

El método que declara usar Unamuno corresponde al de la «afirmación alternativa de los contradictorios», que resalta «la fuerza de los extremos en el alma del lector para que el medio tome en ella vida, que es resultante de lucha» (Unamuno, 2005b: 129). Nos hallamos ante una lucha constante entre contrarios que se contrastan y se reafirman continuamente en el plano epistemológico, ontológico y metodológico. El diálogo se convierte en una constante en sus obras literarias y de la misma manera la interpretación del texto surge como un encuentro, un diálogo, entre texto y lector. Con ello Unamuno anticipa algunas de las teorías fenomenológicas y hermenéuticas que llegan a desarrollarse posteriormente en el siglo XX de la mano de Ricoeur, Merleau-Ponty y otros, como también ha apuntado Valdés (Valdés, 1982). Sin embargo, vale subrayar que, en cuanto a su teoría de la existencia, el diálogo, entendido como una dinámica por no decir lucha entre los integrantes, es un factor decisivo. Aspecto en que se acerca a las ideas de Buber al respecto. Buber propone que el mundo es dual igual que la actitud del hombre. En la mediación lingüística subyace una dualidad que se manifiesta en las palabras, pero que, debemos entender, tiene sus raíces en nuestro ser. De ese modo, el yo siempre conlleva la idea del otro, «tú» (Thou) en algunos casos y «ello» (it) en otros. En cualquier caso, no tiene sentido hablar del yo sin cierto contexto y sin la presencia de otros. Las palabras no significan cosas, sino que «fundan una existencia» (Buber, 2013: 11). Las relaciones y el lenguaje nos vinculan al mundo y a la existencia de otros. Unamuno está en la misma línea al vincular la razón y en última instancia nosotros con la necesidad de comunicarnos socialmente. El diálogo presupone la existencia de otra persona y también presupone el lenguaje, pero, como he demostrado aquí, también tiene consecuencias para el yo interior.

El asunto no es sencillo y Unamuno mismo vacila a la hora de dar una definición del yo. Anhela un yo, o una esencia del sujeto, pero siempre vuelve a la idea de la existencia intersubjetiva como lo verdadero humano. Es un vaivén entre esencia y existencia. En el Prólogo a *Tres novelas ejemplares y un prólogo* acude a la teoría de Oliver Wendell Holmes sobre los tres Juanes y los tres Tomases en su intento de definir el yo. Añade otro yo en la búsqueda de lo más íntimo y lo más real del mundo. A cada hombre le vienen adjudicadas varias articulaciones de su ser: cada uno es lo que es para Dios, es lo que es para los demás, es lo que se cree ser y es lo que quiere ser; este último es el real más auténtico. A pesar de ser este un yo que nace en la intimidad de cada uno, ser significa existir *para* alguien o en los ojos de alguien. El que uno quiere ser, el querer ser, es el ser más puro, aunque el hombre difícilmente se despoja de las demás caras de su ser. Del querer ser brotan todas las demás facultades y los demás modos de ser del hombre, pero sin el querer ser, o incluso el querer no ser, no hay nada. Longhurst interpreta la idea como una cuestión de personalidad, es decir, desde una perspectiva psicológica, pero el asunto es existencial (2006b: 30). Se trata de una contribución importante a la filosofía existencialista unamuniana que lejos de ser una definición de personalidad constituye un criterio ontológico. El querer ser se articula en su versión más pura como una capacidad creativa. La de Unamuno no es una filosofía metafísica o transcendental, sino, más bien, un existencialismo y una filosofía de la vida. Por eso, el bilbaíno inserta al hombre en un contexto, pero tiene pretensiones ontológicas. Inserta el yo en el mundo con el fin de subrayar el contraste entre el yo puro (interior) y el mundo racional y realista en el que vive, pero, en muchas ocasiones, el mundo realista termina sobreponiéndose al yo puro; el ser humano es ideal, es decir, de idea, y volitivo, pero:

> tiene que vivir en un mundo fenoménico, aparencial, racional, en el mundo de los llamados realistas. Y tiene que soñar la vida que es sueño. Y de aquí, del choque de esos hombres reales, unos con otros, surgen la tragedia y la comedia y la novela y la nivola. Pero la realidad es la íntima. (Unamuno, 2004: 34).

Marías lo denomina un «problema de la circunstancia», porque la circunstancia provoca el paradójico choque entre sueño y mundo (Marías, 1960: 78-84). El hombre ideal se desdobla ya que el hombre más real es el que quiere ser y el creador, pero este yo puro que nace en la intimidad entra, sin embargo, en conflicto con el mundo racional y realista y este conflicto resulta ser de difícil resolución incluso para el pensador mismo. Unamuno se da cuenta de que lo más real que encontramos es la vida y que la vida transcurre en el tiempo, como el relato y el sueño, por eso busca en el querer ser del hombre para encontrar el esquema de ese sueño y la fuerza que hace posible realizarlo. De este modo, intenta reconciliar la realidad auténtica con lo más real del hombre. Según Marías, su herencia filosófica le hace interpretar al hombre temporal a quien ha descubierto como un yo puro en conflicto con el mundo empírico (1960: 81-82). Unamuno considera que este mundo, debido a que es el mundo de las cosas y de la simple apariencia, oprime y altera el yo puro y es radicalmente opuesto a la realidad sustancial que es para él la vida como sueño. Ambos están, por consiguiente, en conflicto con el mundo fenoménico y racional, pero no pueden prescindir de él, es su condición y condena, es su circunstancia.

En cualquier caso, una vez establecido que Unamuno se vio forzado a adoptar la definición existencial y social del individuo más que la esencial, podemos centrarnos en la idea de la mujer en contraposición al hombre. La mujer entra en el juego de existencias como «otra» no solo por su género sexual, sino porque representa virtudes y características distintas a las del hombre, pero, además, en algunos casos, como veremos a continuación, hace del esquema existencial su propio juego.

2. La dimensión femenina y la mujer como «yo» y «otro»

En la psicología es frecuente la idea de la presencia de un lado masculino y femenino en el ser de cada uno. En este contexto, Jurkevich estudia la problemática del yo desde la psicología de Jung y arguye que las tres primeras novelas de Unamuno –*Paz en la guerra*, *Amor y pedagogía* y *Niebla*– exploran el proceso de individuación masculina en el que el protagonista busca librarse de un elemento maternal inconsciente. Según Jung, el proceso de individuación se consuma al llegar a un yo que integra los elementos femeninos en la consciencia masculina, es decir, que el hombre debe aceptar e incluir el arquetipo femenino en su yo. Si el arquetipo madre permanece dominante, el hombre tendrá tendencia a mantener relaciones infantiles con las mujeres. En el caso de Unamuno, Jurkevich arguye que los protagonistas masculinos, tanto como Unamuno mismo, no llegan a efectuar esta liberación del arquetipo *anima* del *imago* de la madre, de modo que el imago de madre se proyecta hacia las mujeres en vez de ver en ellas el arquetipo anima. En consecuencia, la mujer queda privada de la posibilidad de crear su propia identidad y va a seguir siendo mujer-madre o virgen-madre para su marido.

Estima Jurkevich que no hay diferencia entre el Unamuno biográfico de Unamuno y el yo de sus obras. Toma ambos en el sentido de Jung, quien permite que el yo metafórico de las obras siempre refleje o recree el verdadero ser del autor. No obstante, existe una diferencia entre la persona voluntariosa que decide mostrar Unamuno al público y el hombre relativamente inseguro que se esconde detrás, el que depende de una figura maternal en la que refugiarse. La incapacidad de Unamuno de conciliar interior y exterior le causaba bastante angustia, pero con el tiempo opta por sacrificar el yo interior a favor del yo histórico y exterior (Jurkevich, 1991: 90). Una lectura filosófica no permite una conclusión tan unívoca, sino que corrobora que la tendencia va hacia un constructivismo social del yo, sin abandonar por completo la idea de un yo puro e interior hasta posiblemente *Cómo se hace una novela*. La idea presentada en el prólogo a *Tres novelas ejemplares y un prólogo* señala al querer ser (la voluntad) como la parte más importante del yo, pero esta capacidad creadora pronto se mostrará difícil, porque el mito es mil veces más verdadero que el personaje histórico; sin embargo, el mito (igual que el personaje literario) es un ser creado que se somete a usos (y abusos) y a una co-creación continua entre autor y lector, de modo que la creación es continua y colectiva. La idea psicológica culmina, según Jurkevich, en *Cómo se hace una novela*, donde Unamuno trata de convencerse de que el yo que uno proyecta hacia fuera no difiere del yo interior (1991: 91). Jurkevich considera que existe en Unamuno una incisión entre su yo íntimo y el necesario «otro» que se presenta hacia el exterior. Cuando la *persona* abruma al ego, el individuo es susceptible a fragmentación de personalidad, lo cual, según Jurkevich, es lo que le ocurre a Alejandro Gómez en *Nada menos que todo un hombre* y lo que teme Unamuno en *Cómo se hace una novela* (94). Jurkevich hipotetiza que la incapacidad de Unamuno de resolver el problema de la otredad se convirtió en una obsesión en la segunda parte de su vida y tuvo su expresión artística en obras como *Nada menos que todo un hombre* (103) (debemos entender «la otredad», en este caso, como una representación exterior, como *persona*). En su narrativa, obras como *Abel Sánchez, Tres novelas ejemplares* y *Cómo se hace una novela* demuestran una desintegración del protagonista que ya ni intenta la individuación. Sin duda, Unamuno apunta en *Cómo se hace una novela* a una idea común y colectiva del individuo, por no decir intersubjetiva, pero todavía maneja el concepto de «intra-hombre» aunque la definición que da de él es un tanto ambigua: «[e]l hombre de dentro, el intra-hombre –y éste es más divino que el tras-hombre o sobre-hombre nietzscheniano– cuando se hace lector hácese por lo mismo autor, o sea, actor» (Unamuno, 2009: 179-180). El intra-hombre constituye una especie de núcleo, sujeto de experiencias en términos fenomenológicos, pero, al mismo tiempo, es tanto creador como actor en el mundo, i. e., debe emplearse en la realidad. Unamuno abandona así la idea del ego o el yo interior como una entidad estable a favor de una idea del yo como un ser dependiente de otros no solo para la creación de su identidad personal, sino para su existencia. «El otro» constituye, en este caso, otro yo como en el juego de existencias anteriormente descrito y no una manifestación exterior del sujeto como en el estudio psicológico de Jurkevich.

Desde un punto de vista existencial, la presencia del otro es necesaria para la existencia del yo, pero también ocupa un lugar primordial en la creación de la identidad personal de cada uno. Ambas ideas se conjugan con la idea de una contraposición dialéctica necesaria que en muchos casos tiene carácter de conflicto o lucha. El conflicto entre el yo y el otro culmina en *El otro* donde el problema de identidad y la existencia de dos yoes lleva a la matanza de Adrián de la mano de Cosme (o al revés); el único yo que permanece es el otro. Ya no se sabe quién es el yo y quién es el otro. A nivel biológico solo permanece uno, pero a nivel filosófico confluyen los dos yoes de modo que las mujeres en su entorno no distinguen o no quieren saber quién es quién. ¿Quién ha muerto y quién ha matado? El problema es existencial y no identitario o de personalidad.

El individuo (yo) necesita del otro para poder ser. Su existencia es un yo acompañado siempre por la idea de un tú (el otro), como es también el caso del *Mitsein* heideggeriano y como también propone Buber. En el caso de Unamuno, la relación intersubjetiva se hace posible gracias a la temporalidad. El yo existe en tiempo, es la causa de la angustia de Unamuno que intenta calmar con una idea de la posible recreación del yo literario hasta la eternidad, pero una experiencia en primera persona es siempre temporal, también la experiencia de la existencia de otros. Esto vale para todos los sujetos y para todos los personajes unamunianos, a pesar de pensarse como intra-hombres o desde la intimidad de cada uno. Unamuno no pronuncia un yo sin proyectarlo hacia otro individuo, hacia Dios o hacia el mundo al estilo de Buber. Aunque en Unamuno no hay confirmación sin duda, no existe la certidumbre; pues siempre se nos acompaña la pregunta que se hace el médico que acude al moribundo Augusto: «¿Quién sabe si existía o no, y menos él mismo...? Uno mismo es quien menos sabe de su existencia... No se existe sino para los demás...» (Unamuno, 2005: 292). Nosotros mismos no llegamos nunca a la confirmación de nuestra existencia, pero podemos confirmar la existencia de otros.

En *El otro* esta confirmación se corrompe porque el otro y el yo son lo mismo. Esta relación amenaza la existencia porque no se confirma en un contrario y lleva a un desenlace fatal. La otredad es una relación de contrapuestos, de contradictorios claramente definidos; solo así permanecen la dialéctica y la lucha eterna que subyace a toda la filosofía unamuniana. Tal identificación entre dos yoes no puede producirse en el caso de que uno sea hombre y otro mujer. Mujer y hombre, igual que maternidad y paternidad, son categorías opuestas necesarias para la vida y la historia.

Las mujeres en *El otro*, que a primera vista aparecen como figuras secundarias respecto al juego de existencias del hombre, cobran un papel primordial en el juego de existencias. Cuando aparecen las mujeres Laura y Damiana después de la muerte del otro, ambas sostienen que el sobreviviente es su marido. No importa quién es él, porque para cada una de ellas es su esposo. El otro reta a Laura preguntándole si estaba enamorada de Damián o de su marido Cosme. Su respuesta es «de ti» (Unamuno, 1975: 33). No importa, para las mujeres, la identidad del hombre sobreviviente, ya que para ellas sirve de contrapuesto en el juego existencial que justifica su identidad y su existencia. La existencia del otro (de un marido, aunque no sea suyo) es necesaria para su existencia personal. Tiempo atrás, los dos hombres idénticos cortejaban a Laura, pero ella no les diferenciaba de modo que no sabía a quién de ellos había escogido. Damiana, en cambio, quiso conquistar a los dos, pero ellos la engañaron, así que en realidad solo conquistó a uno. De esta trama de seducciones y conquistas nace el odio que Cosme y Damián se profesan. Wood interpreta la obra, igual que *Abel Sánchez*, como un ejemplo de relaciones que no permiten la diferenciación y la estabilidad en la identidad personal (Wood, 2016: 173). Necesitamos a otro para adquirir identidad personal diferenciada (también en los casos en los que formamos parte de un colectivo). En *Abel Sánchez* es Abel el que le deniega a Joaquín corresponderle en sus continuos intentos de provocar reacciones del otro. Tanto en *Abel Sánchez* como en *El otro*, el conflicto entre los dos hombres surge al dirigir ellos sus deseos hacia la misma mujer. El paralelo al mito sobre Caín y Abel es directo, pero el deseo de ganarse la aprobación de Dios se sustituye en estos casos por un deseo de ganarse el amor de una mujer. El fracaso del deseo se convierte en odio encadenando la muerte del otro, pero también un odio dirigido a la mujer en general.

Laura y Damiana cumplen el papel de «otro» para los hombres e, igual que los hombres son idénticos en *El otro*, las mujeres también lo son: «¡Las dos sois la otra! Y no os distinguís en nada; mujeres las dos, al cabo. Todas las mujeres son una. Lo mismo da la de Caín que la de Abel. No os distinguís en nada... La misma furia...» (Unamuno, 1975: 37). Esta aparente misoginia se matiza al declarar el Otro que odia tanto a las mujeres como a sí mismo y al manifestarse la capacidad de actuación de las mujeres. Representan ellas los núcleos en los juegos de identidad. Pasan, en palabras del mismo Unamuno, «en silencio» por sus obras, pero son claves para el juego de existencia, y, además, en no pocos casos, la acción arranca con la aparición de una mujer, aunque como idea en la mente del protagonista masculino, como en los casos de *Niebla*, *Abel Sánchez* y *Nada menos que todo un hombre*, donde las mujeres juegan un papel fundamental para el desarrollo de las personalidades masculinas.

Al finalizar *El otro*, Laura declara que quiere morirse porque ya no tiene por qué vivir, mientras que Damiana sí quiere vivir. Damiana está embarazada y lleva en su seno uno o, posiblemente, dos niños, así que puede continuar «la guerra fraternal» (1975: 46). Ya es madre y corrobora su existencia intersubjetiva en sus futuros hijos. De esta manera, aparece la madre como la eterna justificación de la existencia de la mujer. La mujer tiene siempre la posibilidad de hacerse madre, pero también de hacer padre al hombre. El papel de madre puede cumplirse de varias maneras; ser madre virgen no es un absurdo, ya que la maternidad no es biológica, sino más bien espiritual y religiosa (Unamuno, 1975: 61). Veamos a continuación varios ejemplos de ello en *Dos madres* y *La tía Tula*.

La tía Tula y *Abel Sánchez* constituyen dos novelas emparejadas en las que el autor somete al ser humano a examen. En el primero de los casos examina el instinto maternal y en el segundo la envidia. En ambos casos es necesaria la existencia de «otro» para elaborar el drama y para la construcción de las identidades de los sujetos. La envidia en *Abel Sánchez* se proyecta hacia el otro y, a la vez, demuestra características psicológicas fundamentales de la persona que siente la envidia, en este caso Joaquín. No obstante, Wood interpreta que el otro (el enemigo) aparece a nivel colectivo (Wood, 2016). Es decir, se entiende al otro como punto de identificación personal (de personalidad) y no tanto como punto constitutivo existencial. En cualquier caso, la novela sirve de ejemplo para mostrar que el ser humano es siempre un *Mitsein*, un ser *con* alguien o *para* alguien.

Gertrudis, la tía Tula, es sin duda la protagonista femenina más afamada de la obra unamuniana. Varias son las valoraciones de este personaje. Algunos estudios corroboran que es una mujer religiosa y devota mientras que otros insisten en describirla como dominante y controladora (Longhurst, 2006b: 31). En cualquier caso, *La tía Tula* pone de relieve las maneras de ser y el juego de existencias que vengo esbozando aquí, aunque, como veremos, Gertrudis manipula las reglas del juego para hacer corresponder su voluntad (su querer ser) con la realidad exterior, como también ha señalado Ribbans (Ribbans, 1987). Es un ejemplo de la filosofía de la existencia de Unamuno en la que los demás juegan un papel fundamental en la constitución del ser, pero esta vez Gertrudis se pone por encima de los demás e impone sus propias reglas.

Resalta Franz que las hermanas Rosa y Gertrudis constituyen «una pareja al parecer indisoluble, y como un solo valor», pues Rosa es sensual y Gertrudis es espiritual (Franz, 1994: 47). Estas cualidades distintas se unen en una relación conflictiva propia de las obras unamunianas. En esta ocasión, la relación se corrompe rápidamente al poner Gertrudis por encima de cualquier otra cosa su propio de deseo de ser madre, pero madre virgen. Depende de otra persona para consumarse como la madre que quiere ser. Ese es el querer ser que motiva su existencia: la maternidad. No obstante, su idea de madre no es biológica sino espiritual, por eso no necesita a un hombre sino a un hijo para alcanzar la maternidad, de hecho, le produce rechazo pensar en tener que concebir un hijo biológicamente si puede ocupar el papel de madre en su versión más pura al ser madre espiritual y virgen. Es su yo más puro, su idea de mujer, pero no puede materializarse sino en el mundo real fenoménico en el que existen los demás. Estamos de vuelta a la contraposición entre interior y exterior descrita en «¡Adentro!» y *Tres novelas ejemplares y un prólogo*, la que para Marías era un problema de circunstancia. Unamuno se percata de la necesidad de circunstancia y mundo, aunque no llega a formular un *dictum* al estilo orteguiano al respecto, pero el aspecto existencial y social aparece continuamente. También en el caso de las mujeres que no pueden ser madres basado exclusivamente en su deseo de serlo, es necesario el mundo fenoménico y «el otro» para cumplirse la voluntad. En ese sentido, la maternidad está en conflicto con el yo puro; el deseo de ser necesita de lo exterior para consumarse. De lo exterior, pero no del hombre.

Son varias las contraposiciones esbozadas en la obra, i. e. mujer-hombre, madre-hijo y la mujer frente a Dios. Gertrudis es virgen y no pretende mancharse al rendirse frente al deseo masculino, tampoco para ser madre. Es una mujer espiritual que, a pesar de todo, tiene cuerpo. Es de carne y hueso y está dotada, además, de un físico deseable, por lo que se convierte en objeto de deseo tanto de Ramiro como del médico Juan. Pero lo que podría haber desembocado en un conflicto entre lo espiritual y lo carnal se resuelve al eliminar al hombre como «otro» del esquema existencial. Gertrudis, tanto como Raquel en *Dos madres*, prescinde del hombre para ser madre y busca este papel por vías alternativas. La madre no es biológica sino maternal en sentido espiritual y cultural; pues no es una contradicción ser madre virgen. La madre compone la mujer más completa porque crea su propio otro (el hijo) y, a la vez, se mide con Dios y la eternidad, a diferencia de los juegos de existencia sociales en los que las contraposiciones son de carácter horizontal. El hombre, en cambio, es dependiente y necesita a la mujer. La mujer se presenta como objeto de sus deseos y si pierde a una la sustituye por otra. Más allá del deseo sexual, el hombre se describe como en continua búsqueda de una mujer. Ramiro siente un vacío después de la muerte de Rosa, lo cual le extraña a Gertrudis porque no concibe cómo puede sentirse así teniendo hijos (Unamuno, 2006: 112). Para Ramiro, Rosa era insustituible, pero, aun así, Gertrudis le insta a que salga a distraerse y finalmente que se case con Manuela tras haberla dejado embarazada. De esta manera, contradictoriamente, Gertrudis mueve los hilos para que el hombre sea hombre en sentido carnal y biológico en posesión de un fuerte deseo sexual, a pesar de sentir ella misma cierto rechazo hacia tal deseo. Prefiere que «se vaya el olor a hombre» (2006: 112) del aposento de Ramiro. Cuando Ramiro le pregunta, Gertrudis responde que considera que los hombres son «[d]e carne y muy brutos» (118); entiende claramente que la mujer está por encima del hombre. El hombre se define como tal por su género sexual y, en consecuencia, depende de la mujer para tener la oposición relevante en el binomio, mientras que la mujer, al contrario, se entiende como la base de la humanidad ya que «el oficio de una mujer es hacer hombres y mujeres» (120). De ella brotan ambos y ella entra en un juego de existencias mucho más complejo que el hombre, pero también mucho más libre y de autodeterminación.

A pesar de ello, la misma Gertrudis expresa algunas dudas respecto a su papel de madre; sería sorprendente, pues, si en la obra de Unamuno no hubiera alguna incongruencia. Hacia fuera parece muy segura de su convicción y de su papel como madre, pero la biología a veces se le presenta como un factor sin resolver:

> [e]ra lo cierto que en el alma cerrada de Gertrudis se estaba desencadenando una brava galerna. Su cabeza reñía con su corazón, y ambos, corazón y cabeza, reñían en ella con algo más ahincado, más entrañado, más íntimo, con algo que era como el tuétano de los huesos de su espíritu. (2006: 122).

La cita recuerda al abrazo trágico que describe Unamuno en *Del sentimiento trágico de la vida*: «En el fondo del abismo se encuentran la desesperación sentimental y volitiva y el escepticismo racional frente a frente, y se abrazan como hermanos». Son hermanos en guerra, como todos los que hemos visto hasta ahora, ya que la paz entre los dos es imposible, «hay que vivir de su guerra. Y hacer de ésta, de la guerra misma, condición de nuestra vida espiritual» (Unamuno, 1999: 149). Gertrudis siente en sus entrañas la tensión entre su deseo de ser madre virgen y el argumento racional que objeta que una madre es la que da a luz. Gertrudis pretende ser fiel al «ideal platónico del apóstol», pero, subraya Franz, aunque ella no lo admite, se encuentra dialécticamente comprometida con la realidad en la que le toca vivir. Cree preocuparse por el alma, pero, en realidad, como muchos personajes en la obra unamuniana, busca vivir en el recuerdo de otros (Franz, 1994: 49). La guerra interior de Gertrudis desemboca en una reflexión acerca de qué quiere decir ser madre de verdad, porque no puede ganar simplemente el aspecto racional de la guerra interna y eterna. ¿Debe casarse con Ramiro para ocupar el lugar de Rosa? ¿Debe entregársele en alma y cuerpo y darse hijos de su propia carne? La pronta respuesta que se da a sí misma es que se convertiría en madrastra de Ramirín, pero «esto de los hijos de la carne hacía palpitar de sagrado terror el tuétano de los huesos del alma de Gertrudis, que era toda maternidad, pero maternidad de espíritu» (Unamuno, 2006: 123). Pretende, a pesar de aspirar a ser madre espiritual, ocupar también un lugar biológico maternal al reemplazar el pecho materno biológico por el suyo. Ese gesto simbólico subraya la idea que presenta Unamuno en el prólogo a *El hermano Juan* cuando mantiene que la cultura brota de la leche materna y de la dimensión materna de la historia. Gertrudis se inserta como origen espiritual en la vida de los niños a pesar de no ser madre de carne, tanto que, después de su muerte, sigue teniendo influencia sobre las vidas de los demás. Es la madre espiritual y constituye así un buen ejemplo de la cultura y la influencia que, según Unamuno, se hereda por el lado femenino de la historia.

En otras palabras, Gertrudis es solamente madre porque lo quiere ser, porque ejerce su voluntad de ser de la forma más auténtica y autoritaria. El deseo le nace de dentro y «el otro» que lo hace posible es el niño, lo más parecido a un ángel: «Hay que hacerse niño para entrar en el reino de los cielos», dice Enrique en una conversación con Elvira y Manolita después de la muerte de Gertrudis (186). Tula no necesita al hombre ni mucho menos el acto sexual para convertirse en madre. Ella misma manipula el juego de existencias para consumar y confirmar su maternidad. Los niños ocupan un lugar primordial en el juego de existencias; son ángeles y, por ello, constituyen un «otro», o la contraposición para sus padres, que apunta verticalmente y no horizontalmente. El papel de madre y de padre implica también una perpetuación y eleva la existencia por encima de la idea del género como una construcción social:

> El chiquillo juega a persona mayor. Los niños no son, como los mayores, ni hombres ni mujeres, sino que son como ángeles. Recuerdo haberle oído decir a la Tía que había oído que hay lenguas en que el niño no es ni masculino ni femenino, sino neutro... (Unamuno, 2006: 186).

Franz mantiene que Unamuno, a pesar de que nunca cuestiona la sexualidad binaria, anticipa las ideas de Butler que insiste en que el género sexual se crea como resultado de un juego de papeles asimilado culturalmente y transmitido de generación en generación (Franz, 2022: 107). A mi modo de ver, esta lectura de Franz banaliza la idea existencial unamuniana tal como la presenta en *La tía Tula*. No trata el género como una «performance», sino que trata la maternidad como un fundamento de la religiosidad tal como también la presenta en el prólogo a *El hermano Juan*. Es cierto que presenta una teología feminista que predica puridad fisiológica e independencia psicológica, a la par que Gertrudis se niega a asumir el papel de feminidad que pide de ella Ramiro o el doctor que sugiere que sea un remedio para Ramiro, pero es mucho decir que esto sea una anticipación de las teorías de Butler. Por lo general, Unamuno reproduce una ideología muy tradicional del sistema dual de género, siendo la madre tanto una categoría existencial como religiosa para la mujer. Con todo, es verdad que Gertrudis sobrepasa los límites trazados para el individuo en el juego de existencias. Tula manipula el juego al insertar en el lugar del «otro» los hijos que considera necesarios para eternizarse. «El cristianismo, al fin, y a pesar de Magdalena, es religión de hombres», explica Gertrudis (Unamuno, 2006: 153). Ella misma reconoce el papel retrotraído que ocupa la mujer en la Biblia, pero pretende rebelarse frente a esta estructura con el objetivo de conseguir lo que quiere, pero además insertándose no solo como la reina abeja que asegura la producción de miel, sino también como una figura maternal espiritual y eterna después de su muerte.

Algo parecido ocurre en el caso de *Dos madres*. Arguye Pacheco Oropeza que se desprende del perfil de los personajes principales de las novelas *Dos madres* y *La tía Tula* algo que podría denominarse un particular feminismo unamuniano, igual que Hynes ve en *La tía Tula* un «forerunner of radical feminism» (Pacheco

Oropeza, 2004; Hynes, 1996). Franz denominaba el caso de Gertrudis «una teología feminista». En ambos casos, la mujer aparece como un ser sensible, no propensa a dejarse llevar por sus impulsos y deseos sexuales. El hombre, en cambio, es bruto y dependiente. Don Juan está «absorto», «sumergido» y «perdido» en Raquel. Tiene varias amantes, una para cada necesidad o personalidad suya; es decir, depende de las mujeres para ser hombre. Raquel, en cambio, no necesita del hombre para ser lo que quiere ser: madre. Es viuda sin hijos y, a diferencia de Gertrudis, parece pesarle no poder parir y tener hijos biológicos, pero busca otra solución; pide a don Juan que se case para tener hijos y que se los entregue a Raquel después. Raquel necesita un hijo para ser madre y también en este caso la maternidad tiene una connotación religiosa: «Criar hijos para el cielo» es la idea de Raquel (Unamuno, 2004: 44). Raquel mueve los hilos para que exista correspondencia entre la realidad fenoménica y su deseo interior de ser madre. Si Gertrudis va asimilando los hijos de su hermana y de la criada para, de esta manera, manipular su entorno y corroborar su existencia como madre y confirmar su identidad, Raquel hace lo mismo de una manera, tal vez, más malvada y frustrada. Raquel percibe su vientre estéril como el infierno y es esta condición, o circunstancia de vida, la que pretende remediar al convencer a don Juan de que se case y tenga hijos. En este proyecto Juan no es más que un remedio, y él se percata de ello:

> Y él, el hombre, Juan, iba sintiéndose por su parte hombre, hombre más que padre. Sentía que para Raquel no fue más que un instrumento, un medio. ¿Un medio de qué? ¿De satisfacer un furioso hambre de maternidad? ¿O no más bien una extraña venganza, una venganza de otros mundos? Aquellas extrañas canciones de cuna que en lengua desconocida cantaba Raquel a Quelina, no a su ahijada, sino a su hija –su hija, sí, la de la vida–, ¿hablaban de una dulce venganza, de una venganza suave y adormecedora como un veneno que hace dormirse? (Unamuno, 2004: 68).

Raquel es la madre de verdad, en sus propias palabras (69). Ve en la pequeña su proyecto vital. No solo lleva su nombre, sino que no quiere devolvérsela a Berta para que esta haga de Quelina otra como ella misma. Raquel la quiere educar y criar a su propia imagen. La referencia a la Biblia es directa por el título y porque Raquel maneja como una diosa las relaciones a su alrededor para lograr lo que quiere. Se gana a Quelina cantándole canciones de cuna en una lengua secreta, la lengua de ellas. Su identificación con la niña es total, es su «otro», pero también es su «yo», es la otra que confirma su yo (69). A diferencia de Gertrudis, Raquel sí necesita al hombre para hacerse madre, aunque sea de manera pasajera, porque para ella es relevante que sea un hijo biológico de Juan (ya que no puede ser biológico de ella). Una vez logrado este propósito prescinde de Juan y lo cede a Berta. Sacrifica a Juan tras haber logrado su propósito de hacerse madre. Raquel controla todo como una mano inamovible y el deseo de ser madre, que es su motivación existencial, le nace de dentro como una venganza. Quiere tener control sobre el mundo. Y lo tiene: fascina o hechiza a todos a su alrededor, tanto que incluso doña Marta considera que ha sido como una madre para Juan

(65) y que Berta se enamora de ella, «Raquel era su ídolo» (51). El poder de Raquel es total, logra su propósito y aniquila a Juan por el camino.

Don Juan pierde su voluntad propia y se convierte en el hombre que le ha hecho Raquel. No tiene apetito de paternidad y presiente que Raquel le lleva a la muerte (49), es una pieza en el juego de existencias de Raquel, tanto que pierde su propio yo y expresa dudas acerca de su ser: «¿Es que soy mío? ¿Es que soy yo?» (55). Cuando la frustración de don Juan es total, Raquel aparece como un alma salvadora que le coge en brazos maternalmente y le consuela al posicionarle de nuevo en el juego con un «Hijo mío» (56). Vuelve a colocarlo en un juego de existencias que, en los casos que hemos visto hasta ahora, da preferencia a la mujer porque ella es quien tiene potestad de actuación; ella tiene hijos y hace padre al hombre, y, además, ella es la madre incluso del hombre.

Berta asume un papel más igualitario frente a Juan. Se le presenta como amiga de la niñez o como hermana. La analogía no convence a Juan porque «hermana» implica tener madre y apenas conoció a su madre. Igual que Raquel, Berta hace uso de Juan para confirmar su existencia y ambas utilizan al hombre como una herramienta para lograr sus propósitos y Juan siente cómo «su ángel» y «su demonio» le desgarran (51). Está completamente descompuesto en un juego controlado por jugadoras que no comprende. Jamás ha entendido a la mujer; ha conocido a mujeres, pero no a *una* mujer. Hace aquí un guiño a la pregunta por la personalidad de la mujer que también veíamos en *El otro*, donde las mujeres se describían como «todas iguales» o en *Niebla* donde el estudio de la mujer se convierte en una *reductio ad absurdum* cuando Augusto Pérez acude a Antolín Paparrigópulos, quien ha estudiado a la mujer en los libros para mejor conocer la psicología femenina. Un casi desconocido escritor holandés ha estudiado a la mujer y el resultado es que:

> así como el hombre tiene su alma, las mujeres todas no tienen sino una sola y misma alma, un alma colectiva, [...], repartida entre todas ellas. [...] las diferencias que se observan en el modo de sentir, pensar y querer de cada mujer provienen no más que de las diferencias del cuerpo, debidas a la raza, clima, alimentación etc., y que por eso son tan insignificantes. Las mujeres [...] se parecen entre sí mucho más que los hombres, y es porque todas son una sola y misma mujer... [...] la mujer tiene mucha más individualidad, pero mucha menos personalidad que el hombre; cada una de ellas se siente más ella, más individual que cada hombre, pero con menos contenido. (Unamuno, 2005: 241).

El resultado de dicho estudio (absurdo) es que Augusto debe buscarse a tres mujeres para tener a una que hable a sus necesidades más básicas: la cabeza, el corazón y el estómago (243). Busca su contrario para confirmarse, pero, en este caso, el juego de existencias fracasa porque ni Unamuno (autor) ni los demás personajes confirman la existencia de Augusto. Tan rotundo es el fracaso que Orfeo, en su epílogo, sugiere que el hombre (el ser humano) es hombre solo porque se compara con el animal (2005: 296-300). El juego de existencias permanece como un pobre esqueleto de los juegos más sofisticados presentados en *La tía Tula* y

Dos madres, que son una puesta en escena de una idea fundamental en la filosofía existencial y ontológica de Unamuno.

No menos sofisticado es el juego de existencias en *El marqués de Lumbría*, aunque, tal vez, de corte menos religioso. En este relato, Carolina es la que mueve los hilos para llegar a ser la mujer de su idea. Ella también desea ser madre, pero no la madre de cualquier niño, sino del marqués: «Tú naciste para que yo fuese la madre del marqués de Lumbría», dice Tristán (Unamuno, 2004: 88). Deja claro que desde que entrara el hombre en la casa ella se presentó como la mujer: «La mujer era yo, yo, y no mi hermana». A pesar de casarse con Luisa primero, Carolina conquista a Tristán y se queda embarazada y, a escondidas, da a luz al primer niño heredero de título de marqués de Lumbría. Este es su propósito y tanto que ni mira a su hija tras nacer esta ni se lamenta de su muerte. Es el hijo el que la asegura la maternidad que desea. Ella, además, se propone hacer de él un hombre. Se crea un triángulo de actores en el juego de existencias que corrobora las existencias del hombre, el hijo y, principalmente, la madre que es la que mueve los hilos y cuya existencia es la central.

Como una metarreferencia al juego existencial, el tresillo es un juego frecuente en esta novela ejemplar. En este juego de cartas es habitual que participen cuatro, pero solo juegan tres. De la misma manera se van sustituyendo jugadores en el juego de existencias; pues muere Luisa tras dar a luz, muere la hija de Carolina porque ella no puede ocupar el lugar de su hermano que va a ser el marqués, pues una niña no puede hacer de Carolina la madre del marqués. También en este juego Carolina manda y «sentada junto a su marido, seguía las jugadas de éste y le guiaba en ellas» (83). En este caso, a diferencia de *La tía Tula* y *Dos madres*, el juego de existencias se lleva a cabo a nivel mundano y, al contrario que Raquel y Gertrudis, quienes quieren ser madres espirituales y llevar a sus hijos al cielo, Carolina desea ser madre de un marqués, pero, al igual que en los otros casos, aquí también, la mujer tiene control sobre el juego.

En las obras aquí vistas, las mujeres ocupan lugares privilegiados en los juegos de existencia. A diferencia del hombre, sabe actuar y *crearse*. Deja manifestase su yo puro en una realidad fenoménica que, en vez de suponer un problema de circunstancia, viene a ser su campo de batalla. La mujer es sin duda la que manda y establece un juego de existencias que consolida su propia existencia acorde a su querer ser, lo más próximo a un yo puro que llega Unamuno, y la de otros. De este modo, la mujer resuelve la paradoja circunstancial desde una postura ontológica. Además, y un tanto paradójicamente, la actuación de las mujeres subraya el vaivén unamuniano entre el esencialismo y el constructivismo social; ellas representan una voluntad de ser madre, pero la maternidad no se logra sin la ayuda de otros. El yo de la madre no se consuma, no existe, sin el otro, sino que para ese yo es imprescindible la existencia de, al menos, un hijo.

BIBLIOGRAFÍA

ÁLVAREZ CASTRO, Luis. *Los espejos del yo. Existencialismo y metaficción en la narrativa de Unamuno*. Salamanca: Ediciones Universidad de Salamanca, 2015.

ANDERSEN, Katrine Helene. Una filosofía novelada. En J. A. Garrido Ardila (coord.): *El Unamuno eterno*. Barcelona: Anthropos, 2015, pp. 330-353.

BUBER, Martin. *Tú y yo. Y otros ensayos*. Marcelo G. Burello (trad.). Buenos Aires: Prometeo, 2013.

CEREZO GALÁN, Pedro. *Las máscaras de lo trágico*. Madrid: Trotta, 1996.

DOBÓN ANTÓN, María Dolores. Matria contra patria en la trayectoria espiritual de Unamuno. *Cuadernos de la Cátedra Miguel de Unamuno*, 1999, 34, pp. 75-96.

FRANZ, Thomas R. *La tía Tula* y el cristianismo agónico. *Cuadernos de la Cátedra Miguel de Unamuno*, 1994, 29, pp. 43-54.

FRANZ, Thomas R. Unamuno's Invalid Marriages. En *New Essays on Unamuno*. Seattle: Kindle Direct Publishing, 2022.

GADAMER, Hans-Georg. *Verdad y Método*. Ana Agud Apacicio y Rafael de Agapito (trads.). 2 tt. Salamanca: Sígueme, 1977.

GARCÍA BACCA, Juan David. *Nueve grandes filósofos contemporáneos y sus temas. Bergson, Husserl, Unamuno, Heidegger, Scheler, Hartmann, W. James, Ortega y Gasset, Whitehead*. Barcelona: Anthropos, 1990.

HYNES, Laura. La tía Tula: Forerunner of radical feminism. *Hispanófila*, mayo 1996, 117, pp. 45-54.

JURKEVICH, Gayana. *The Elusive Self*. Columbia: University of Missouri Press, 1991.

LA RUBIA PRADO, Francisco. *Unamuno y la vida como ficción*. Madrid: Gredos, 1999.

LONGHURST, C. Alex. Telling words: Unamuno and the language of fiction. *Bulletin of Spanish Studies*, 2006a, LXXXIII(1), pp. 125-147.

LONGHURST, C. Alex. Introducción. En UNAMUNO, Miguel de. *La tía Tula*. Madrid: Cátedra, 2006b, pp. 13-59.

MARÍAS, Julián. *El existencialismo en España*. Bogotá: Ediciones Universidad Nacional de Colombia, 1953.

MARÍAS, Julián. *Miguel de Unamuno*. Madrid: Espasa-Calpe, 1960.

NIETZSCHE, Friedrich. *Sobre verdad y mentira en sentido extramoral*. L. M. Valdés y T. Orduña (trads.). Madrid: Tecnos, 2006.

ORRINGER, Nelson R. El choque de fuentes en *Cómo se hace una novela*. *Epos: Revista de Filología*, 1988(4), pp. 213-224.

PACHECO OROPEZA, Bettina. La concepción de lo femenino en Unamuno: encuentro en un entreacto. *Contexto: Revista Anual de Estudios Literarios*, 2004, 10, pp. 217-22.

RIBBANS, Geoffrey. A New Look at La tía Tula. *Revista Canadiense de Estudios Hispánicos*, Invierno 1987, 11(2), pp. 403-420.

SANDOVAL ULLÁN, Antonio. El concepto de mujer en el pensamiento de Miguel de Unamuno. *Cuadernos de la Cátedra Miguel de Unamuno*, 2004, 39, pp. 27-60.

UNAMUNO, Miguel de. *Tres ensayos. ¡Adentro! – La Ideocracia – La Fe*. Madrid: B. Rodríguez Serra, 1900.

UNAMUNO, Miguel de. *El otro. El hermano Juan*. Madrid: Espasa-Calpe, 1975.

UNAMUNO, Miguel de. *Abel Sánchez. Una historia de pasión*. Madrid: Espasa-Calpe, 1985.

UNAMUNO, Miguel de. *Del sentimiento trágico de la vida*. A. M. López Molina (ed.). Madrid: Biblioteca nueva, 1999.

UNAMUNO, Miguel de. *Tres novelas ejemplares y un prólogo*. Introducción de Demetrio Estébanez Calderón. Madrid: Alianza, 2004.

UNAMUNO, Miguel de. *Niebla*. M. J. Valdés (ed.). Madrid: Cátedra, 2005a.

Unamuno, Miguel de. *En torno al casticismo*. Jean-Claude Rabaté (ed.). Madrid: Cátedra, 2005b.

Unamuno, Miguel de. *La tía Tula*. C. A. Longhurst (ed.). Madrid: Cátedra, 2006.

Unamuno, Miguel de. *Cómo se hace una novela*. Teresa Gómez Trueba (ed.). Madrid: Cátedra, 2009.

Valdés, Mario J. *Shadows in the Cave: A phenomenological approach to literary criticism based on Hispanic texts*. Toronto: University of Toronto Press, 1982.

Wood, Gareth. The Necessary Enemy or the Hated Friend: Self and Other in Unamuno. En J. Biggane y J. Macklin (eds.): *A Companion to Miguel de Unamuno*. London: Tamesis, 2016, pp. 153-174.

RESUMEN: Según Unamuno mismo, las mujeres pasan silenciosamente por su obra. No obstante, se demuestra en el presente estudio que los personajes femeninos desempeñan una función central en la obra narrativa del autor, así como una posición privilegiada en su filosofía de la existencia. Se define la filosofía de la existencia de Unamuno como un juego de existencias en el que el «yo» depende la presencia de «otro». Las mujeres en *La tía Tula, Dos madres* y *El marqués de Lumbría* controlan el juego y ellas mismas crean «el otro» necesario para corroborar su propia existencia y cumplir su deseo más fundamental, el de ser madre. Las madres establecen correspondencia entre su yo puro (interior), su querer ser y la realidad fenoménica en la que viven, a diferencia de los hombres que figuran como instrumentos en el juego de la mujer.

Palabras clave: existencialismo; feminismo; yo; otro; maternidad.

ABSTRACT: According to Unamuno himself, the women pass silently through his work. Even so, the present study shows that the female characters claim a central function in the literary work of the author as well as a privileged position in his philosophy of existence. It is argued that Unamuno's philosophy of existence plays out as a game of existence in which the «self» depends on the presence of an «other». The women in *La tía Tula, Dos madres* y *El marqués de Lumbría* are in control of this game and create their own necessary other in correspondence with their inner self, which in Unamuno is defined as the desire to be, in this case to be a mother. The mothers establish correspondence between their inner desire and the phenomenal world, while the men appear as mere instruments in the game of the women.

Keywords: Existentialism; feminism; self; other; maternity.

DOI: https://doi.org/10.14201/ccmu.

UNAMUNO ANTE LA CRÍTICA FEMINISTA: EL CASO DE *LA TÍA TULA*

UNAMUNO IN THE LIGHT OF FEMINIST THEORY: THE CASE OF LA TÍA TULA

J. A. Garrido Ardila
University of Malta y University of Liverpool
jgarr01@um.edu.mt / ardila@liverpool.ac.uk

A estas alturas nadie negará la mucha relevancia que los personajes femeninos poseen en la obra literaria de Unamuno. Y, precisamente, esa presencia conspicua y destacada de la mujer ha dado lugar a lecturas muy dispares y, a menudo, contradictorias. Desde hace décadas, el tronío de las mujeres que pululan por las novelas de Unamuno se ha estudiado e interpretado atendiendo a su grado de feminismo. Puestos a tasar a Unamuno y sus obras de mayor o menor feminismo, los unamunistas han adoptado dos posturas radicalmente opuestas: mientras que algunos lo califican de feminista en toda regla, como es el caso de, por ejemplo, Ciriaco Morón (1964: 245), Geraldine Scanlon (1976: 194) y Paloma Castañeda (2008: 338), otros le niegan esa condición, por ejemplo, Emilia Doyaga (1967: 333) y Roberta Johnson (2003: 159). Las primeras apreciaciones al respecto del feminismo de Unamuno y su literatura se hicieron a la altura de los años sesenta y setenta. Según pasaba el tiempo, y coincidiendo con el auge de la crítica feminista, los estudiosos comenzaron a fijar su atención en obras y en personajes concretos. En el balance de las últimas décadas destaca la cantidad de estudios centrados en la epónima protagonista de *La tía Tula*, novela sobre cuyo hipotético feminismo tampoco se ha alcanzado consenso alguno. Hasta la fecha, la cuestión del feminismo de Unamuno continúa irresuelta. En lo que a *La tía Tula* respecta, ninguno de los análisis elaborados para demostrar su feminismo resulta en absoluto concluyente por las razones que aquí expondremos.

El presente trabajo enlaza con otro reciente sobre las mujeres en *Niebla* (Garrido Ardila, 2019: 81-143) para, aprovechando las conclusiones de aquel, acometer un examen de *La tía Tula* que arroje algo más de luz sobre la controvertida cuestión de Unamuno y el feminismo. A tal objeto, procederé en los siguientes tiempos. Resumiré, primeramente, las conclusiones alcanzadas en mi análisis del personaje de Eugenia en *Niebla* (Garrido Ardila, 2019: 102-114), con especial atención a la evolución del feminismo español en el momento de la composición de esa novela, que es el mismo que el de la redacción de *La tía Tula*. Continuaré repasando las tres principales teorías sobre el feminismo en *La tía Tula*: las expuestas por Laura Hynes (1996), John Gabrielle (1999) y Thomas Franz (2000). Procederé después al análisis del texto sometiéndolo a una de las teorías del feminismo más recientes y solventes: la expuesta por Deborah Cameron en 2018. Todo ello llevará a la conclusión de que *La tía Tula* debe entenderse, primero, como novela de perfil antifrásico típico de la literatura modernista y, segundo, que en absoluto presenta los rasgos característicos de una obra feminista. Establecido esto, y reconociendo su tema religioso, propondré una nueva exégesis de *La tía Tula* presentándola como una novela centrada en el análisis del amor según las variantes establecidas por Unamuno en *Amor y pedagogía* y en *Niebla*.

A lo largo de *Niebla*, Eugenia se presenta como una mujer cuya apostura independiente merece las alabanzas de su tío don Fermín, quien la ensalza por considerarla ejemplo de la «mujer del porvenir» (601, 602)[1], como también suscita el comentario de su tía identificándola con el «feminismo» (628). Mientras que su tía doña Ermelinda la insta a aceptar las proposiciones de Augusto porque él es «un gran partido» (597), Eugenia porfía en sus relaciones con Mauricio, un gandul redomado sin oficio ni beneficio, con quien espera casarse cuando él consiga un empleo para mantenerla. Pudiera argumentarse que Eugenia representa, en efecto, a la «mujer del porvenir» y el «feminismo», toda vez que se rebela contra el matrimonio de conveniencia con el adinerado pretendiente y hace valer su libertad para enamorarse de quien le plazca. Con todo, aproximándose el desenlace de la historia se descubre en Eugenia, tras los altos ideales de resonancias feministas, un sorprendente egoísmo, cruel y despiadado. Recuérdese que, en el capítulo XXVI, habiéndose acabado la relación con Mauricio, Eugenia inicia un noviazgo formal con Augusto –con vistas a boda, según certifica ella (672)– y que, poco después, pide a Augusto que le encuentre ocupación a Mauricio. Cuando el exnovio consigue un trabajo a instancias de la recomendación del novio, Eugenia comunica a Augusto por carta que lo abandona y que vuelve con Mauricio: ahora que el gandul está asalariado pueden ya casarse y formar una familia en la que él la mantenga a ella y ella se dé a las labores del hogar. El calificativo «mujer del porvenir» según lo emplea don Fermín comporta una sonora significación feminista: alude al ensayo *La mujer del porvenir* (1869) de Concepción Arenal, hito del feminismo español. Como apunta doña Ermelinda, Eugenia encarna el feminismo. Sin embargo, una vez que sus tíos y Augusto descubren la estratagema de Eugenia para casarse con Mauricio a expensas del pobre Augusto, esa apostura independiente que antes le valió alabanzas descubre una indigna crueldad (Garrido Ardila, 2019: 111-112). La reacción de su tío don Fermín no deja lugar a dudas: «¡Esto es una indignidad! [...] estas cosas no debían quedar sin un ejemplar castigo [...] ¡No se engaña así a un hombre!» (681). Tamaño es el engaño urdido por Eugenia y tal es el desengaño sufrido por el protagonista, quien había cifrado su felicidad en el amor de ella, que este determina suicidarse. A pesar de su rebeldía de tonalidades feministas, Eugenia no defiende un «porvenir» nuevo para las mujeres: tal como asegura a Mauricio, para ella el lugar de la mujer está en el hogar procreando y cuidando de la prole mientras que el esposo gana el sustento (630). No solo no es feminista Eugenia, sino que es una pícara capaz de, como lamenta su tío, la mayor «indignidad», merecedora de reprobación y castigo.

Las conclusiones derivadas de aquel análisis de Eugenia y de la generalidad de las mujeres en *Niebla* no permitían en modo alguno afirmar el feminismo ni de Eugenia, ni de esa obra, ni del Unamuno que la escribió. Antes al contrario, descubrían un complejo entramado de elementos concebidos al efecto de sentar una tesis filosófica y, eminentemente, literaria: el valor cualitativo del amor espiritual en la existencia es la tesis filosófica; la indagación interiorista al modo modernista, la literaria. Apuntaba yo entonces que, en el tiempo en que se concibió y se escribió *Niebla*, el feminismo no había cuajado en la sociedad española y que, aunque Unamuno leyó obras feministas y sentía interés por el feminismo, concibió esa novela en una sociedad en que el feminismo apenas había arraigado (Garrido Ardila, 2019: 84-90). *Niebla* presenta una suerte de estudio de mujer en que no se nos presenta un único punto de vista femenino, sino diversos y encarnados en varios personajes[2]. A lo largo de la mayor parte de la trama, a los lectores se nos presentan tres tipos de mujer representados por Eugenia, doña Ermelinda y doña Soledad, cada uno de los cuales se corresponde con un ideal social. Antes de descubrir sus verdaderas intenciones, Eugenia es, conforme a la definición de su tío don Fermín, una «feminista» cuyo feminismo consiste esencialmente en hacer su voluntad por encima de las imposiciones de su familia y de los valores de la llamada *buena sociedad*. Su tía doña Ermelinda representa y postula los valores tradicionales de esa sociedad: una señorita que se precie de serlo tiene la obligación primera de casarse con un hombre de posibles. Frente a estos dos personajes de discurso ideológico, la historia incluye referencias constantes a la difunta madre de Augusto –doña Soledad– para definirla como la madre perfecta. Frente a los principios categóricos enunciados por Eugenia y su tía, doña Soledad hace las veces de ejemplo práctico de cómo una madre determina la felicidad y el porvenir de su esposo y de sus hijos. Al final de la obra, Eugenia revela su egoísmo: anhelando una vida de madre y ama de casa mantenida por su esposo, Eugenia sirve apenas de modelo de un pragmatismo egoísta y también hipócrita, porque, haciendo valer su amor por Mauricio por encima de todas las cosas, se sirve del amor de Augusto por ella para alcanzar sus fines, aunque eso implique la destrucción emocional de Augusto.

De otro lado, frente al modelo humano de doña Soledad, Eugenia sirve a Unamuno para retratar tres modelos filográficos de mujer. En *Niebla* se distinguen dos Eugenias: la Eugenia imaginada y la Eugenia real. La Eugenia imaginada es un ente puro y abstracto, hasta el punto de que Augusto no la reconoce cuando se cruza con ella en la calle. Su contraposición es Rosario, que representa la pasión.

Este esquema replica el de la «Rima XI» de Bécquer: una mujer pura e ideal (la Eugenia imaginada), una mujer pasional (Rosario) y la mujer real (la verdadera Eugenia). Como Bécquer y los románticos, Augusto ama al ideal. Como el también tardorromántico Dante Gabriel Rossetti, Augusto se desfoga con una mujer pasional (Rosario). Como en la vida real, ya sea en el Romanticismo o en cualquier otro momento, el ideal no se corresponde con la realidad. Mi análisis de las mujeres en *Niebla* ponía de relieve la imposibilidad de evaluar a Eugenia en aras del feminismo que le atribuyen otros personajes sin atender a las otras mujeres de esa novela: doña Soledad, doña Ermelinda, Liduvina y Rosario. Es más, si bien entonces distinguía dos Eugenias –la real y la imaginada–, debe igualmente repararse en que la Eugenia *real* son en realidad dos Eugenias: la que es y la que finge ser. Una es la Eugenia enamorada de Mauricio; la otra, la Eugenia que finge querer casarse con Augusto para, por medio de ese ardid, alcanzar los medios económicos que le permitan casarse con Mauricio.

Todo lo anterior pone de relieve el empleo de los personajes femeninos de *Niebla* con dos objetos definidos. Uno es social: presentar, de una parte, el feminismo como pura abstracción imposible y como expresión de egoísmo, frente a la generosa entrega de madres como doña Soledad. El otro es filosófico: el progreso social encarnado en la «mujer del porvenir» constituye una entelequia porque el amor «feminista» de Eugenia peca de egoísta hasta el punto de obliterar el amor verdadero y puro de Augusto. *Niebla* se nos revela, filosóficamente, como una obra de tenor y mensaje modernista en su reacción contundente contra la modernidad: ante el progreso técnico y filosófico –en *Niebla* presentados por la alusión a la electricidad en el capítulo XIX (645) y por el feminismo de Eugenia–, Unamuno abandera el matrimonio tradicional y la mujer-madre representada por doña Soledad, amén del amor sublime y romántico que Augusto siente por Eugenia.

La variedad de prototipos femeninos en *Niebla* ejemplifica la polivalencia de la mujer en la literatura de Unamuno. Y, en efecto, al tratar a la mujer en el pensamiento, en la obra y en la vida de nuestro autor hemos necesariamente de distinguir tres categorías diferentes de mujer en su pensamiento. Primero, la mujer en la vida y en la esfera privada de Unamuno. Segundo: la mujer en la sociedad. Tercero: la mujer en la literatura. Sin entrar en una revisión pormenorizada de sus declaraciones, a lo largo de su vida Unamuno concibió a las mujeres como los pilares de la familia. En alguna ocasión comparó a su esposa Concha con aquella intelectual argentina que se le declaraba por carta: aunque Concha carecía de las aptitudes intelectuales de otras, Unamuno la consideraba una mujer superior y perfecta por cumplir perfectamente con el cometido de madre y esposa. El lugar que Unamuno reconoce a la mujer en la sociedad se corresponde, en principio, con el modelo femenino que apreció en su entorno familiar: la mujer, según declaró en diversos momentos, era ante todo madre, tesis esta que repite en *La tía Tula* («el oficio de una mujer es hacer hombres y mujeres» [926]). Ese principio superior no obstaba para que Unamuno apreciase, encomiase y animase la actividad intelectual de las mujeres. A lo largo de su vida, Unamuno mantuvo comunicación epistolar con numerosas mujeres con quienes intercambiaba pareceres en torno a toda suerte de cuestiones de índole intelectual[3]. Así las cosas, los personajes femeninos en las novelas de Unamuno son, esencialmente y por norma general, personajes literarios y no siempre han de corresponderse con ideales sociales o ideológicos. Estudiar a Eugenia en vacío como exaltación del feminismo y sin considerarla en contraposición al resto de las mujeres en *Niebla* solo puede conducir a exégesis erradas. En efecto, a las veces una de esas mujeres literarias puede corresponderse con el modelo de mujer de Unamuno en las esferas de la familia y de la sociedad. Mas, por lo general, las mujeres de las novelas de Unamuno no dejan de ser, en su mayoría, instrumentos al servicio de la filosofía y de la estética literaria de nuestro autor. Y, como bien se sabe, esa estética y esas ideas son esencialmente modernistas –o, dicho en terminología filosófica, antipositivistas–.

Nada de esto han tenido en cuenta los análisis del supuesto feminismo de *La tía Tula*. Por lo general, se ha venido tomando el personaje de Tula en vacío para valorar sus expresiones de razón feminista sin atender, empero, a sus ideas, acciones y manifestaciones contrafeministas, amén de a su contexto vital y cultural. Al igual que muchas otras obras de Unamuno, en *La tía Tula* se entrelazan temáticas varias, algunas relacionadas con la mujer en la sociedad y otras ajenas a esta. Así, los estudios sobre la novela que nos ocupa han abordado cuestiones tales como su calado filosófico (Hannan, 1971; Stenstrom, 2007; Franz, 1994). Otros han atendido a los personajes femeninos, mas sin entrar en etiquetarlos de feministas (Pacheco, 2004). Estudiosos como Ricardo Gullón (1964: 124-217) y Ricardo Díez (1976: 190) han entendido *La tía Tula* como la reelaboración del tema de la maternidad, que Unamuno desarrolló en *Dos madres* (novela corta publicada en 1920 en el volumen *Tres novelas ejemplares y un prólogo*). Y la maternidad es cuestión que atañe a la condición de mujer, pero que en las novelas de Unamuno no deja de abordarse, eminentemente, como motivo literario. Quienes han valorado el perfil psicológico de la protagonista no han alcanzado consenso alguno. Unos la han ensalzado por su entrega al sacrificar su vida al servicio de su hermana y de sus sobrinos, como Julián Marías (1943: 116), Carlos Blanco Aguinaga (1959: 124) y Francisco La Rubia (1999: 165-202). Otros, entre quienes se cuentan Juan Rof Carballo (1984) y Frances Wyers (1976: 80), la han motejado de fuerza opresora de sus familiares.

Ante posturas tan distanciadas y contrapuestas, Mary Bretz (1993: 28) llegó incluso a calificar al personaje de incoherente. Mas esa supuesta incoherencia no implica la impericia de Unamuno como retratista de sus personajes, según él mismo apuntó por medio del prologuista ficticio de *Amor y pedagogía*, a quien hace afirmar que «[Unamuno] no sabe hacer mujeres, no lo ha sabido nunca» (443). Tras ese irónico reproche reivindicaba nuestro autor, ya en 1902, la complejidad de sus personajes femeninos y asumía que muchos críticos no los entenderían y que incluso pudieran explicarlos como hijos de la torpeza de su autor. Esa complejidad ha propiciado la amplitud de pareceres respecto de Tula. Entendiendo y asumiendo las contradicciones de la realidad cotidiana, Unamuno concibe en Tula la personificación de la naturaleza contradictoria de los seres humanos, asunto sobre el que volveremos ulteriormente.

A más de todo ello, debemos recordar ahora que la literatura de Unamuno comporta y manifiesta el sesgo filosófico de su autor: el del antipositivismo que desafía toda interpretación monolítica de la realidad y que abunda en contradicciones y paradojas. Tula es un personaje de la literatura modernista y, como tal, ambiguo y contradictorio. Y tanto afán pone Unamuno por moldear en esa obra un personaje ambiguo y contradictorio que incluso le da dos nombres, ambos reveladores de personalidades incompatibles: Tula y Gertrudis. Cuando Ramiro amaga el cortejo y la llama Tula, ella le reprende de inmediato instándole a que la llame Gertrudis. Para sus familiares más cercanos, es Tula; y es Gertrudis para quienes no pertenecen a su círculo íntimo (o quienes ella quiere excluir de él, como es el caso de Ramiro, aunque él sea el padre de sus sobrinos-hijos). Y, como fuese el caso de Eugenia en *Niebla*, en *La tía Tula* acomete Unamuno un desdoblamiento del personaje: la mujer que ama a Ramiro frente a la mujer que renuncia a ese amor para que su hermana y sus sobrinos sean felices. No se trata, como apunta Bretz, de incoherencia alguna, sino de una expresión de las contradicciones a las que obligan los derroteros que sigue la vida y que la literatura modernista se esfuerza en representar.

La ambigüedad de este personaje ha dado pie a interpretaciones irreconciliables respecto de su posible condición feminista. Las apreciaciones más recientes de Tula han matizado su feminismo o lo han puesto en tela de juicio. En el estudio preliminar en su traducción inglesa de esta novela, Julia Biggane (2013: 18-21) ha negado el feminismo del personaje y del texto en virtud, fundamentalmente, del autoritarismo de Tula con los otros personajes femeninos, autoritarismo de matriarca tradicionalista que Biggane compara a doña Perfecta de Galdós. En un trabajo posterior ha afirmado Biggane rotundamente (2016: 184): «La tía Tula is far from being a feminist text». De otro lado, Carlos Feal (1988: 65-79) destacó la fortaleza femenina de Tula, que presentó como modelo y espejo de la capacidad de las mujeres para determinar el rumbo de sus vidas. Después de Feal se han enhebrado argumentos varios para proclamar el feminismo de *La tía Tula* y su protagonista. Otros han tomado senderos paralelos al feminismo: Raquel García Perales (2021) ha centrado su lectura de esta novela en el concepto *sororidad* –señalado por Unamuno en su «Prólogo»– para proponer una nueva concepción del mismo a la luz de esta obra y también de *Como agua para chocolate* de Laura Esquivel y de *El albergue de las mujeres tristes* de Marcela Serrano. Antes de abordar un análisis de esta novela asistido por la metodología de Cameron (2018), quisiese repasar las tesis feministas contenidas en los trabajos de Laura Hynes, John Gabrielle y Thomas Franz. Todos ellos presentan argumentaciones bien fundadas y esgrimidas, razón por la cual debo partir de ellas en la presente evaluación del feminismo de *La tía Tula*.

En rigor, Hynes no ausculta el feminismo de *La tía Tula*, sino su adscripción a la rama denominada «feminismo radical». Comienza Hynes (1996: 45) afirmando que «Inscribed in [Tula's] exterior and interior struggles are some of the basic principles of contemporary radical feminism, which give her character a remarkably innovative twist». De ser así, nuestra novela merecería un lugar de excepción en la historia de la literatura española, por contener y expresar ese «feminismo radical» en un momento –el primer tercio del siglo xx– en que las corrientes feministas acrecentaban su caudal por toda Europa. Hynes (1996: 46) describe la variedad radical como «an umbrella term for a broad spectrum of feminist projects» y precisa que «The radical feminists who most resemble Tula react against patriarchal discrimination based on sexual differences» (1996: 46). Acto seguido concreta que las feministas radicales –como Jeffner Allen (1986), Andrea Dworking (1974), Shulamith Firestone (1970) y Anne Oakley (1974)– expresan su negación de esas diferencias de género mediante un principio regidor y definidor de ese género de feminismo: la «annihilation of biological motherhood» (1996: 46). Es decir, que, si la distinción fundamental entre los hombres y las mujeres viene dada por la capacidad biológica de ellas para quedar embarazadas y parir, las feministas radicales proclaman la necesidad de renunciar a la maternidad de modo que se elimine esa forma de diferenciación. De tal suerte, toda vez que Tula niega la «maternidad biológica», Hynes la reputa de *feminista radical*.

Así las cosas, esta hipótesis la contradicen tanto las declaraciones de Unamuno en el «Prólogo» como el mismo texto de la novela. En el prólogo sienta Unamuno la relación de su personaje con Santa Teresa de Jesús, personaje que después Tula invoca como inspiración junto a la Virgen María. No es que Unamuno quiera hacer de su personaje un dechado de feminismo más o menos radical, sino que, como él mismo afirma, la anulación de la maternidad biológica de Tula es rasgo de pureza (y de santidad) cristiana. Hynes rebate esta interpretación recurriendo a las teorías de Mary Daly (1984), merced a las cuales afirma de la religiosidad de Tula y su papel de «virgen» que la «Immaculate Conception is really an annihilation of womanhood» (1996: 52). Y, en efecto, en *La tía Tula* se anula la maternidad «biológica» de la protagonista, mas no así su papel de madre *de facto* de sus sobrinos tanto en vida como en muerte de la madre de estos. Tula es madre de sus sobrinos como Santa María es madre de Jesucristo: aunque no los haya engendrado, son sangre de su sangre y los cría como hijos propios. Sin considerar esto ni tampoco entrar a refutar las tesis del mismo Unamuno en el prólogo, Hynes procede a explicar el feminismo radical de Tula en función de los siguientes cuatro puntos.

Afirma Hynes en primer lugar que «Tula believes that women are oppressed» (1996: 48) y aporta como prueba de ello el siguiente apunte de la protagonista: «Parézcanos bien o mal, nuestra carrera es el matrimonio o el convento» (citado en Hynes, 1996: 901). Sin embargo, la frase en cuestión ni denota ni connota denuncia alguna de esa convención social vigente en la época de Unamuno. Considérese que en momento alguno de la novela se cuestiona explícitamente el orden social que reduce el papel de la mujer al hogar y la religión. Y, sobre todo, repárese en que Tula no cuestiona ese hecho; antes al contrario, en esa frase que Hynes cita, Tula lo acepta e insta a su hermana a aceptarlo. Por ello, que Tula «believes» que las mujeres se hallan «oppressed» es parecer que ni Hynes demuestra ni que puede demostrarse.

En segundo lugar, estima Hynes que «Tula rejects patriarchal religion in favour of woman-centered religion» (1996: 49). Sin embargo, el cristianismo (que es la única religión que entiende Tula) no es más o menos «woman-centered»: es lo que dicta la Santa Madre Iglesia, sin posibilidad de ser más o menos nada que se desvíe del dogma. En el año 1300, la Inquisición italiana juzgó, condenó y ejecutó en Milán a Maifreda de Pirovano, acusada de hereje por proclamar que la Iglesia estaba llamada a ser regida por mujeres y ella destinada a ser la primera mujer pontífice. La idea de un cristianismo dirigido por mujeres la había iniciado Gugliema unos años antes, también en Milán. Desde entonces, ni la Iglesia católica ni ninguna de sus agrupaciones de fieles ha entendido ni que el catolicismo sea patriarcal ni matriarcal: hombres y mujeres tienen su lugar exacto en la Iglesia católica y en la sociedad católica. Al contrario que Gugliema, que Maifreda y que todas sus súbditas, Tula jamás cuestiona la jerarquía católica, sino que acata la autoridad moral de su tío el sacerdote, que es hombre. En efecto, y como recuerda Hynes, afirma el narrador de Tula que «esta mujer había rehuido siempre ser dirigida, y menos por un hombre» (931), pero la dirección ejercida por Tula se restringe al ámbito del hogar y en el hogar queda. Ella ni aspira a un sacerdocio femenino (a una «woman-centered religion») ni a otro papel en la sociedad cristiana que no sea el que esta le permite. En realidad, Tula confirma el principio contra el que se rebelaron las primeras feministas: que el espacio social de una mujer se restringe al hogar. De tal suerte, no se alinea Tula con el feminismo, sino que defiende la idea contra la que luchó y lucha el feminismo.

Después subraya Hynes que «Tula engages in a radical critique of male/female relationships and of biological motherhood» (1996: 50). Apunta esa filóloga que la protagonista repudia a los hombres por ser hombres, como cuando dice que ventila la casa «para que se vaya el olor a hombre» (921). Así las cosas, rechazar a los hombres no tiene por qué implicar feminismo. Sobre las relaciones entre hombres y mujeres importa observar que Tula no proclama inversión alguna de las convenciones sociales de la época. Ramiro se prenda de Rosa y le pide relaciones que después llevan al matrimonio. Una vez casados, Ramiro mantiene a la familia y Rosa se dedica a tener hijos y a ejercer de ama de casa (asistida por una criada), sin albergar ningún género de aspiraciones ni intelectuales ni profesionales. Ni el personaje de Tula ni la novela «critican», en absoluto, las relaciones entre hombres y mujeres, sino que confirman el papel de la mujer en la sociedad patriarcal, como ama de casa.

Por último, asevera Hynes que «Tula outlines a model society» (1996: 51). Sin embargo, en ningún momento de la novela se propone, y ni tan siquiera se menciona, un modelo de sociedad que no sea el modelo de la época: el hombre trabaja y la mujer se queda en la casa criando a los hijos. Ese modelo es precisamente el que siempre ha atacado el feminismo. A creer de Hynes, empero, «Tula's radical feminist critique of biological motherhood is not only radical, but also conceptual, since she designs an alternative society based on the model of the honeybee hive» (1996: 51). Mas Tula no presenta una «alternative society», sino que reafirma la sociedad de su tiempo. De hecho, el ámbito de actuación de Tula no es «la sociedad», sino el «hogar». El lugar de Tula en la sociedad es solamente el hogar, y no hay atisbo alguno en la novela de la sociedad más allá de los límites del hogar.

Y concluye Hynes (1996: 53):

> It is clear that Tula's radical feminist project is ultimately under its own contradictions and could not be an effective program of reform. She deserves to be recognized as a precursor of radical feminism, however, because, without compromising her identity to men, she succeeds in subverting patriarchal institutions and in accomplishing her goals, which is the agenda of the radical feminist movement.

Es decir, que Hynes reconoce que el *programa reformista* (léase *feminista*) de Tula no se sostiene en pie, a pesar de lo cual insiste en que el personaje «subvierte» las instituciones patriarcales. A ello cabe objetar que cómo puede subvertir nada si ni ofrece alternativa realista alguna al orden social vigente ni tan siquiera lo cuestiona. Ese programa feminista-reformista no es efectivo sencillamente porque no es ni feminista ni reformista o, cuanto menos, porque Hynes no ha demostrado que lo sea. Antes al contrario, Tula culmina sus objetivos, pero esos objetivos no son feministas, sino que perpetúan el orden tradicionalista: el hombre trabaja, la mujer cría a los hijos y Tula se hace madre virgen, a imitación de Santa María. En definitiva, Hynes constriñe el feminismo a ese feminismo «radical» consistente en la negación de la maternidad biológica y, a pesar de la mucha especificidad del concepto, no llega a demostrar que la negación de esa maternidad en *La tía Tula* responda a los objetos del feminismo.

John Gabrielle basa su interpretación feminista de *La tía Tula* en dos supuestos: la negación de la maternidad y la *voz* femenina que impregna el texto. También ese crítico entiende la maternidad en clave feminista. Esgrimiendo las teorías de Carolyn Heilbrun (1979), Gabrielle (1999: 107) sostiene que

> For Tula, motherhood represents the male invasion and domination of the female body in a physical as well as a social context. Thus Tula's decision to be a mother in defiance of traditional standards constitutes an attack on the institutional conceptualization and expectations of the role, not the role itself, and serves to underscore motherhood as a politicized notion.

Sin que neguemos ahora la concepción problemática de la maternidad para algunas feministas, debemos observar, no obstante, que la premisa de Gabrielle no rebate la lectura religiosa de esta novela. En momento alguno expresa la protagonista que su renuncia a la maternidad se deba al deseo de rebelarse contra los «traditional standards», esto es, contra las convenciones tradicionalistas de su sociedad. Antes al contrario, sus tres guías morales y de conducta son su tío el sacerdote, Santa Teresa y la Virgen María, modelos que jamás cuestiona sino que, al contrario, acata y se esfuerza en imitar. No explica Gabrielle cómo la autoridad moral de estos –declarada en varios puntos de la trama, amén de en el prólogo del autor en que se califica la obra de «teresiana» (894)– es compatible con la lectura feminista propuesta en su artículo. Por otra parte, queda por constatar que la maternidad sirva en *La tía Tula* de «politicized notion». Como he observado aquí, en la novela no se propone alternativa alguna al modelo de familia tradicional: un padre que trabaja y una madre, ama de casa, encargada del cuidado del hogar, de los niños y del marido. La presencia de Tula en la vida familiar de Ramiro y Rosa ni altera ni desafía ese modelo, sino que lo acata y lo confirma. Ello amén del hecho de que, en la época y hasta el momento presente, las tías solteras (y los tíos solteros) puedan prestarse con mayor o menor asiduidad al cuidado de sus sobrinos.

De otro lado, se fija Gabrielle en las ideas de Marleen Barr (1992) sobre las voces femeninas en la literatura feminista. Afirma Gabrielle: «Tula's determination to seize control of the narrative» (1999: 108). En otras palabras: Tula domina la trama al imponer su voluntad y determinar la vida de los otros personajes. Nada objetaremos al respecto: en efecto, la novela la urde una sucesión de episodios unidos por un deseo de *control*, por ejemplo, cuando Tula insta a Ramiro a declararse a Rosa y cuando lo emplaza a que despose a la criada seducida. Puntualiza Gabrielle que «Once it is established that Tula expresses herself in a voice that is essentially stronger than Ramiro's, we are presented with further evidence of the transformation of genre roles vis-à-vis the narrative» (1999: 109). Sin embargo, no queda en absoluto claro a qué «roles» se refiere Gabrielle. Parece asumir que, en la época, el hombre ejercía un «rol» dominante tanto en la sociedad como en la esfera privada del hogar, lo cual no es exacto. No resulta imposible que en una sociedad patriarcal se den instancias particulares en que una esposa sea «stronger» que su marido en lo que ataña a la dirección de los asuntos domésticos. E, incluso aceptando que el dominio ejercido por Tula represente feminismo, ese dominio es meramente consentido por Ramiro.

De otra parte, se observa en esta novela una jerarquía moral que confiere a los personajes su fuerza para ser o dejar de ser «stronger» que otros. Ramiro sigue las indicaciones de Tula en todo momento y acata sus decisiones. Mas por encima de Tula se sitúa siempre la figura de su tío el sacerdote. Pudiera argüirse que el tío nunca rebate los pareceres de Tula, mas ello la confirma como una ágil oradora, lo cual no implica necesariamente feminismo alguno. Sobre todo, que su tío no la contradiga denota igualmente que los pareceres de Tula no se apartan del dogma católico. Tampoco podemos aceptar la conclusión final de Gabrielle (1996: 116): «The interest of Unamuno's novel lies in the way in which Tula manifests agency and lays claim to her right to create and relate her own personal experience thereby achieving a narrative integrity of the female self within a male authorial frame». A este respecto debemos puntualizar que esa integridad narrativa inserta en un «male autorial frame» tampoco ha de implicar, en modo alguno, feminismo. Igual integridad hallamos en novelas sin número de autor masculino que nunca se han identificado con el feminismo: desde *La pícara Justina* de Francisco López de Úbeda en español hasta otros clásicos de la literatura universal como *Moll Flanders* y *Roxanna* de Daniel Defoe o *Madame Bovary* de Gustave Flaubert, por ejemplo.

La tercera de las propuestas feministas sobre *La tía Tula* deriva de una interesante investigación sobre sus fuentes literarias. Demuestra Thomas Franz que numerosos elementos de esa novela proceden de *Hedda Gabler*. Aunque uno de los personajes del drama de Ibsen es una tía soltera llamada Julianna Tessman, el modelo para Tula habría sido Hedda, según demuestra Franz convincentemente. Observa ese filólogo que «The outstanding characteristics of Hedda that we find in Gertrudis are her initial confidence, uncompromising independence, and enjoyment of power» (2000: 91). Franz nos deja las siguientes conclusiones:

> A recognition of the amazing degree to which *La tía Tula* may be seen as an adaptation of a great feminist classic like Hedda Gabler should cause us to continue asking questions about the meanings behind the mixture of feminist, anti-feminst, and non-feminist perspectives in this and other Unamuno works, seen both individually and in the stream of their evolution throughout Unamuno's creative lifetime (2000: 96).

Mas ello tampoco demuestra feminismo alguno. Unamuno no tuvo necesariamente que haber recurrido al personaje de Hedda al único fin de dar a luz un personaje feminista. De hecho, Unamuno, como ávido lector y fervoroso admirador de Ibsen, solía fijarse en las obras de este para la elaboración de algunas de las suyas (Garrido Ardila, 2015). Este dato importa porque las influencias ibsenianas en *La tía Tula* no se reducen al aire feminista de Hedda, lo que explica el interés de Unamuno por Hedda por ser personaje ibseniano más que porque fuese más o menos feminista. En esta novela se perciben igualmente ecos de *Gengangere*. En el capítulo XVI el narrador afirma que el mayor de los hijos de Ramiro «era la viva imagen de su padre, en figura y en gestos, y su tía proponíase combatir en él desde entonces, desde pequeño, aquellos rasgos e inclinaciones de aquel que, observando a este, había visto que más le perjudicaban» (945). La idea del determinismo psicológico y en concreto de los vicios del padre heredados por el hijo varón la toma Unamuno de *Gengangere* de Ibsen, misma obra y mismo tema que le inspiró *El pasado que vuelve* y *El otro* (Garrido Ardila, 2015: 197-201). Por lo tanto, la influencia de Ibsen en *La tía Tula* no responde a la determinación de Unamuno por hallar un modelo feminista para su personaje, sino a la fascinación que el escritor español siempre profesó al noruego.

En definitiva, los trabajos de Hynes, Gabrielle y Franz no acaban de demostrar fehacientemente el hipotético feminismo de *La tía Tula* y de su protagonista. Hynes y Gabrielle proclaman ese feminismo tomando apenas uno o dos elementos temáticos de la novela y relacionándolos con conceptos feministas, mas contemplándolos en vacío y desatendiendo los pasajes del texto que los contradicen. No resuelven esos dos críticos la aparente contradicción entre el feminismo y el tradicionalismo, puesto que no explican cómo la identificación de la protagonista con la Virgen María y con Santa Teresa (según se presentan en el culto católico) encajaría en el pretendido feminismo de Tula. Sin rebatir esa asociación no es posible declarar el feminismo de nuestra novela. Por otro lado, si bien Franz demuestra a las claras el parentesco de Tula con Hedda, no puede asumirse que el feminismo de Hedda tenga axiomáticamente que implicar el feminismo de Tula. Queda, pues, sin demostrar el feminismo de esta novela.

Precisar objetiva y cabalmente el feminismo de *La tía Tula* –como el de cualquier otra obra– exige determinar primero qué entendemos por *feminismo*. Como todo tecnicismo del campo de las humanidades, el feminismo se ha definido y descrito de formas muy diversas. Aunque las más de estas coincidan en distinguirle unas características concretas, pudieran reconocerse varias formas y grados de feminismo. Procederemos ahora a someter *La tía Tula* a una de las más recientes y solventes teorías generales sobre el feminismo: la expuesta por Deborah Cameron en su libro *Feminism*, publicado en 2018 en la colección «Ideas in Profile» de Profile Books. Mediante la inspección de cada una de las características esenciales del feminismo en *La tía Tula* podremos determinar si procede o no calificarla de feminista y, en el caso de que no merezca tenerse por feminista plena, determinar su grado de afinidad con el feminismo.

Entiende Cameron que toda expresión verdaderamente merecedora de la etiqueta *feminista* manifiesta seis ideas que esa investigadora presenta, en inglés, bajo los siguientes títulos: *Domination, rights, work, feminity, sex, culture*. Resumido todo ello en que el feminismo: 1) denuncia la dominación masculina que somete a la mujer, 2) reivindica para la mujer los mismos derechos de que disfrutan los hombres, 3) defiende la capacidad de la mujer para ocupar el puesto que desee en el mercado laboral, 4) refuta la idea de *feminidad* porque supone diferenciar a la mujer del hombre, 5) promulga y defiende la libertad sexual y 6) contraviene la cultura patriarcal. A estos vectores feministas antepone Cameron las siguientes dos *nociones*:

> That women currently occupy a subordinate position in society; that they suffer certain injustices and systemic disadvantages because they are women. That the subordination of women is neither inevitable nor desirable: it can and should be changed through political action (2018: 9).

Abordaremos estas dos premisas antes de proceder al análisis de *La tía Tula* en función de esas seis características del feminismo.

En *La tía Tula* no se manifiesta explícitamente la subordinación social de las mujeres y ni tan siquiera se las pone en ámbito social alguno fuera del hogar familiar. En efecto, Rosa y Tula están subordinadas socialmente en cuanto que viven sus vidas centradas en el cuidado de la familia. Ese es precisamente el contexto sociohistórico de España y del resto de Europa a principios del siglo xx. Y en esta novela no se cuestiona ese orden. En *La tía Tula* no se denuncia, ni explícita ni implícitamente, ninguna índole de «injustices» ni de «disadvantages». Tula y Rosa asumen su lugar en la sociedad como mujeres, en esa sociedad que, como apuntábamos antes, reduce su ámbito de acción al matrimonio (el hogar) y el convento. Y lo asumen sin cuestionarlo. Por otro lado, es a todas luces claro que la subordinación social de la mujer se considera en esta novela «inevitable» e incluso «desirable». Es inevitable porque, como asevera Tula sin ambages, el lugar de la mujer está en el matrimonio o el convento (*supra*), y porque Unamuno insistió a lo largo de su vida en aseverar tajantemente que la mujer está hecha para procrear (véase, por ejemplo, Jurkevich, 1991). Tampoco se afirma ni se sugiere que esto no sea «desirable». Como veremos más abajo, la maternidad se presenta en *La tía Tula* como un deber, sin que ninguno de los personajes aborde la mayor o menor deseabilidad o la conveniencia de esto. No se producen, por tanto, esas dos *nociones* feministas en *La tía Tula*, establecido lo cual pasamos al análisis de los seis componentes del feminismo según Cameron.

Según explica Cameron, el feminismo persigue «a future world where women are the dominant sex» (2018: 13) por medio del derrocamiento de la sociedad patriarcal, definida como aquella en la que «Men monopolize or dominate positions of political power and leadership, and have more say in political decision-making than women. Men have rights under the law which women do not. Men own or control more economic resources than women» (2018: 15). En *La tía Tula* no se ofrece una panorámica de la sociedad patriarcal, ni con ánimo subversivo ni con ninguna otra intención. Evidentemente, los personajes viven sus vidas en un orden patriarcal, pero este no se describe: no se inserta en el texto referencia alguna al poder político ni a quien lo ejerce y ejecuta, como tampoco se detallan las actividades económicas de los personajes. Esto es: el patriarcalismo de la sociedad ni se desafía ni tan siquiera se describe, sino que se asume implícitamente. De Ramiro ignoramos su profesión y ante el lector se presenta una familia patriarcal: el esposo, como cabeza de familia, gana el sustento de su esposa y de sus hijos, y a su esposa corresponde ejercer exclusivamente de madre y ama de casa. El control económico solamente se explicita en *La tía Tula* en el caso de don Juan, de quien se indica su profesión de médico. Al declararse a Tula, don Juan le ofrece un matrimonio en el que él, dicho en la expresión de Cameron, «controlaría los recursos económicos». Pudiera hipotetizarse que, al rechazarle, Tula rechaza esa suerte de «control». Mas, sin embargo, y lejos de alinearse con feminismo alguno, Tula lo rechaza porque el matrimonio con él no se avendría a los principios católicos: el matrimonio como sacramento para instaurar una familia, es decir, al objeto de procrear. Don Juan le confiesa que no puede tener hijos y Tula lo rechaza precisamente por ello (o, al menos, poniendo eso por excusa). Más abajo volveremos a don Juan para calibrar la sexualidad de Tula. Por ahora adelantemos que ella lo rechaza porque este le ofrece relaciones sexuales incapaces de procrear: siendo el sexo por placer reivindicación feminista, el rechazo de Tula implica el rechazo de uno de los principios básicos del feminismo.

Sobre la igualdad de derechos afirma Cameron que «Rights and equality are familiar, mainstream concepts, but they are not always as simple as they appear» (2018: 48). Esto escribe Cameron en pleno siglo XXI cuando, aunque las leyes de las democracias liberales establecen la igualdad de género, esta no se alcanza plenamente dejando pendientes cuestiones como la brecha salarial, el acoso y los abusos sexuales, etc. La legislación de la España –y de la Europa– de principios del siglo XX no contemplaba la igualdad de género, razón por la cual debe esperarse que un texto feminista redactado en aquel tiempo aborde la igualdad de un modo, cuando menos, testimonial. Pero tampoco encontramos en la extensión de *La tía Tula* manifestación alguna a favor de la igualdad de género. Antes al contrario, se establecen jerarquías implícitas. Los hombres dirigen la sociedad y las mujeres dirigen el hogar. Ramiro es cabeza de familia y gana el pan. Afirma el narrador que Tula no quería «ser dirigida, y menos por un hombre» (931), pero esa independencia se limita al hogar y no libera a la mujer de la dependencia económica de los hombres. Por lo tanto, Tula impone su parecer en el ámbito del hogar solamente. En la actualidad reconocemos la conciliación familiar y se espera que en un matrimonio tanto el hombre como la mujer desempeñen una ocupación profesional remunerada y, también, que ambos compartan las tareas del hogar. Tula impone su parecer en el hogar y suprime toda voz masculina, de modo que contraviene el principio de igualdad feminista: exime al hombre de las tareas del hogar (de las que se ocupan esposas y criadas), que es una de las reivindicaciones feministas. Para ella el marido es superior económicamente y la esposa es superior en el hogar.

Entre los derechos que reclama el feminismo se encuentra la tercera de las reivindicaciones señaladas por Cameron: «paid work» (2018: 49), el desempeño de una profesión remunerada. El empleo remunerado permite a las mujeres lograr esa independencia económica al tiempo que exige el acceso a la educación superior y también conlleva el reconocimiento de sus capacidades intelectuales. Cameron puntualiza que, para defender el lugar de las mujeres en el mercado laboral, el feminismo se esfuerza en «devaluing their traditional domestic role» (2018: 66). Sobre esto debemos repetir que en *La tía Tula* ni se «devalúa» ni se cuestiona en modo alguno el «domestic role» de las mujeres; antes al contrario, se reivindica como único cometido de la mujer. Cuando su sobrina comienza a estudiar «costura y cosas así», apunta el narrador que Tula solía decir: «Nada de labores de su sexo; el oficio de una mujer es hacer hombres y mujeres, no vestirlos» (926). Entendiendo que una mujer puede desempeñar, como oficio remunerado, «labores de su sexo» tales como el corte y la confección, Tula insiste en que el principal cometido de toda mujer es la procreación y que antes debe dedicarse a procrear y criar a sus hijos que a ejercer oficios «de su sexo». No es que niegue a las mujeres el acceso al mercado laboral, sino que, acotando el trabajo remunerado a esas «labores» femeninas, proclama el deber de no ejercerlas y de confinarse en el hogar para procrear. Observa Cameron que el feminismo procura «how to negociate the demands of work, both paid and unpaid, in a world which is organised around men's needs rather than theirs» (66). Tula desacredita el trabajo remunerado y solamente reconoce el «oficio» de madre sin acometer reflexión alguna sobre las necesidades de hombres y mujeres. Para ella, las mujeres no pueden tener necesidades algunas que obsten su deber de madres.

El feminismo, indica Cameron, se rebela contra la «feminidad» según este concepto se ha instaurado en la sociedad para privar a las mujeres de la igualdad de género. Explica Cameron que «The word *woman* doesn't just denote a biological category, but more importantly a social one» (2018: 67). Observa, después, que las sociedades patriarcales exigen a las mujeres ser «femeninas» y pormenoriza que «Femininity is not just a cultural construct but a cultural imposition» (2018: 70). A las mujeres se les «impone» ser femeninas y serlo supone una desventaja para la igualdad porque se mantiene «a hierarchy in which the masculine outranks the feminine» (71). Ante todo, la feminidad obliga a las mujeres a someter su voluntad a los hombres. «Femininity is passive, submissive, emotional, weak and in need of protection» (2018: 71), resume Cameron. Pudiera argüirse que el comportamiento de Tula no es ni pasivo, ni sumiso, ni tampoco débil y menesteroso de ser protegido. Mas esa fortaleza se muestra solamente –como venimos repitiendo aquí– dentro de los confines del hogar. Y no es que Tula sea pasiva, sumisa, débil y desprotegida allende esos confines, sino que simplemente no los traspasa. Y al confinarse al hogar, ella misma se pone en una situación de desprotección en la que lo masculino se sobrepone a lo femenino.

El feminismo entiende las relaciones sexuales desde la premisa de que «[women's] desires should matter, and their boundaries should be respected» (Cameron, 2018: 102). Ello implica tres cosas. Primero, que el sexo es algo que se desea. Segundo, que en la actividad sexual lo principal es el deseo, y la procreación, una función secundaria. Tercero, que, siendo algo deseado por las mujeres, las relaciones sexuales deben someterse a la voluntad de la mujer. Antes hemos visto que, para Tula, el sexo no es un deseo, sino una obligación. Para el feminismo, las relaciones carnales constituyen un fin. Para Tula, son un medio para alcanzar otro fin: la maternidad como base de la familia. El feminismo predica el sexo como deseo y también como derecho: la libertad de la mujer conlleva la libertad sexual y la libertad sexual se da cuando la mujer mantiene relaciones en las condiciones consentidas por ella y sin ninguna otra restricción que su propia voluntad. Incidamos en que para Tula el sexo solo es legítimo dentro del matrimonio y al único fin de procrear, lo cual es postura diametralmente opuesta a la feminista.

La sexualidad de Tula ha sido objeto de comentarios varios. Refiriéndose a nuestra novela y sin entrar en detalles, Biganne (2016: 182) ha afirmado de la obra literaria de Unamuno que representa la sexualidad de modo «not notably discrepant» con la doctrina de la Iglesia. Para Longhurst (2014: 113) «Unamuno does not make Gertrudis reject her sexuality; what she evidently resists is allowing others to subject her sexuality to their own ends». Esta apreciación debiese matizarse. Longhurst se refiere a la propuesta de don Juan y, en efecto, Tula lo rechaza porque el matrimonio de él respondería apenas al «deseo» sexual masculino. De otro lado, nada indica que al animar la relación entre Rosa y Ramiro la protagonista trate de «resistirse» a poner su sexualidad al servicio de la sexualidad de él. Esto es así porque Tula dispone e insta a Rosa a «someter» su sexualidad al único «oficio» que reconoce a las mujeres: procrear. Biggane explica el celibato de Tula en aras de un «deeply personal fear of the bodily and the sexual» (2013: 18), enjuiciamiento que tampoco puede sostenerse mediante pruebas textuales. En otro lugar apunté que «Gertrudis repugna las relaciones carnales si estas no responden al objeto de la procreación» (Garrido Ardila, 2017: 119). En definitiva, a entender de Tula, la sexualidad no es cuestión de deseo, como tampoco es un derecho derivado de la libertad, sino, antes al contrario, un deber asociado al deber de procrear.

A lo largo de la novela, tanto la protagonista como el narrador inciden en que las mujeres deben obrar conforme a sus deberes como mujeres. Cuando Rosa reconoce que algún día podrá llegar a querer a Ramiro, Tula asevera que así será «porque es tu deber» (905). Hallándose Rosa enferma y consciente de que morirá, Tula le declara: «Conozco mis deberes» (915), y su hermana apunta «Deberes…, deberes…» (915). Para Tula, su deber en muerte de su hermana será cuidar y criar a los hijos de Rosa, porque los niños precisan siempre de una madre. Así se lo explica a Ricardo en la carta en que le declara su decisión de interrumpir sus relaciones con él: «Mi hermana me sigue rogando desde el otro mundo que no abandone a sus hijos y que les haga de madre. Y puesto que tengo estos hijos que cuidar, no debo ya casarme» (922). A ese deber se refiere en esa misma carta como «obligaciones sagradas» (922). De ello se desprende que, para Tula, el matrimonio tiene por solo objeto tener hijos y cuidarlos; dándose la circunstancia de que Tula tiene esos hijos adoptados, su deber es cuidarlos y no casarse con nadie. O, como afirma Biggane (2016, 184), «the text enacts a división of labour between the material maternal procreator and the spiritual and emotional nurturer (Tula)». De modo que Tula rechaza el deseo (sexual) y no entiende el sexo si no es para procrear. Rechaza a don Juan no por feminismo, sino con la excusa de que no pueden procrear.

Después de fallecida Rosa, Ramiro hace ver a Tula sus sentimientos por ella. Ante la insistencia de él, ambos acuerdan esperar un año antes de considerar una posible relación sentimental. Entonces apunta el narrador que «su cabeza reñía con su corazón, y ambos, corazón y cabeza, reñían en ella con algo más ahincado, más entrañado, más íntimo, con algo que era como el tuétano de los huesos de su espíritu» (927). En esa frase se establecen dos oposiciones. La primera alude a la tópica tensión entre la razón y el deseo. La segunda entre la razón («reñían en ella», esto es, en la cabeza) y lo más hondo del «espíritu». En lo que sigue desde ese momento hasta el desenlace de la novela, los lectores descubriremos que el «corazón» no vencerá en esa riña: jamás comenzará relación sentimental alguna con Ramiro. De lo cual hemos de colegir que la razón se impone al deseo y, según suscribe el narrador, que la razón responde y obedece al espíritu. En definitiva, el sexo no es, en *La tía Tula*, un deseo, sino un deber derivado del deber superior de engendrar hijos. En esta novela, el amor debe ser espiritual (como veremos después) y el deseo tiene por única razón la procreación.

El sexto y último de los elementos constitutivos del feminismo, según lo explica Cameron, es el rechazo de la cultura machista. Esa cultura se habría confirmado en el siglo XIX merced a la imposición de unos presupuestos promulgados por científicos, como Darwin, que mantienen «the evidence of women's cultural inferiority» (Cameron, 2018: 103). En *La tía Tula* no se declara la «inferioridad» de la mujer, sino su específica condición de madre. Ello la hace implícitamente superior al hombre, porque la base de la sociedad es la familia y la familia se fundamenta en la capacidad biológica de la mujer para tener descendencia. De ello se sigue que, como mínimo, la mujer es igual al hombre (ambos dependen del otro para procrear) y que, de hecho, es superior porque ella posee el don natural de criar a los niños. Con todo, mientras que la mujer es superior al hombre en el hogar, el hombre continúa siendo superior en la sociedad: en la sociedad en que vive Tula, solo la madre puede criar al hijo, pero la madre depende del sustento económico del padre.

Cotejada *La tía Tula* con el feminismo –conforme lo explica Cameron en todas sus amplitudes–, queda claro que nuestra novela no puede designarse feminista, como tampoco se le puede reconocer grado alguno de feminismo. Solo tomando algunos rasgos aislados del feminismo y rescatando pasajes descontextualizados de *La tía Tula* puede defenderse el hipotético feminismo al que, como hemos visto, en realidad es ajena esta obra.

Establecida la imposibilidad de calificar esta novela de más o menos feminista, restaría establecer su razón de ser, enrevesado cometido este al que quisiera ensayar una aproximación en el poco espacio del que aquí dispongo, al único fin de presentar una alternativa a las lecturas en clave feminista. Tomaré como punto de partida las posibles exégesis adelantadas no hace mucho por Longhurst (2014: 109) en respuesta a la siguiente pregunta por él formulada: «What, then, lies at the root of Gertrudis's unusual behaviour?». Longhurst le da tres respuestas. Primero, que «Gertrudis's devotion to the children is simply the secular equivalent of an unfulfilled religious vocation» (109). Segundo, que «she acts out of wounded pride» (110). Tercero, que «Gertrudis's determined avoidance of marriage is a fear of sex» (111). A estas tres propuestas podría matizarse lo siguiente. En primer lugar, si bien *La tía Tula* plantea cuestiones de índole religiosa, no creemos posible demostrar una «unfulfilled religious vocation», puesto que nada impide a la protagonista tomar los hábitos al principio o en cualquier otro momento de la historia. Como tampoco aporta Longhurst pruebas textuales del supuesto orgullo herido de la protagonista ni nada que constate la sospecha de aversión al sexo. Por el contrario, sí se presentan en la novela modelos religiosos que Tula sigue y que la convertirían, como apunta Longhurst, en el «secular equivalent» de ellos, como veremos en los párrafos siguientes. A las explicaciones de Longhurst cabe añadir que *La tía Tula* debe leerse en cuanto texto perteneciente a la sucesión de novelas unamunianas y en función de su lugar dentro de la producción literaria de Unamuno. Ello obliga a entenderla conforme a sus contenidos y también a su forma, lo que trataré a continuación.

Afirmó Geoffrey Ribbans (1987: 418) que «[Tula] is working out a particular aspect of those problems of existence, belief and conduct which obsessed Unamuno». En efecto, unamunistas posteriores han reparado en la dimensión religiosa de esta novela, dimensión que abarca las cuestiones sobre la existencia, la fe y la vida. Hace tres décadas, Longhurst (1989), vislumbrando en la novela un paralelismo entre la maternidad y el sacerdocio, destacó su enfoque religioso, de sesgo protestante, en que el servicio a Dios se concibe como el servicio al prójimo, ya sea tomando los hábitos o ejerciendo de madre adoptiva. En la misma línea, Biggane (2016: 184) propone la siguiente exégesis: «*La tía Tula* could in part represent an ingenious solution to Unamuno's problems: in laying out an expanded role for the (intelligent, questioning) chaste woman to be part of disecclesialisation by taking up the domestic sphere some of the hitherto institutionalised clerical male tasks, secular civil life is insulated from both women and Church, while agency and prestige is added to woman's domestic role as a substitute for greater civil rights». Esta interpretación la constata la descripción de Antígona dada en el prólogo que el autor puso a la novela: como Antígona, subraya Unamuno, Tula «representa acaso la domesticidad religiosa, la religión doméstica, la del hogar» (895). Así las cosas, no podemos demostrar que, por medio de la domesticidad religiosa de Tula, pretendiese Unamuno desacreditar los «civil rights» de las mujeres. Ello es así, eminentemente, porque esos derechos civiles estaban poco o nada avanzados en España, como tampoco se hallaban reconocidos tácitamente ni en las Vascongadas en que creció Unamuno ni en la Salamanca en que vivió la mayor parte de su vida.

En efecto, *La tía Tula* debe leerse, en parte, en clave religiosa, como bien afirma Unamuno en el prólogo. Si, según afirmó el mismo autor, la concepción de esta obra partió de un caso real, este podría haberle servido para meditar sobre uno de los misterios del catolicismo: la virginidad de la madre de Jesucristo. En concreto, Unamuno da forma a un personaje seglar que imita en cuanto puede a la Virgen María. Es decir, aborda en esta novela el misterio de la santidad y cómo los laicos podemos alcanzarla. Tomando el caso de Tula y la Virgen, Unamuno explora no solo la santidad, sino también el misterio de la maternidad de la Virgen María. Así, a lo largo del texto se presentan a Santa María y a Santa Teresa como modelos a emular y a la protagonista como una suerte de santa laica. Valgan los siguientes ejemplos como botón de muestra para poner de relieve la devoción mariana y teresiana de Tula.

Tula y sus hermanas crecen con la Virgen María como modelo de conductas, según consta su tío al apuntar que él las crio «en el culto a la Santísima Virgen Madre» (911). La Virgen tiene una presencia constante en la vida de Tula, simbolizada, por ejemplo, por medio de «una medalla de la Santísima Virgen» (910) que cuelga al cuello de su primer sobrino y por «una imagen de la Santísima Virgen Madre» (928) que ella tenía en su alcoba. El empleo del artículo indefinido *una* en ambas frases pudiese asimismo indicar que había más medallas y más imágenes, lo cual denota la presencia ubicua de la Virgen en la vida de la protagonista. Tula vive encomendada a la Virgen, por lo que, cuando su sobrino toma su seno y se aferra a él como queriendo amamantarse, ella lo interpreta como «Un milagro, Virgen Santísima» (916). Cree Tula en el poder de la Virgen sobre los mortales y sobre el destino de sus vidas: afirma a Ramiro que no ha «dejado de pedir a la Virgen Santísima y a su hijo» (922). Igualmente, Tula busca inspiración en Santa Teresa según indica el narrador cuando afirma que la protagonista «leía mucho a Santa Teresa» (931). Tan devota es Tula de las dos santas que otros personajes la identifican con ellas. En una ocasión el tío sacerdote le dice que si se hiciese monja llegaría «a ser otra Santa Teresa» (931). En conversación con don Juan, ella invoca a «La Santísima Virgen Madre» (940) y, poco después, este la llama «representante de la Madre Santísima» (946), lo cual ella confirma: «Usted lo ha dicho» (946).

En definitiva, a lo largo de la novela se incide en poner a Santa María y a Santa Teresa como los paradigmas morales venerados e imitados por Tula, quien a ellas se encomienda esforzándose en parecérseles en todo lo posible, lo cual confirman su tío y don Juan. (La ironía del comentario de don Juan subraya la obsesión de Tula con la pureza espiritual). En el prólogo, Unamuno afirma rotundamente, en dos ocasiones, las «raíces teresianas» (894) de *La tía Tula*. La novela sobre la vida de Tula podría interpretarse como una suerte de biografía al estilo de *La vida de la Madre Teresa de Jesús*: Tula se esfuerza por servir al prójimo y por mantener la pureza espiritual en que se educó y, en ese sentido, se convierte, al igual que la santa abulense, en un modelo moral y religioso. Mas su verdadero modelo no es Santa Teresa, sino la Virgen María, puesto que Tula ejerce de madre a la vez que mantiene su pureza sexual al negarse a entregar su virginidad a ninguno de sus pretendientes (ni a Ricardo, ni a don Juan, ni a Ramiro). El nombre y el título de don Juan no son casuales: es un donjuán, a quien Tula se resiste como no se resistieron las mujeres seducidas por el mítico personaje en todas sus encarnaciones literarias. La monjita Inés sucumbió al encanto de don Juan, mas no así Tula a su donjuanesco pretendiente: Tula resiste impertérrita y rechaza sin contemplaciones al donjuán.

De todo ello se sigue que Unamuno, inspirado por una historia real, procura explicar en *La tía Tula* uno de los misterios de la fe católica: que es posible ser madre y virgen. Tula se nos presenta, pues, como una virgen madre, tan madre como pueda serlo Rosa, toda vez que sus hijos adoptivos son de su sangre y con ellos establece un vínculo maternal más fuerte que Rosa, según demuestra el recuerdo que sus sobrinos le guardan después de muerta. Dicho de otro modo, Unamuno explica racionalmente una de las verdades de la fe católica: se puede ser madre a la vez que virgen, lo cual constituiría la sublimación de la condición humana al grado de pureza de la Virgen María. Unamuno racionaliza la fe y, de este modo, resuelve literariamente una de las grandes cuestiones de la filosofía de su tiempo.

De otra parte, y a pesar de las muchas vueltas que los unamunistas hemos dado a *La tía Tula*, aún no se ha reconocido su tratamiento del amor en la línea de otras novelas de Unamuno como *Niebla* (Garrido Ardila, 2008 y 2019: 21-80) y *San Manuel Bueno, mártir* (Garrido Ardila, 2011). En su redacción original, la novela empezaba en lo que ahora es el capítulo VII. En el séptimo párrafo de ese capítulo VII, el narrador indica que Tula se «había fraguado su teoría, y era que hay un amor aparente y consciente, de cabeza, que puede mostrarse muy grande y ser, sin embargo, infecundo, y otro sustancial y oculto, recatado aun al propio conocimiento de los mismos que lo alimentan, un amor del alma y el cuerpo enteros y justos, amor fecundo siempre» (917-918). Acaba ese párrafo con una referencia al «verdadero amor» confirmado, en el caso de Rosa y Ramiro, por el nacimiento del primer hijo. Y continúa el siguiente párrafo con una matización de esa teoría: el amor es «No amor, sino mejor cariño» (918). Culmina ese capítulo sugiriendo que Rosa seguirá viva en tanto en cuanto viva Ramiro: es decir, que el amor confiere la inmortalidad puesto que el enamorado, después de muerto, vive en el recuerdo del amado y en ese amor que aún siente este. Esta tesis es pareja a la mantenida en *Niebla* (Garrido Ardila, 2008): dicho en las palabras del narrador de *La tía Tula*, que «Es el amor más fuerte que la vida y que la muerte» (919). De tal suerte, Rosa al morir se convierte en «la muerta inmortal» (920), que «no se había muerto» porque «no podía morir» (920). No se trata de una contradicción, sino de la valoración filosófica que Unamuno hace del amor.

Es decir, que, en su versión primera, *La tía Tula* comenzaba presentando un caso de amor –la atracción de Ramiro por Rosa, el noviazgo y el matrimonio– enmarcado en una teoría del amor formulada explícitamente. Es decir, que esta obra se concibió clarísimamente como una historia de amor relatada para ilustrar esa idea filosófica del amor. También la versión final se centra de inmediato en la naturaleza del amor. En el capítulo I plantea Unamuno la misma disyuntiva acometida en *Amor y pedagogía*: existen dos tipos de amor, uno *inductivo*, que surge espontáneamente, y otro *deductivo*, que sigue a los designios de la razón[4]. En ese primer capítulo de *La tía Tula* departen la protagonista y su tío sobre el amor. Afirma ella de Ramiro y Rosa que él «es un buen partido [...] y se querrán» (902). Le pregunta entonces su tío si «no se quieren ya», a lo que retruca ella: «¿Pero cree usted, tío, que pueden empezar queriéndose?» (902), antes de afirmar que «A Ramiro [...] se le ha metido Rosa por los ojos y cree estar enamorado de ella» y «acabará por cobrar[le] cariño» (903). Después habla con su hermana y esta le confiesa: «Sí, creo que le querré [...]» (904). Vemos, pues, que la temática de partida en *La tía Tula*, tanto en el primer esbozo como en su forma definitiva, es el amor en sus modos inductivo y deductivo, considerado –en el capítulo I– de idéntico modo que en *Amor y pedagogía*. El sentimiento de Ramiro es inductivo, mientras que Rosa se casará deductivamente, porque entiende que acabará queriéndole por sus cualidades personales. *La tía Tula* se inserta, así, en la serie de novelas unamunianas dedicadas al análisis y la comprensión del amor, de su incepción y de su carácter eterno, serie en que destacan *Amor y pedagogía*, *Niebla* y *San Manuel Bueno*. El noviazgo y el matrimonio de Ramiro y Rosa no es el único caso de amor analizado en *La tía Tula*. A continuación, reflexionaremos sobre ese y también sobre el amor de Ramiro y Tula, pues ambos se corresponden con dos modelos muy distintos de amor. El amor de Tula por Ramiro se concibe y encuadra dentro de la sucesión de novelas unamunianas: como Augusto por Eugenia en *Niebla*, Tula siente amor por Ramiro sin culminarlo en una relación sentimental; como el amor de Ángela en *San Manuel*, el amor de Tula no se nos revela de inmediato.

Al igual que en esas otras novelas, en *La tía Tula* aborda Unamuno las complejidades del amor por medio del desarrollo y la confirmación del amor de Tula y Ramiro. Parte la novela, en su versión final, de la teoría de que el verdadero amor es *cariño* y que ese cariño se conforma con el paso del tiempo. Ramiro siente una atracción inicial por Rosa, y Rosa llega a amar a Ramiro. Dicho en terminología unamuniana: Ramiro queda prendado de Rosa *inductivamente* y Gertrudis los une *deductivamente*, por medio de razones prácticas. De otro lado, de Tula se nos describen en los primeros párrafos del capítulo I los ojos, «que hablaban mudamente» (899), y de ella dice el narrador que «despertaba más [...] el ansia de goce» (899). Es decir, en el texto se nos describe el desarrollo de dos tipos de amor. El texto no revela por qué Tula media entre su hermana y Ramiro para que se casen, en lugar de echarse a un lado y esperar que Ramiro acabase por fijarse en ella. Es posible que, en los primeros capítulos, al no haber cuajado el *cariño*, Tula no se encuentre aún enamorada verdaderamente. O es posible que anteponga el deber a los sentimientos, entendiendo ella que su deber reside en ayudar a su hermana a alcanzar la felicidad a costa de la suya, tema similar al tratado en *San Manuel* –el santo que entrega su vida para lograr la felicidad de otros–. Lo cierto, no obstante, es que si Ramiro se hubiese prendado de Tula no habría novela en los términos que Unamuno procura: la trágica dificultad de encontrar el amor verdadero, que es el amor espiritual. Tras el estudio del caso de Avito Carrascal en *Amor y pedagogía* –quien decide casarse deductivamente con Leoncia y acaba enamorado inductivamente de Marina–, Unamuno retoma en *La tía Tula* la temática del amor y el enamoramiento también tratado en *Niebla*. En la novela de 1921, la teoría del amor inductivo y el deductivo da paso a una reelaboración de la teoría del amor eterno contenida en *Niebla*: el amor se hace eterno cuando es *amor espiritual*, como veremos a continuación.

La tía Tula contiene la trágica historia del amor de Tula y Ramiro, narrada al efecto de exponer la superioridad del *amor espiritual* sobre el *amor carnal*. A tal fin dispone Unamuno dos historias de amor: la de Ramiro y Tula además de la de Ramiro y Rosa. Poco después de fallecida Rosa, Ramiro se siente atraído por Tula. Del matrimonio entre Ramiro y Rosa apunta el narrador que «Al principio» fue «el imperio del deseo» (918) antes de declarar que su amor se hizo «inmortal» (918). Aquí Unamuno establece el distingo entre el amor carnal y el amor espiritual que plasmase, valiéndose de términos kierkegaardianos, en *Niebla* (Garrido Ardila, 2008). El verdadero amor es espiritual en *Niebla* y también en *La tía Tula*. Para alcanzar el amor espiritual o «inmortal», Rosa y Ramiro viven el amor carnal primero, del que surge el *cariño* propio del amor espiritual. Por el contrario, Tula se resiste al amor carnal. Rechaza los «instintos» (923) de Ramiro y, para aplacarlos, le propone: «esperemos un año» (925). Ese plazo serviría a Tula para descubrir si el amor de Ramiro es espiritual, es decir: si, aplacado el deseo carnal, pervivirá en él el amor espiritual. Cuando los instintos de Ramiro redoblan, viajan a la costa procurando un entorno distinto donde templar el deseo de él. Allí «El mar purísimo les unía las miradas y las almas» (929). El mar es «purísimo», y en ese escenario de pureza, Ramiro y Teresa se unen espiritual y platónicamente, con los ojos y las almas. Ahí descubre él que bajo el deseo de la carne siente un amor «purísimo», es decir, espiritual.

Mas como quiera que Tula continúa guardando ese plazo de un año, Ramiro, en lugar de cultivar un amor espiritual por ella, cae en la tentación del «imperio del deseo»: seduce a la criada Manuela y la deja encinta. Entonces impone Tula su superioridad moral en el hogar y le conmina a él a casarse con la sirvienta. En ese capítulo XV, y después de que Ramiro y Manuela se hayan casado y tenido hijos, Ramiro enferma. Antes de que el narrador anuncie su muerte, hablan él y Tula. Ella se refiere a la difunta Rosa como «la madre de tus hijos» y él la corrige: «No; la madre de mis hijos eres tú, tú, tú» (942). Esto entiende Tula como una declaración de amor espiritual, porque al ser padres de los mismos hijos se convierten simbólicamente en esposos. Entonces «Juntaron las bocas y así se estuvieron, sollozando» (942). Mediante ese beso se confirma el amor que se venía fraguando desde que se conocieron, un amor *inverso* al que Ramiro sintió por Rosa. Con Rosa, el amor carnal precede al espiritual. Con Tula, el amor espiritual se desarrolla sin experimentar el amor carnal. Es un amor «purísimo» (supra) en su desarrollo y también en su culminación apenas en un beso, porque nunca ha sido carnal. Y es un amor eterno: ante el cadáver de él, «juntó [Tula] un momento su boca a la boca fría de Ramiro, y repasó sus vidas, que era su vida» (943). Así Tula muestra que lo ama en la muerte como lo amó en la vida.

Ha apuntado Longhurst que Rosa y Ramiro logran la «eternización» del amor y que «para alcanzarla tienen que superar su amor carnal y cultivar el amor espiritual» (2009: 44). Puntualicemos ahora que Ramiro y Tula no experimentan «amor carnal» alguno. Así las cosas, la novela explica el amor espiritual de Tula, tan espiritual que jamás experimenta la unión carnal. No solo es Tula una madre virgen, sino así también una enamorada virgen y pura. Desde el principio, según nos indica el narrador (supra), los ojos de Tula «hablaban mudamente» (899) y ella «despertaba más [...] el ansia de goce» (899); es decir, Tula y Ramiro se atraían mutuamente, carnalmente como implica la expresión becqueriana «ansia de goce»[5]. Mas Tula rechaza el «goce» carnal, la atracción primera. En el capítulo XV reconoce Ramiro a Tula que cuando la conoció a ella y a Rosa: «Al principio, al veros, al ver a la pareja, solo reparé en Rosa; era a quien se le veía de lejos; pero al acercarme, al empezar a frecuentaros, solo te vi a ti, pues eras la única a quien desde cerca se veía. De lejos te borraba ella; de cerca la borrabas tú» (942). El contraste lejos-cerca simboliza la diferencia entre dos formas de amor. De lejos Ramiro observa el físico de Rosa y se siente atraído por ella. De cerca, aprecia algo más profundo en Tula. En lugar de iniciar una relación basada en el «ansia de goce» –es decir, en la atracción primeramente sexual–, Tula rehúye a Ramiro y hace que se case con Rosa, quien lo acepta deductivamente. Que Tula empuje a Ramiro a ennoviarse con Rosa reafirma el rechazo de Tula del amor carnal: se aleja del hombre hasta el punto de atarlo a otra. Ello se convertirá en una prueba para que Ramiro demuestre con el tiempo si sus sentimientos por Tula son amor espiritual. El amor de Ramiro por Rosa se convertirá en espiritual, pero después de haber nacido carnal. Como decíamos, en el caso de Ramiro y Tula, el amor es solo espiritual, puesto que no viven un amor carnal. Se prende en él y en él permanecerá y crecerá con el tiempo hasta ese beso final cuando él se halla enfermo de muerte, y lo confirmará Tula con su ósculo al cadáver de él. Esto es así porque Tula pone el amor espiritual por encima del carnal al rechazar la atracción inicial. Y, de este modo, Tula alcanza un amor plena y puramente espiritual. No solo es Tula una madre virgen, sino una enamorada virgen que siente un amor espiritual. *La tía Tula* representa, pues, otra exploración del amor en la literatura de Unamuno.

En definitiva, *La tía Tula* contiene varias historias y aborda distintos temas. El tema religioso desgranado en la experiencia de una madre virgen, concebida y narrada, como he apuntado en otro lugar, «en una coyuntura en que nuestro autor rechaza la ciencia y anhela conocer los misterios de la religión» (Garrido Ardila, 2017: 119). El tema social en la declaración del deber de los contrayentes de un matrimonio: engendrar una prole que críe la madre. El tema del desarrollo del amor, desde el deseo carnal al amor espiritual, según se ilustra en la historia de Ramiro y Rosa. En su tratamiento del amor espiritual, Unamuno contrapone el amor espiritual al carnal en el amor de Ramiro y Tula: el amor espiritual de Tula y Ramiro es «purísimo» como confirman esos dos besos, siendo el segundo ósculo la constatación de lo eterno del amor (amor en muerte). Al igual que Augusto en *Niebla* y que Ángela en *San Manuel*, Tula siente y experimenta el amor espiritual. Unamuno disecciona el amor por medio de las dos hermanas. Ambas enamoradas de un amor verdadero, pero cada una de ellas alcanza el amor de modos distintos. Pero repárese, sobre todo, en lo dicho antes sobre la mujer en *Niebla*: en *La tía Tula* no se nos presenta un solo personaje femenino. La dualidad Tula-Rosa representa dos formas de alcanzar el amor espiritual, y en esta novela se destaca la predilección por el amor espiritual sin el carnal del caso de Tula. Además de ello, el personaje de Tula se nos aparece –explícitamente– desdoblado en la «santa» y la «pecadora» (939). Así, del mismo modo que en *Niebla*, en *La tía Tula* dispone Unamuno varias mujeres de distinta caracterización: Rosa, la Tula bienhechora y la Tula opresora.

En cuanto a su forma, recordemos brevísimamente que *La tía Tula* es novela de estética esencialmente modernista y que, como tal, expone contradicciones existenciales. En otro lugar escribí que «En *La tía Tula* y en *San Manuel*, Unamuno perfecciona magistralmente el punto de vista dual» y «lleva la técnica del perspectivismo hasta extremos, lo cual es [...] característica de la novela modernista europea» (Garrido Ardila, 2014: 5). Ejemplo de ello hallamos en el binomio santa-pecadora, que son dos modos de percibir la misma realidad: a ojos de Ramiro, Tula es una «santa que ha hecho pecadores»; a entender de Tula, y conforme a la concepción católica de la naturaleza inherentemente pecadora del género humano, ella es una «pecadora que [se] esfuerza por hacer santos» (939). Jane Neville ha explicado esta obra en la sucesión de novelas en que Unamuno hila su estética de la ambigüedad: «Gertrudis se revela un personaje ambiguo y, quizá, contradictorio porque la ambigüedad y la contradicción son inherentes a la verdadera realidad de la existencia, como se esforzaban en mostrar los literatos modernistas» (2015: 39). En ese sentido, la dualidad de Tula –a la vez pecadora y santa– responde al interés de Unamuno por resaltar la naturaleza ambigua de la realidad de la vida.

La definición de los temas y los significados de *La tía Tula* precisa de ahondamientos más profundos de lo que nos permite la extensión de un artículo. En esta ocasión he procurado demostrar que *La tía Tula* no puede tenerse por obra feminista, para lo cual he rebatido a quienes sostienen lo contrario y he cotejado el texto con una de las teorías del feminismo más solventes (la de Cameron, 2018). Sentado su carácter distinto a toda suerte de feminismo, he ensayado una primera explicación de su tratamiento del amor según esta temática se acomete en otras novelas unamunianas. Aquí se ha visto que *La tía Tula* aborda la teoría del amor inductivo y el deductivo sentada en *Amor y pedagogía* antes de explorar la dualidad de los amores carnal y espiritual que nuestro autor trató en *Niebla*. En *La tía Tula* Unamuno presenta dos casos amatorios al propósito de explorar y mostrar las dos vías para alcanzar el amor espiritual: 1) la maduración del amor desde un estado carnal hasta el espiritual y 2) el amor espiritual forjado «purísimamente», sin pasar por el carnal, insertado en la moral católica. Todo ello revela *La tía Tula* como obra de un calado filosófico profundo y de escasísimo o nulo feminismo.

BIBLIOGRAFÍA

ALLEN, Jeffner. Motherhood: The Annihilation of Women. En Marilyn Pearsall (coord.): *Women and Values*. Belmont: Wadsworth, 1986, pp. 91-101.

BARR, Marleen S. *Feminist Fabulation. Space / Postmodern Fiction*. Iowa City: University of Iowa Press, 1992.

BIGGANE, Julia. Introduction. En Miguel de Unamuno: *Aunt Tula / La tía tula*. Oxford: Aris and Phillips, 2013, pp. 1-30.

BIGGANE, Julia. From Separate Spheres to Unilateral Androgyny: Gender and Sexuality in the Work of Unamuno. En Julia Biggane y John Macklin (coords.): *A Companion to Miguel de Unamuno*. Londres: Tamesis, 2016, pp. 175-196.

BLANCO AGUINAGA, Carlos. *El Unamuno contemplativo*. Ciudad de México: El Colegio de México, 1959.

BRETZ, Mary Lee. The Role of Negativity in Unamuno's *La tía Tula*. *Revista Canadiense de Estudios Hispánicos*, 1993, 18(1), pp. 17-29.

CAMERON, Deborah. *Feminism*. Londres: Profile Books, 2018.

CARBALLO, Juan Rof. El erotismo de Unamuno. *Revista de Occidente*, 1984, 7, pp. 71-96.

CASTAÑEDA, Paloma. *Unamuno y las mujeres*. Madrid: Visión Libros, 2008.

DALY, Mary. *Pure Lust*. Boston: Beacon Press, 1984.

DÍEZ, Ricardo. *El desarrollo estético de la novela de Unamuno*. Madrid: Playor, 1976.

DOYAGA, Emilia. *La mujer en los ensayos de Unamuno*. Tesis doctoral. New York University, 1967.

DWORKIN, Andrea. *Woman Hating*. Nueva York: Penguin, 1974.

FEAL, Carlos. Nada menos que toda una mujer: *La tía Tula* de Unamuno. En Ángel G. LOUREIRO (coord.): *Estelas, laberintos, nuevas sendas: Unamuno, Valle-Inclán, García Lorca, la Guerra Civil*. Barcelona: Anthropos, 1988, pp. 65-79.

FERNÁNDEZ PRIETO, Celina. *La tía Tula*, de la santidad a la realidad. *Ámbitos*, 2013, 30, pp. 33-39.

FIRESTONE, Shulamith. *The Dialectic of Sex*. Nueva York: William Morrow, 1970.

FRANZ, Thomas. *La tía Tula* y el cristianismo agónico. *Cuadernos de la Cátedra Miguel de Unamuno*, 1994, 29, pp. 43-53.

FRANZ, Thomas. Ibsen's *Hedda Gabler* and the Question of Feminist Content in Unamuno's *La tía Tula*. *Anales de la Literatura Española Contemporánea*, 2000, 25(1), pp. 77-98.

GABRIELLE, John P. From Sex to Gender: Towards Feminocentric Narrative in Unamuno's *La tía Tula*, or «Cómo se hace una novela feminista». *Hispanic Journal*, 1999, 20, pp. 105-117.

GARCÍA PERALES, Raquel. Crítica de la sororidad en *La tía Tula, Como agua para chocolate* y *El albergue de las mujeres tristes*. Tesis doctoral inedita, University of California, Irvine, 2021.

GARRIDO ARDILA, J. A. Nueva lectura de *Niebla*; Kierkegaard y el amor. *Revista de Literatura*, 2008, 70(139), pp. 85-118.

GARRIDO ARDILA, J. A. Amor y religión en *San Manuel Bueno, mártir* de Unamuno. *Romance Quarterly*, 2011, 58(2), pp. 94-113.

GARRIDO ARDILA, J. A. (2019). *Filosofía y literatura en Niebla de Unamuno: Kierkegaard y el amor*. Salamanca: Ediciones Universidad de Salamanca.

GARRIDO ARDILA, J. A. (2017). Introducción general (pp. 17-164). En Miguel de Unamuno, *Novelas completas*. Madrid: Cátedra.

GARRIDO ARDILA, J. A. (2015). La *moral heroica* de Ibsen en el teatro de Unamuno (pp. 173-206). En J. A. Garrido Ardila (coord.), *El Unamuno eterno*. Barcelona: Anthropos.

GARRIDO ARDILA, J. A. (2014). Miguel de Unamuno: génesis de la novela contemporánea. *Ínsula*, J. A. Garrido Ardila (coord.): *La narrativa subversiva de Unamuno. En el Centenario de Niebla (1914-2014)*, 2014, 807, pp. 2-6.

GÓMEZ, María Asunción. El papel de la nodriza en la construcción del discurso de la maternidad: *Los pazos de Ulloa* de Emilia Pardo Bazán y *La tía Tula* de Miguel de Unamuno. *Decimonónica*, 2016, 13(2), pp. 50-65.

GULLÓN, Ricardo. *Autobiografías de Unamuno*. Madrid: Gredos, 1964.

HANNAN, Dennis G. Unamuno: *La tía Tula* como expresión novelesca del ensayo «Sobre la soberbia». *Romance Notes*, 1971, 12(2), pp. 296-301.

HEILBRUN, Carolyn G. *Reinventing Womanhood*. Nueva York: Norton, 1979.

HYNES, Laura. *La tía Tula*: Forerunner of Radical Feminism. *Hispanófila*, 1996, 117, pp. 45-54.

JOHNSON, Roberta. *Gender and Nation in the Spanish Modernist Novel*. Nashville: Vanderbilt University Press, 2003.

JURKEVICH, Gayana. *The Elusive Self. Archetypical Approaches to the Novels of Miguel de Unamuno*. Columbia: Missouri University Press, 1991.

LA RUBIA PRADO, Francisco. *Unamuno y la vida como ficción*. Madrid: Gredos, 1999.

LONGHURST, C. A. Para una interpretación de *La tía Tula*. En María Dolores Gómez Molleda (coord.): *Actas de Congreso Cincuentenario de Unamuno*. Salamanca: Universidad de Salamanca, 1989, pp. 143-151.

LONGHURST, C. A. Introducción. En Miguel de Unamuno: *La tía Tula*. Madrid: Cátedra, 2009, pp. 9-52.

LONGHURST, C. A. *Unamuno's Theory of the Novel*. Londres: Legenda, 2014.

MARÍAS, Julián. *Miguel de Unamuno*. Madrid: Espasa-Calpe, 1943.

MORÓN, Ciriaco. San Manuel Bueno y el sistema de Unamuno. *Hispanic Review*, 1964, 3, pp. 227-246.

NAVAJAS, Gonzalo. The Self and the Symbolic in Unamuno's *La tía Tula*. *Revista de Estudios Hispánicos*, 1985, 19(3), p. 117.

NEVILLE, Jane. La teoría de la novela en Unamuno. En J. A. Garrido Ardila (coord.): *El Unamuno eterno*. Barcelona: Anthropos, 2015, pp. 23-46.

OAKLEY, Anne. *Women's Work*. Nueva York: Random House, 1974.

PACHECO, Bettina. La concepción de lo femenino en Unamuno: encuentro en un entreacto, *Contexto*. 2004, 10, pp. 217-228.

RIBBANS, Geoffrey. A New Look at *La tía Tula*. *Revista Canadiense de Estudios Hispánicos*, 1987, 11(2), pp. 403-420.

SCANLON, Geraldine. *La polémica feminista en la España contemporánea*. Madrid: Siglo XXI, 1976.

STENSTROM, Monika. Acercamiento al pensamiento de Unamuno: *La tía Tula* y la lucha entre fe y razón. *Revista de Filosofía*, 2007, 25(55), pp. 35-54.

UNAMUNO, Miguel de. *Novelas completas*. J. A. Garrido Ardila (ed.). Madrid: Cátedra, 2017.

WYERS, Frances. *Miguel de Unamuno. The Contrary Self*. Londres: Támesis, 1976.

Notas

[1] Todas las citas a las obras de Unamuno proceden de la edición de sus *Novelas completas* (2017). Las referencias indicarán el número de página prescindiendo del año de esa edición.

[2] En la novela, Augusto se determina dedicarse a estudiar «la psicología femenina» (658) y escribir dos monografías subtituladas «Estudio de mujer» (658). Tras acudir a Antolín S. Paparrigópulos para pedirle consejo sobre qué metodología aplicar a ese estudio, la complejidad de la empresa postpondrá el análisis. *Niebla* viene a ser, en su conjunto, un «estudio de mujeres» donde el autor contempla varios tipos.

[3] Como ha dejado demostrado este año de 2022 la exposición itinerante «Bajo pluma de mujer» que exhibía más de 1200 cartas cruzadas por Unamuno e intelectuales como Carmen de Burgos, Emilia Pardo Bazán, María de Maeztu o Gabriela Mistral, entre otras muchas.

[4] En *Amor y pedagogía* explica el narrador: «Porque es de saber, antes de proseguir nuestro relato, que los matrimonios pueden ser inductivos o deductivos. ocurre, en efecto, con harta frecuencia, que rodando por el mundo se encuentra el hombre con un gentil cuerpecito femenino que con sus aires y andares le hiere las cuerdas del meollo del espinazo, con unos ojos y una boca que se le meten al corazón, se enamora, pierde pie, y una vez en la resaca no halla mejor medio de salir a flote que no sea haciendo suyo el garboso cuerpecito con el contenido espiritual que tenga, si es que le tiene. He aquí un matrimonio inductivo. En otros casos, acontece que al llegar a cierta edad experimenta el hombre un inexplicable vacío, que algo le falta, y sintiendo que no está bien que esté el hombre solo, se echa a buscar viviente vaso en que verter aquella redundancia de vida que por sensación de carencia se le revela. Busca mujer entonces y con ella se casa en matrimonio deductivo. Todo lo cual equivale a decir que, o ya precede la novia a la idea de casarse, conduciéndonos aquella a esta, o ya el propósito del casorio nos lleva a la novia» (455).

[5] Sobre el «ansia de goce» en cuanto concepto becqueriano utilizado antes por Unamuno en *Niebla*, véase GARRIDO ARDILA (2019: 114-120).

RESUMEN: *La tía Tula* de Unamuno ha dado pie a interpretaciones diversas, amén de incompatibles. Si bien una parte de sus exégetas la ha presentado como obra de evidente feminismo, otros han argüido justo lo contrario. Las proclamaciones de su supuesto feminismo se han basado en la apreciación de elementos feministas puntuales hallados en pasajes desperdigados por todo lo largo de la novela. Este artículo procura zanjar la disputa sometiendo *La tía Tula* a una teoría del feminismo en toda su extensión. A tal fin hemos recurrido a la definición del feminismo elaborada por Deborah Cameron y publicada en 2018. Nuestro análisis deja demostrada la improcedencia de calificar de feministas *La tía Tula* y a su personaje principal. A ello añadimos una nueva lectura de esta novela: al igual que otras obras de su autor –como *Amor y pedagogía*, *Niebla* y *San Manuel*–, en *La tía Tula* se trata la naturaleza del amor y en especial del *amor espiritual*. La protagonista encarna dos modelos humanos: 1) El modelo de castidad mariano que la convierte en una virgen madre a semejanza de Santa María. 2) El modelo de amor espiritual y eterno ajeno al «imperio del deseo [carnal]».

Palabras clave: Unamuno; *La tía Tula*; novela española; novela modernista.

ABSTRACT: Unamuno scholars have advanced a host of different and oft incompatible constructions of his novel *La tía Tula*. In particular, critics have held opposite views regarding its hypothetical feminism. The feminist camp has based its claims in a small number of feminist elements they have identified in some passages of the novel. This article seeks to settle the question by reading *La tía Tula* against a comprehensive theory of feminism, considering all the central elements of feminism rather than a small number of circumstantial features likely to be interpreted as feminist. To that effect, I have deployed Deborah Cameron's theory of feminism published in 2018. My conclusions confirm that neither *La tía Tula* nor its main character reflect any of the defining characteristics of feminism. This article also advances a new reading of *La tía Tula* – like in other novels, such as *Amor y pedagogía*, *Niebla* and *San Manuel*, in *La tía Tula* Unamuno delves into and undertakes an examination of the subject of love and particularly of *spiritual love*. Further to the previous interpretations of Tula as a religious figure, this article discusses her psychological duality: (1) Tula as a model of chastity inspired by the Virgin Mary – the protagonist is a mother and a virgin. (2) Tula as a woman who feels spiritual love, a form of love that is eternal and averts «the empire of [sexual] desire».

Key words: Unamuno; *La tía Tula*; feminist fiction; feminism; Spanish novel; modernist novel.

DOI: https://doi.org/10.14201/ccmu.

ALGUNAS TRADUCTORAS DE UNAMUNO. REFLEXIONES SORORALES

SOME OF UNAMUNO'S FEMALE TRANSLATORS: SORORAL REFLECTIONS

Leslie J. HARKEMA
Baylor University
Leslie_Harkema@baylor.edu

Un renovado interés por la relación entre Unamuno y el sexo femenino se refleja en el reciente documental *Bajo pluma de mujer* (2021) y la exposición que lo acompaña, organizada por Maribel Rodríguez Fidalgo y Adriana Paíno Ambrosio[1]. La exposición, centrada en las cartas enviadas por mujeres al rector de la Universidad de Salamanca y conservadas en el archivo de la Casa-Museo Unamuno, presenta algunas de las muchas cartas que Unamuno recibió de mujeres que se dirigían al escritor como colegas, compatriotas o admiradoras, para consultar su opinión, pedirle un escrito, comentar un asunto del día o solicitar un autógrafo en una postal. Ya en su estudio *Unamuno y las mujeres* (2008), Paloma Castañeda tomaba nota del gran número de miembros del sexo femenino que se cartearon con el pensador durante su vida, destacando los diferentes grados de amistad y aprecio mutuo que existían entre el escritor y estas corresponsales. Aquí me propongo reflexionar sobre algunas mujeres que no solo *escribían a*, sino que también quisieron *reescribir* a don Miguel en lenguas extranjeras. Es decir, sus traductoras.

El concepto de reescritura que empleo aquí lo tomo del teórico André Lefevere (1992), quien arguye que diversas formas de mediación textual y cultural –no solo la traducción, sino también la edición y la compilación de antologías– influyen decisivamente en el legado de un escritor. Al señalar que cada reescritura constituye una intervención en la recepción e interpretación de la obra de un autor, Lefevere adscribe a los traductores, editores y antólogos una agencia que resulta de suma importancia para una consideración del caso de las mujeres que se dedican a estos trabajos menos visibles en la historia de la literatura. Como señala la teoría feminista de la traducción, las traductoras sufren una doble invisibilización, por ser mujeres de letras en un ámbito dominado por hombres, por una parte, y, por otra, llevar a cabo una actividad literaria considerada secundaria o de «mera» reproducción[2]. En el caso de Unamuno, se ha estudiado y comentado el papel de algunos de los traductores masculinos en la diseminación de su obra e imagen (Orringer, 1986; Guy, 1997), así como las relaciones de amistad que el escritor desarrolló con ellos (García Blanco, 1957). Se ha dicho mucho menos, en cambio, del rol de las mujeres como mediadoras de su obra.

No obstante, la realidad es que varias mujeres han traducido y «reescrito» a Unamuno. Durante su vida, muchas de ellas le escribieron con el deseo de publicar sus traducciones y así presentar su obra a un público nuevo. Algunas pudieron realizar este afán, llegando incluso a ser amigas de don Miguel. Otras lograron contribuir a la difusión internacional de su obra después de su muerte. Otras muchas traducciones se perdieron o nunca se hicieron, por razones diversas. Aquí sostengo que recuperar sus historias puede entenderse como un acto de sororidad, utilizando una palabra acuñada por el mismo Unamuno en el prólogo a *La tía Tula* (1920):

> [A]sí como tenemos la palabra *paternal* y *paternidad* que derivan de *pater*, padre, y *maternal* y *maternidad*, de *mater*, madre, y no es lo mismo, ni mucho menos, lo paternal y lo maternal, ni la paternidad y la maternidad, es extraño que junto a *fraternal* y *fraternidad*, de *frater*, hermano, no tengamos *sororal* y *sororidad*, de *soror*, hermana. [...] Se nos dirá que la *sororidad* equivaldría a la *fraternidad*, mas no lo creemos así. Como si en latín tuviese la hija un apelativo de raíz distinta que el de hijo, valdría la pena de distinguir entre las dos filialidades. (Unamuno, 2006: 68).

El concepto de *sororidad* resulta ser de mucha utilidad especialmente para el estudio de las escritoras y traductoras de principios del siglo pasado. Como señala Dolores Romero López, este término cobra «una dimensión que va más allá del apoyo de una mujer a otra» en el contexto de la historiografía feminista contemporánea, denotando también «el rescate de las [historias de las] mujeres en su conjunto para poner en valor su dimensión intelectual, social y cultural» (Romero López, 2022: 24). Así, la sororidad enmarca un acercamiento crítico que estudia y pone de manifiesto la labor intelectual que han llevado a cabo las mujeres en el pasado y hasta el presente. Se trata de visibilizar el trabajo de mujeres que, especialmente a principios del siglo XX, solían ocupar un espacio marginal en el mundo de las letras y, muchas veces por ello, se dedicaron a tareas consideradas secundarias, de reescritura y mediación literaria y cultural. Mujeres que, de alguna forma, pueden recordar a la misma tía Tula, esa «comadrona de nacimiento» que se entrega voluntariosa y apasionadamente a la crianza de hijos que no son suyos (Unamuno, 2006: 89).

Hablar de las traductoras de Unamuno es, por lo tanto, un acto sororal, pues se trata de recuperar su memoria y destacar el valor de su obra de mediación, en contra del olvido, el silencio y, a veces, el tono paternalista con el que han sido tratadas por los críticos masculinos. Leer las cartas que Unamuno recibía de mujeres que le traducían o aspiraban a traducirle también nos ayuda a hacernos una idea de la situación de la mujer escritora o mujer de letras –esa figura calumniada y tildada de «letraherida» en el discurso crítico decimonónico (Fernández y Ortega, 2008)– de principios del siglo XX. En lo que sigue, partiré del *corpus* de las cartas conservadas en el archivo de la Casa-Museo Unamuno para considerar a estas mujeres «en su conjunto», como dice Romero López, aunque sin pretender abordar las situaciones de todas. Examinaré primero los desencuentros: cartas que Unamuno nunca contesta, contactos que se pierden y traducciones que nunca llegan a publicarse. Luego destacaré a dos traductoras –francesas ambas– que lograron publicar múltiples traducciones de la obra de Unamuno, además de desarrollar relaciones de amistad con el traducido. Por último, comentaré el papel que desempeñaron dos «reescritoras» norteamericanas en la difusión de la obra e imagen de Unamuno en los Estados Unidos después de su muerte.

1. Los desencuentros

Las cartas de traductoras conservadas en el archivo de la Casa-Museo Unamuno proceden de numerosos países: Francia, Alemania, Inglaterra, Italia, Rumanía, Estados Unidos e incluso China, en un caso[3]. Datan de los años 20 y 30 del siglo XX, época en que la fama internacional de Unamuno aumentaba, particularmente a raíz de su exilio durante la dictadura de Miguel Primo de Rivera (1924-1930). También son los años de la primera ola del feminismo en Occidente, la aparición de la «nueva mujer» y un aumento en el número de mujeres que trabajaban fuera de casa o asistían a la universidad. Las cartas las escriben estudiantes, periodistas, profesoras, lectoras, madres. Muchas incluyen una mención o a veces una recomendación manuscrita de un mentor masculino que avala la solicitud. Este es el caso de Ruth E. Garwood, estudiante de doctorado en la Universidad de Wisconsin, Madison, quien se dirige a Unamuno en 1933 con la propuesta de traducir varios textos breves (la mayoría de *Andanzas y visiones españolas*) al inglés e incluirlos en un libro que prepara sobre su obra. Al final de la carta se encuentra una nota de su profesor en Wisconsin, Antonio García de Solalinde:

> Querido D. Miguel: Le agradecería atendiese la petición que Miss Garwood le hace. No he visto sus traducciones, pero sé que conoce bien nuestra lengua y que puede dar una justa interpretación a las páginas de usted.
>
> Tengo deseos de ir a España para saludarle, pero con la crisis de este país [la Gran Depresión] todo plan de viaje ha de posponerse. (CMU, 20/118).

Filólogo y medievalista nacido en Zamora, Solalinde había formado parte del entorno de la Residencia de Estudiantes y el Centro de Estudios Históricos en Madrid durante las primeras décadas del siglo (Ortega, 1937). Llegó a Estados Unidos en 1922, uno de los muchos españoles que desarrollaron carreras dedicadas al estudio y enseñanza de lengua y literatura hispánica en el país norteamericano antes y después de la Guerra Civil –entre ellos Federico de Onís y Pedro Salinas, de los que se hablará más adelante–. Aunque Garwood no parece haber publicado su libro ni las traducciones, su carta da testimonio del interés por la obra de Unamuno despertado en varias mujeres jóvenes norteamericanas por profesores españoles en la diáspora.

Otra carta que refleja la expansión internacional del hispanismo a principios del siglo pasado es la de Gratiana Oniciu, estudiante de la Universidad de Bucarest y futura esposa del poeta andaluz Miguel Pizarro Zambrano, a quien conoció cuando este vino a dicha universidad para impartir clases de literatura española[4]. Oniciu y Pizarro también se mudarían a los Estados Unidos después de la Guerra Civil, pero esta carta de Gratiana a Unamuno data de junio de 1936 y fue enviada desde la capital rumana. En ella Oniciu recuerda haber visto y escuchado a Unamuno dos años antes en la Universidad de Verano en Santander, y le demuestra su erudición: habla de religión, de literatura y de la recepción de su obra en la academia rumana. Después, le pide permiso para traducir *Tres novelas ejemplares y un prólogo* –proyecto que, por lo visto, nunca llegó a realizar–. Aunque cita nombres de profesores e intelectuales compatriotas suyos, Oniciu en ningún momento menciona su conexión personal con las letras españolas a través de Pizarro.

Como las misivas de Garwood y Oniciu, la mayoría de las cartas de traductoras nunca llevaron a traducciones publicadas de obras de Unamuno. En muchos casos, las traductoras potenciales ni reciben respuesta del escritor, a veces porque él ya tenía una relación con un traductor o traductora en la lengua en cuestión, o porque le ocupaban otros asuntos de más urgencia. Sin embargo, algunas sí parecen haberle despertado interés. Un ejemplo es la primera carta que recibe de Anita Bartle, antóloga y traductora británica que había ganado fama en Inglaterra a principios del siglo al editar una columna en el periódico *The Daily Chronicle* titulada «This Is My Birthday» («Hoy es mi cumpleaños»), que compilaba breves textos de personas famosas organizados según su día de nacimiento. Bartle era una mujer letrada que había pasado su niñez en Valencia, donde adquirió el español y el valenciano. Esto lo explica en su carta, que está fechada el 28 de junio de 1925, época en que Unamuno se encontraba exiliado en París. Al comienzo de la carta, escrita en renglones cortos y espaciados que le dan cierto dramatismo, la escritora le expresa su deseo de traducir *La tía Tula* al inglés:

> Muy señor mío
>
> Tengo tan gran anhelo de traducir su novela
>   «La tía Tula»
> al inglés; que me dirijo a su cortesanía
> para que me conceda la gracia de su
> permiso, así que yo pueda alcanzar
> este mi deseo.
>   He leído su terrible
>   «Abel Sánchez» y
> su desesperante «Niebla»
> (a mí me enloquecía, y a ese finis

tan final, me puse de lo más
rabiosa con Ud!)
            pero aunque obras de genio, que me
gustan en Español, no me parecen del caso para el
Inglés, al menos hasta que
            «La tía Tula»
haya adquirido gran éxito en este idioma. (CMU 6, 18).

Bartle se muestra una lectora activa de la creación unamuniana, y tal vez la lectora ideal de *Niebla*, ya que se lanza enérgicamente a defender a Augusto Pérez frente al abuso de su autor (confundiendo al Unamuno que escribe con el Unamuno ficcionalizado del libro). Parece que esto le hizo gracia al escritor, pues la segunda misiva que Bartle envía (son cuatro en total) da a entender que Unamuno le ha concedido su permiso para traducir *La tía Tula* y también *Niebla*. Además, parece que el escritor le ha preguntado sobre su enfado con el final de esta última novela, ya que Bartle va explicándole el gran afecto que llegó a sentir por el protagonista. También le confiesa que teme traicionar al personaje si contribuye con su traducción a la expansión del alcance de la novela *(traduttrice, traditrice)*:

> Sí quiero traducirla [la novela], aunque me duele darle ese gusto a Ud., el brutal autor, pues parece traición al pobre héroe a quien yo quería por la gran compasión que me proporcionaba, me resulta peor que destaparle las piernas falsas a un héroe, un luchador valiente, exponiéndolas a las risas vulgares y groseras, del vulgo! Peor que arremangarles las vestiduras a las imágenes que son solo cabeza puesto sobre palos) *[sic]* Pero Señor! Ud. no ha dejado a esa alma en pena, ni cuerpo de maniquí de artista siquiera, esto me parece un crimen!

A pesar de sus temores sobre las posibles traiciones que pueda perpetuar su traducción, Bartle dice en esta segunda carta, de julio de 1925, que ha escrito a la editorial de Alfred A. Knopf para anunciar su proyecto de traducir las dos novelas. En las siguientes cartas, va transmitiéndole a Unamuno las respuestas que recibe del editor, pero no recibe más respuestas del escritor español. Este se mudó de París a Hendaya al final de ese verano de 1925, pero parece que Bartle no tuvo noticias de su traslado. Las cartas tercera y cuarta reflejan su frustración, al pedirle repetida e infructuosamente al escritor que le remita copias de las novelas. También le revela algo de su situación personal:

> Si Ud. no se interesa en ayudarme, no tendré más remedio que empezar a traducir a otro autor, pues mi pobreza no me deja estar parada. Mi marido ya de años ha estado viviendo con otra mujer, y yo he tenido que educar a mis hijos. Ahora me manda 30/- semnalmente *[sic]*, ya puede figurarse cómo lo paso!

En la última carta, del 27 de julio de 1927, Bartle cuenta que, pese al silencio y la aparente falta de interés por parte de Unamuno, ella ha conseguido hacerse con una copia de *Niebla* y ha terminado la traducción. No obstante, sin recibir la aprobación del autor original no puede enviar el manuscrito al editor de Knopf, quien especifica (en una carta que ella copia e incluye con la suya) que está dispuesto a leer las traducciones «provided always that you have the author's definite authorization to translate, and that you can obtain for us the definite and exclusive right to arrange for publication» («siempre y cuando tenga Ud. la autorización confirmada del autor para traducir las obras, y que pueda obtener para nosotros los derechos indiscutidos y exclusivos para gestionar la publicación»).

El epistolario de Unamuno revela que, para el verano de 1927, Bartle ya no tenía la autorización indiscutida del escritor para traducir sus novelas (si es que alguna vez la tuvo). Varios meses después de contestar la primera carta de Anita Bartle, el exiliado había entrado en contacto con el hombre que, finalmente, publicaría la primera traducción de *Niebla* en lengua inglesa. Un profesor de filosofía en la Universidad de Princeton que se llamaba Warner Fite le había escrito a Unamuno en el otoño de 1925, aunque su carta no le llegó al desterrado en Hendaya hasta la primavera de 1926. Una vez conectados, sin embargo, los dos hombres forjarían una buena amistad epistolar[5]. Fite le mandó un ejemplar de su libro *Moral Philosophy* y Unamuno lo estudió con interés, llegando a decirle a su interlocutor en una carta del 24 de febrero de 1927: «Leyéndole he con-geniado con usted» (Unamuno, 1956: 88). La correspondencia entre los dos hombres incluye varias reflexiones sobre la tarea de traducir, mientras también da cuenta de la preparación por parte de Fite de la traducción de *Niebla*. La traducción, que recibió el título de *Mist* en inglés, salió publicada por la misma editorial Knopf en 1928. En lo que se conserva de estos intercambios escritos entre Fite y Unamuno, sin embargo, no se hace ninguna mención de Bartle, la mujer que –según parece– podía haber sido la autora de la primera traducción inglesa de la novela.

Otro desencuentro se percibe en las cartas de la traductora alemana Inés E. Manz. Esta mujer se dirige a Unamuno tres veces entre 1929 y 1930, precisamente por la época en que llega a su fin la dictadura de Primo de Rivera y, con ella, el exilio que Unamuno había iniciado en 1924. En la primera carta que le escribe, del 29 de noviembre de 1929, Manz cuenta que ha coincidido con el intelectual desterrado en la estación de tren de Hendaya, pero no ha podido saludarle debido a su repentina salida. Le pide permiso para traducir «algo de lo mucho sugestivo que tiene V. escrito» y darlo a conocer en un periódico de Múnich. Expresa predilección por una obra en particular: *La venda*. En la siguiente carta, de 15 julio de 1930, Manz le anuncia a Unamuno que ya ha podido traducir esta obra dramática, pues ha entrado en contacto con la editorial Meyer & Jensen, que tiene los derechos exclusivos de la publicación de sus obras en alemán. Manz dice que el «Sr. Auerbach» –se refiere a Heinrich Auerbach, el director de la editorial– le ha permitido traducir y publicar *La venda* en un periódico, y que ha tenido mucho éxito. Añade al final de la carta: «Me sería tan dichoso poder contribuir a la expansión de lo mucho bueno desconocido que hay de V.». No recibe respuesta. En su última carta, escrita desde Madrid durante un viaje en España en septiembre, Manz anuncia que *La venda* se difundirá por la radio el próximo invierno[6]. Expresa su gran decepción al no recibir ninguna respuesta de Unamuno, aunque insiste: «Sigo siendo su devota admiradora». Al final de la carta le advierte a Unamuno que tiene algunas dudas acerca de la editorial Meyer & Jessen:

«Confianzudamente he de decirle que siento que no sea de más importancia y medios la casa que presenta a V. en Alemania».

Hay razones para pensar que Unamuno también lo sentía. Según Shirley King, en una tesis doctoral que examina la recepción de Unamuno en Alemania, el escritor tenía una relación algo conflictiva con la editorial y con Auerbach en particular (a diferencia de su relación más íntima y «humana» con el traductor Otto Buek, quien mostró solidaridad con el intelectual exiliado) (King, 1990: 145). La correspondencia conservada entre Unamuno y Auerbach termina en 1927, aunque la editorial siguió representándole hasta 1932. Es lícito pensar que la mención de Auerbach por parte de Manz, junto con la relación más cordial y preexistente entre Unamuno y Buek, explica el silencio del escritor ante las misivas de esta mujer.

A diferencia de Manz, la traductora francesa J. P. Patart tenía buenas conexiones con el círculo de editores y escritores que se ocupaban de la difusión de la obra de Unamuno en su país. Fueron otros los obstáculos que dificultaron su proyecto de traducir al autor español. Cuando Patart le escribe por primera vez, a finales de 1927, le informa que Jacques Chevalier (hispanista y amigo de Unamuno) le ha encargado la traducción de la *Vida de Don Quijote y Sancho*. Cuenta que también ha consultado con Jean Cassou y Valery Larbaud acerca de la traducción durante una visita a París. Después de comentar los planes para la traducción y futura publicación, Patart además le confiesa a Unamuno su gusto personal por algunos de sus sonetos de temática marítima («vos sonnets sur la mer»)[7]. Explicando que es originaria de la región costera de Bretaña, le expresa su deseo de traducir estos poemas también. Sin embargo, en la siguiente carta renuncia a su propuesta, al mismo tiempo que le explica a Unamuno que la traducción de *Vida de Don Quijote y Sancho* no avanza tanto como ella hubiera querido. La razón por el retraso se encuentra al final de la carta:

> Au sujet des sonnets sur la mer, vous savez que je les aime beaucoup, mais je renonce à mon projet de les traduire parce que je craindrais de retarder ainsi le «Quijote». En effet je suis très occupée par mes enfants, et un seul travail écrit est bien assez pour moi.

> [Respecto a los sonetos de la mar, Ud. sabe que me gustan mucho, pero he renunciado a mi proyecto de traducirlos ya que me temo que así retardaría el «Quijote». En verdad estoy muy ocupada con mis hijos, y un solo trabajo escrito ya es bastante para mí]. (CMU, 37/7).

En el caso de Patart, como el de muchas mujeres, la crianza de hijos pone límites al tiempo que puede dedicar al mundo de la escritura. Esta mujer baraja distintas labores de reproducción, una biológica y otra literaria, y tiene que sacrificar el trabajo gustoso de traducir los sonetos, la tarea en que, como amante del mar, encontraba más posibilidades de autoexpresión y tal vez una válvula de escape para sus propios instintos creativos. A pesar de la fe puesta en ella por Chevalier, Cassou y Larbaud, parece que Patart nunca terminó la traducción de la *Vida de Don Quijote y Sancho* tampoco.

2. CORRESPONDENCIA FRUCTUOSA: DOS TRADUCTORAS FRANCESAS

Otras dos traductoras francesas sí lograron publicar múltiples traducciones de Unamuno y además desarrollar amistades con él. Una de ellas fue Emma Clouard, esposa del crítico literario y también traductor Henri Clouard. En la primera carta conservada de ella, del 15 de marzo de 1934, Clouard se dirige a Unamuno para enviarle la primera entrega de su traducción del cuento «Una historia de amor», que se publicaba por esas fechas en la revista *Les Nouvelles littéraires*. En esta misiva también le agradece a Unamuno que le haya concedido permiso para traducir *San Manuel Bueno, mártir*, obra que finalmente publicaría en la *Revue Bleue politique et littéraire* a principios de 1936. En sus cartas, Clouard expresa repetidamente la admiración que sienten ella y su esposo por Unamuno. Ella firma la última carta incluida en el archivo, del 28 de marzo de 1936, «Fidèles pensées de nous deux» (CMU, 12/94). Después de la muerte de Unamuno, Clouard mantendría esta fidelidad a su obra, publicando traducciones de *Abel Sánchez* (*Mercure de France*, 1939) y del tratado sobre la «cocotología» incluido como apéndice a *Amor y pedagogía* (*La cocotologie: notes pour un traité*, Éditions Self, 1946).

Numerosas expresiones de fidelidad se encuentran también en las cartas remitidas a Unamuno por la hispanista francesa Mathilde Pomès. La amistad entre Pomès y Unamuno es sin duda la más larga y profunda de todas sus relaciones con traductoras. Se conocieron en 1920, cuando Pomès fue a Salamanca para visitar al escritor, y la amistad que nació en ese encuentro continuó hasta el final de la vida del maestro. Pomès también siguió recordando y traduciendo a Unamuno después de su muerte. Como relata Elisa Ruiz García, en los últimos años de su propia vida, la traductora nombró a Unamuno sin vacilar cuando se le preguntó quién había sido la persona que más había admirado en su vida (Ruiz García, 2016: 36).

Gracias al trabajo de investigadores como Ruiz García, se sabe que Pomès jugó un papel vital como representante y mediadora en Francia de la literatura que se producía en España a principios del siglo XX. Cuando fue a visitar a don Miguel en Salamanca a finales de 1920, Pomès ya era una pionera en el hispanismo francés, habiéndose destacado en 1916 al ser la primera mujer en conseguir el puesto de *Agrégée* en Lengua española en el sistema de instrucción pública en Francia. Llegó a ser, según el título con el que la bautizó Vicente Aleixandre, «Cónsul general de la Poesía española en Europa», publicando traducciones y estudios de la obra de Ramón Gómez de la Serna, Juan Ramón Jiménez, José Ortega y Gasset y varios de los poetas del grupo que Valery Larbaud presentó al público lector francés en 1924 como «La Jeune littérature espagnole» (Paepe, 2009). Aunque se conocen algunas las cartas que Unamuno le escribió a ella, las misivas que ella destinó al escritor español no se han publicado hasta la fecha.

En el archivo de la Casa-Museo Unamuno se conservan 12 envíos que dan cuenta de las actividades de Pomès como hispanista en Francia, así como su profundo aprecio por don Miguel. Las cartas intercambiadas entre los dos indican que la traducción, junto con numerosos artículos y conferencias, formó parte de un trabajo de mediación cultural que los dos entendieron como una vocación y un deber. Junto a la primera carta de Pomès, de la primavera de 1922, ella incluye unas traducciones y comentarios sobre la obra de Unamuno que acababa de publicar en una revista. Al responder, el escritor le agradece a la francesa que contribuya, así, a su «misión»:

> De las cuartillas que acompañan a su carta, ¿qué le voy a decir? Pero sí, se lo diré a corazón abierto y es que como yo tengo que cumplir una misión no solo en bien de mi patria, España, sino de los demás, todo lo que redunde en mi pro sirve a mi obra. Y se lo agradezco con toda el alma. (Campoamor, 1976: 63).

Este sentimiento se reitera en su siguiente carta a ella: «Quisiera tener, mi buena amiga, el ánimo más sereno para agradecerle debidamente –¡ya es hora!– lo que por mi obra y por mí ha hecho», dice, y luego afirma: «Uno se hace y se enriquece con lo que otros hacen de él» (64). En estas primeras cartas, Pomès continuamente intenta persuadir a don Miguel de que visite París. Incluso le advierte que ha comentado la idea con los escritores André Gide y Paul Valéry y que todos están ansiosos por verle. El 18 de junio de 1922, la joven hispanista le recuerda su «misión» al tratar de convencerle para que haga el viaje: «Apártese un poco de España para volver más a ella; [ya que] no sólo se debe a sus deberes patrios, sino también a sus deberes humanos» (CMU 38/94).

En aquel momento Unamuno no acudió a París, pero, como sabemos, las circunstancias de su destierro lo llevarían a la capital francesa unos años después. Pomès continuaría en su papel de mediadora y abogada de la obra de Unamuno durante su exilio, mientras ella misma ganaba prestigio y reconocimiento como escritora y académica en Francia. El 26 de julio de 1925 –el mismo año que se publica la versión francesa de *Tres novelas ejemplares y un prólogo*, traducida conjuntamente por Pomès y Jean Cassou– Mathilde le escribe una carta a don Miguel para contarle de una «expedición oratoria» que acaba de hacer al pueblo de Cahors, en el suroeste del país. Enviada allí por el ministro de Instrucción Pública y Bellas Artes (entonces el escritor y amigo de Pomès Anatole de Monzie), ella había dado un discurso en la distribución de premios del Lycée de Cahors. Era la primera vez que una mujer desempeñaba este cargo, y varios periódicos tomaron nota del hecho. En su carta a Unamuno, Pomès escribe:

> La prensa ha hecho de esa misión oficial una victoria feminista. Pero no fue eso; fue una victoria hispanista, pues el Ministro escogió adrede en mí, no a la amiga personal, sino a la fervorosa hispanizante, y fue por encargo de él que hablé de esa su tierra a la cual sabe Ud. el cariño que tengo, pero de la cual hubiera hablado con más amor aún si el más grande de sus hijos no tuviera que vivir en la mía.

En estas líneas se aprecia la dedicación de Pomès a su vocación mediadora como «hispanizante», así como su solidaridad con el escritor desterrado. Mientras va rompiendo barreras como mujer en el mundo de las letras, aprovecha sus logros para hablar de la cultura de España –país que ella, como Unamuno, es capaz de amar y criticar al mismo tiempo–.

Después de esta carta la comunicación entre los dos escritores se interrumpe. Se retoma el primer día de mayo de 1933, cuando Pomès vuelve a dirigirse a Unamuno. Empieza la carta asegurándole a su maestro: «Tan largo silencio de mi parte no es olvido». Pomès recuerda con cariño su paso por Salamanca hace ya tantos años, y anuncia el motivo de la presente carta: pedirle a Unamuno permiso para traducir el drama *El otro*. Unamuno le contesta rápidamente, escribiendo en una carta fechada el 4 de mayo:

> El permiso lo tenía usted concedido, por la tácita, de antemano. Pero me alegro de su petición –con ella me ha hecho un gran favor– pues corría el riesgo de que se le anticipara otra persona cualquiera, una del *métier*, traductor o traductora de oficio, no más que *pro pane lucrando* y me pusiera en un brete. Pues me habría negado a su pedido en espera de uno de ustedes, de los míos, de los que conocen mi espíritu y el de mi España. Gracias a Dios que ha venido. De aquí mi alegría. Cassou, Bataillon, usted... unos pocos más son los que llamo míos. Y yo de ustedes. (Campoamor, 1976: 67).

Al reconocer a Pomès como una de «los suyos», la incluye como la única mujer en el grupo reducido de traductores a los que confía la reescritura de su obra en otras lenguas porque sabe que comparten una dedicación a su trabajo que va más allá de la necesidad de ganarse la vida.

Mientras Unamuno incluye a Pomès junto a Marcel Bataillon y Cassou entre los suyos en esta carta, el nombre de la hispanista francesa no figura entre los «Escritores franceses amigos de Unamuno» que Manuel García Blanco estudió en un artículo publicado en 1959. Esta ausencia se hace aún más llamativa cuando se considera que Pomès había continuado su labor como divulgadora de la obra y pensamiento de Unamuno en las décadas posteriores a la muerte del escritor. Poco después de recibir la noticia de su fallecimiento el último día de 1936, ella lo homenajeó ofreciendo una conferencia en París titulada «Adieu à Don Miguel de Unamuno». En los siguientes años publicó traducciones y selecciones de la poesía de Unamuno («Le Christ gisant de Palencia» en la *Revue des Poètes Catholiques*, 1937; la colección *Poèmes* en 1938; y *Le Christ de Velázquez: suivi d'un choix de poèmes* en 1938). Aunque no había incluido a Unamuno en su antología *Poètes espagnols d'aujourd'hui* (1934), dedicada más bien a los poetas de la joven literatura de los años 20 y 30 (más tarde conocida como la Generación del 27), Unamuno sí figura en su *Anthologie de la poésie espagnole* (Librairie Stock, 1957). Pomès además contribuyó con un bonito estudio sobre Unamuno y Paul Valéry al primer número de estos *Cuadernos de la Cátedra Miguel de Unamuno* en 1948.

3. Dos traductoras estadounidenses

Las dos últimas traductoras de Unamuno que quiero comentar aquí nunca tuvieron la oportunidad de cartearse con don Miguel, ya que entraron en contacto con su obra después de su muerte. No obstante, ambas tuvieron un papel clave en el proceso de darlo a conocer y difundir su obra y pensamiento en Estados

Unidos a mediados del siglo XX. Se trata de Eleanor L. Turnbull, primera traductora de la poesía de Unamuno al inglés, y Margaret Rudd, autora de la primera biografía de Unamuno en cualquier idioma, *The Lone Heretic* (1963), que incluye varias traducciones hechas por la misma biógrafa. Ambas mujeres descubrieron la obra de Unamuno gracias a la mentoría de escritores españoles que lo habían conocido en vida: Pedro Salinas en el caso de Turnbull y Federico de Onís en el de Rudd. Las publicaciones de ambas contribuyeron a que se conociera la obra de Unamuno en Norteamérica. Pero esta valiosa y enriquecedora aportación cultural no evitó que la labor intelectual de estas mujeres a veces recibiera críticas de tono paternalista que la despreciaran o restaran importancia.

Hija de una familia prominente de Baltimore, Eleanor L. Turnbull descubrió su pasión por la lengua y la poesía españolas gracias a su contacto con Pedro Salinas, a quien conoció en 1937, cuando él leyó poemas suyos en una conferencia patrocinada por la familia Turnbull en la Johns Hopkins University. Ella ya tenía 62 años, pero se puso a estudiar la producción poética en castellano y pronto empezó a traducir la poesía de Salinas (Alonso, 1998: 683; Bell, 1972: 1). La trayectoria de sus traducciones de poesía española desde ese punto guarda algunas semejanzas con la de Mathilde Pomès, pues su producción abarca tanto la generación de Salinas como la obra de Unamuno. Como Pomès, Turnbull publicó dos antologías: primero, una colección de la poesía de los jóvenes (*Contemporary Spanish Poetry: Selections from Ten Poets*, Johns Hopkins Press, 1945) y después una que abarcó toda la tradición lírica en castellano (*Ten Centuries of Spanish Poetry*, Johns Hopkins, 1955) –un proyecto en el que colaboró con Salinas, aunque este falleció mientras estaba en preparación–.

Sin duda, fue mediante Salinas que la «señorita» Turnbull (Salinas siempre se refería a ella como «Miss», debido a su condición de soltera) conoció la obra de Unamuno. Los papeles de Salinas indican que en 1951, el último año de su vida, el poeta y profesor estaba preparando un curso sobre Unamuno, por lo que repasaba la obra de don Miguel. Sus apuntes reflejan un particular interés en el Unamuno poeta; incluyen comentarios de todas las colecciones de poemas que publicó y varios poemas aislados, no pocos de los cuales Turnbull luego vertería al inglés[8]. Ella publicó su traducción de *El Cristo de Velázquez* ese mismo año de 1951 y una selección de sus versos, *Poems*, el siguiente año. También reprodujo ocho poemas de Unamuno en la antología *Ten Centuries of Spanish Poetry*.

Las traducciones de Turnbull expandieron el conocimiento del Unamuno poeta en Estados Unidos y sus versiones sentaron las bases para traducciones posteriores. Alabada por Salinas, Dámaso Alonso y Leo Spitzer (profesor de filología romance en Johns Hopkins), esta mujer mayor y soltera («Miss» perpetua) también recibió críticas. Si históricamente la fidelidad de la traducción siempre se ha equiparado a la supuesta inconstancia de las mujeres (siguiendo la lógica de la conocida sentencia francesa sobre «les belles infidèles»), también el desprecio de la traducción se ha visto como justificado cuando la persona que traduce es una mujer. Es lo que ocurre en una reseña de *Ten Centuries of Spanish Poetry* publicada en 1956, donde un profesor norteamericano manifiesta su disgusto por la figura de la «señorita traductora»:

Eleanor Turnbull, a lady translator who has already damaged Unamuno and Salinas more than their poetry deserved, has turned her talents to less deserving targets. Nearly half the poems in the collection have been transmogrified by Miss Turnbull, the next largest number by the star to whom she is epigone, Henry W. Longfellow. Longfellow and Turnbull make every Spaniard sound alike, from Anonymous to Jiménez, and all like Longfellow who sounded like a lady translator to begin with. (Carrier, 1956: 307).

[Eleanor Turnbull, una señorita traductora que ya ha hecho más daño a Unamuno y a Salinas de lo que merecían sus versos, se ocupa ahora de víctimas menos merecedoras de su atención. Casi la mitad de los poemas en la antología los ha metamorfoseado Miss Turnbull; después de ella, el número más grande de traducciones son obra de la estrella a la que ella es epígono, Henry W. Longfellow. Longfellow y Turnbull hacen que todo español suene igual, desde un autor anónimo hasta Juan Ramón Jiménez, y todos como Longfellow, quien por su parte ya sonaba como una señorita traductora].

La «lady translator» aquí es una figura que destruye y distorsiona. No traduce, sino que metamorfosea, con una alquimia menos mágica que nociva. Su crimen más serio es parecerse a un poeta muerto del siglo XIX cuyo estilo peca de afeminado. La confusión misógina de infidelidad y feminidad en el discurso histórico sobre la traducción se hace patente en las palabras de este crítico.

Es probable que la misoginia también haya jugado un papel en la recepción (u olvido) de la biografía de Unamuno escrita por Margaret T. Rudd. Manuel Menchón ya ha ofrecido una semblanza de Rudd en el último número de estos *Cuadernos*. Hija de misioneros bautistas, vivió en varias partes de los Estados Unidos, Puerto Rico y México antes de unirse a la facultad de la Universidad de Richmond (Virginia) como profesora de español y francés en 1942. En algún momento entra en contacto con Federico de Onís, probable alentador de sus investigaciones sobre Unamuno. Este profesor y expatriado español (que había sido estudiante de don Miguel en Salamanca) habla de Rudd como discípula suya y «nieta» de Unamuno en el prólogo que escribe para *The Lone Heretic* (Menchón, 2021: 102-103). Al escribir su biografía, Rudd incluyó algunas de las traducciones de Turnbull, aunque, como ya indiqué, ella también hizo una labor traductora notable, vertiendo pasajes de prosa e incluso otros poemas enteros –sobre todo del *Cancionero* y *De Fuerteventura a París*– al inglés por primera vez[9].

De manera semejante al caso de la antología de Turnbull, esta primera biografía de Unamuno, escrita por una mujer, también fue blanco de una crítica desdeñosa, aunque en este caso el sexismo no es tan explícito. Reseñando *The Lone Heretic* en 1964, un joven Stanley G. Payne la juzgó superficial, «de escaso valor para estudiantes serios de la historia española», «llena de sentimentalismo repetitivo» y plagada de «nimiedades irrelevantes» (Payne, 1964: 473). El historiador pone hincapié especialmente en el carácter sentimental y demasiado personal de la obra, una falta de subjetividad que les resta fiabilidad a las investigaciones de Rudd. La afirmación se hace eco de una larga tradición crítica en las letras españolas (y en Occidente) de insistir en la falta de seriedad en el trabajo intelectual de las mujeres, que Begoña Sáez Martínez ha señalado, por ejemplo, en las reseñas de Clarín (2008: 37).

Menchón ha demostrado, sin embargo, que la biografía de Rudd tiene mucho valor como documento histórico a día de hoy, cuando se ha vuelto a examinar el discurso oficial sobre las circunstancias de la muerte de Unamuno. Lo que él destaca no es el supuesto sentimentalismo de la obra, sino el hecho de que contiene comentarios y testimonios que no sufrieron una reelaboración propagandística en la España franquista. Entre las «nimiedades» incluidas en la biografía de Rudd se encuentra una descripción de una entrevista con Bartolomé Aragón, el falangista que estaba con el escritor en su casa de la calle de Bordadores cuando murió (Rudd, 1963: 311). Como señala Menchón, Rudd fue la primera persona que cuestionó el discurso oficial sobre la muerte de Unamuno –al menos en una publicación escrita– y lo pudo hacer en gran parte porque escribía en inglés, para un público extranjero (Menchón, 2021: 105).

En su prefacio a la biografía, Rudd dice que su propósito al escribir el libro había sido transmitirle la personalidad y las preocupaciones de Unamuno –lo que ella llamó su «esencia»– a un público que leía en inglés (1963: viii). A la cabecera del prefacio, ella reproduce una cita de Thomas Carlyle, autor escocés cuya obra el mismo Unamuno había traducido al español. Dice así la cita:

> [W]hat work nobler than transplanting foreign thought into the barren domestic soil, except, indeed, planting thought of your own, which the fewest are privileged to do?

> [Qué labor más noble que trasplantar el pensamiento extranjero en la yerma tierra doméstica –excepto, por supuesto, plantar el pensamiento propio, cosa que pocos tienen el privilegio de hacer– (viii)].

Estas palabras son, al mismo tiempo, una reivindicación de la traducción entendida en los términos más amplios –como mediación entre culturas– y también un homenaje a Unamuno como pensador. Son otra expresión más de la dedicación que impulsaba el trabajo de las varias traductoras estudiadas aquí, y una afirmación de la nobleza de esta labor menos visible pero crucial en el devenir de la cultura.

4. CONCLUSIÓN

Una de las últimas cartas que Unamuno recibió de una traductora es la de Maria Garelli Ferraroni, del 4 de noviembre de 1936. Como Anita Bartle en 1925, esta traductora italiana le había escrito a Unamuno pidiendo permiso para traducir *La tía Tula*. Acompañan la carta dos capítulos de la novela ya vertidos al italiano. Garelli nunca recibió una respuesta, aunque Unamuno había compuesto una el día 16 (Rabaté y Rabaté, 2009: 693). En la respuesta que él nunca envió, expresa algo de sorpresa, pues le extraña pensar en aquella novela de 1920 desde su situación actual. «Cuán otras preocupaciones me la inspiraron!», comenta (Azaola, 1996: 135). Sin embargo, le concede a Garelli el permiso solicitado, diciendo: «Y a ver si esa mi Tía Tula, cuando aparezca en italiano sirve para que ahí se aprecie mejor esta mi patria. Que nuestras tías Tulas no han podido evitar que el terrible morbo a que me refería haya enloquecido y demenciado a mi España» (135-136). El comentario sugiere que Unamuno ve en la tía Tula una fuerza para el bien, una que se habría opuesto a la crueldad y la locura que la Guerra Civil había desatado en su país, aun cuando no las pudiera parar. La novela y su protagonista se convierten en embajadoras, representantes de España, y de Unamuno, en el extranjero. De diversas maneras, todas las traductoras comentadas aquí se parecen a la tía Tula, una mujer que vive y trabaja y busca realizarse como individuo en una sociedad de principios de siglo XX que pone límites a la esfera de su actividad e influencia. Y todas, las que pudieron terminar y publicar sus traducciones y las que no, sintieron algo de este encargo de difundir la obra de un escritor en Salamanca, llegando a ser comadronas de su imagen en sus lenguas y países.

BIBLIOGRAFÍA

ALONSO, D. *Poesía y otros textos literarios.* Valentín García Yebra (ed.). Madrid: Gredos, 1998.

AZAOLA, J. *Unamuno y sus guerras civiles.* Bilbao: Ediciones Laga, 1996.

BELL, A. Pedro Salinas en América: su correspondencia con Eleanor Turnbull. *Ínsula*, 1972, 28(307), pp. 1, 12-13.

CAMPOAMOR, F. (1976). Cuatro cartas de Unamuno a Mathilde Pomès. *Cuadernos de la Cátedra Miguel de Unamuno, 24*, pp. 61-68.

CARRIER, W. Review: Some Versions of Lorca. *Poetry*, 1956, 87(5), pp. 303-307.

CASTAÑEDA, P. *Unamuno y las mujeres.* Madrid: Vision Libros, 2008.

CHAMBERLAIN, L. Gender and the Metaphorics of Translation. *Signs*, 1988, 13(3), pp. 454-472.

CLOUARD, E. (trad.). *Abel Sánchez: Une histoire de passion.* París: Mercure de France, 1939.

CLOUARD, E. (trad.). *La cocotologie: notes pour un traité.* París: Éditions Self, 1946.

FERNÁNDEZ, P. y ORTEGA, M.-L. (eds.). *La mujer de letras o la letraherida: discursos y representaciones sobre la mujer escritora en el siglo XIX.* Madrid: CSIC, 2008.

FIDALGO, M. y PAÍNO, A. *Bajo pluma de mujer: Un proyecto sobre la correspondencia femenina a Miguel de Unamuno y Jugo.* Salamanca: Universidad de Salamanca, 2021. https://bajoplumademujer.wixsite.com/bajoplumademujer

GARCÍA BLANCO, M. Cartas de Warner Fite a Miguel de Unamuno. *Revista Hispánica Moderna*, 1957, 23(1), pp. 66-82.

GARCÍA BLANCO, M. Escritores franceses amigos de Unamuno. *Bulletin Hispanique*, 1959, 61(1), pp. 82-103.

GUY, A. Unamuno y Cassou. *Revista de Hispanismo Filosófico*, 1997, 2, pp. 67-70.

HARKEMA, L. Teaching the Multi-Faceted Unamuno in a Semester-Long, Undergraduate Course. En L. Álvarez Castro (ed.): *Approaches to Teaching the Works of Miguel de Unamuno.* Nueva York: Modern Language Association, 2020, pp. 42-48.

HERRERO, J. Miguel Pizarro y la virginidad indestructible de María Zambrano. En M. Ezama *et al.* (coords.): *Aún aprendo. Estudios dedicados al profesor Leonardo Romero Tobar.* Zaragoza: Prensas Universitarias de Zaragoza, 2012, pp. 698-798.

KING, S. *Unamuno and Germany.* Tesis de doctorado. University of Washington. ProQuest Dissertations & Theses Global, 1990.

LEFEVERE, A. *Translation, Rewriting, and the Manipulation of Literary Fame.* Londres y Nueva York: Routledge, 1992.

MENCHÓN, M. La biógrafa hereje: Margaret Rudd y su investigación sobre Miguel de Unamuno. *Cuadernos de la Cátedra Miguel de Unamuno*, 2021, 49, pp. 99-107.

ORRINGER, N. Martin Nozick's Unamuno: A Fountainhead of Future Discoveries. *Siglo XX = 20ᵗʰ Century*, 1986, 4(1-2), pp. 30-43.

ORTEGA, J. Antonio García Solalinde. *Hispanic Review*, 1937, 5(4), pp. 350-352.

PAEPE, C. de. Aquella intentona de Intentions. De *La Jeune littérature espagnole* (*Intentions*, 1924) a *Poesía española. Antología 1915-1931* (G. Diego, 1932). En E. DEHENNIN y C. DE PAEPE (eds.): *Principios modernos y creatividad expresiva en la poesía española contemporánea. Poemas y ensayos*. Amsterdam y New York: Rodopi, 2009, pp. 239-264.

PAYNE, S. Review: *The Lone Heretic: A Biography of Miguel de Unamuno y Jugo* by Margaret T. Rudd. *The Journal of Modern History*, 1964, 36(4), pp. 472-473.

POMÈS, M. (trad.). Le Christ gisant de Palencia. *Revue des Poètes Catholiques*, 1937, 1, pp. 41-46.

POMÈS, M. (trad.). *Poèmes*. Bruxelles: Les Cahiers du Journal des Poètes, 1938a.

POMÈS, M. (trad.). *Le Christ de Velasquez, suivi d'un choix de poèmes*. País: A. Magné, 1938b.

POMÈS, M. Unamuno et Valéry. *Cuadernos de la Cátedra Miguel de Unamuno*, 1948, 1, pp. 57-70.

POMÈS, M. y CASSOU, J. (trads.). *Trois nouvelles exemplaires et un prologue*. París: Kra, 1925.

ROMERO LÓPEZ, D. *Traductoras en la Edad de Plata (1868-1939): Pautas, redes, afidamento y sororidad*. Manuscrito compartido con la autora, 2022.

RUDD, M. *The Lone Heretic. A Biography of Miguel de Unamuno y Jugo*. Introducción por Federico de Onís. Austin: University of Texas Press, 1963.

RUIZ GARCÍA, E. *Cartas a una mujer. Mathilde Pomès: 1886-1977*. Madrid: Biblioteca Nacional de España, 2016.

SÁEZ MARTÍNEZ, B. Críticos, críticas y criticadas: El discurso crítico ante la mujer de letras. En P. FERNÁNDEZ y M.-L. ORTEGA (eds.): *La mujer de letras o la letraherida: discursos y representaciones sobre la mujer escritora en el siglo XIX*. Madrid: CSIC, 2008, pp. 33-52.

SIMON, S. *Gender in Translation: Cultural Identity and the Politics of Transmission*. Londres y Nueva York: Routledge, 1996.

TURNBULL, E. (trad. y ed.). *Contemporary Spanish Poetry: Selections from Ten Poets*. Baltimore: The Johns Hopkins Press, 1945.

TURNBULL, E. (trad.). *The Christ of Velázquez*. Baltimore: The Johns Hopkins Press, 1951.

TURNBULL, E. (trad.). *Poems*. Baltimore: The Johns Hopkins Press, 1952.

TURNBULL, E. (trad. y ed.). *Ten Centuries of Spanish Poetry: An Anthology in English Verse with Original Texts From the XIth Century to the Generation of 1898*. Baltimore: The Johns Hopkins Press, 1955.

UNAMUNO, M. de. Cartas de Unamuno a Warner Fite, traductor de *Niebla*. *Revista Hispánica Moderna*, 1956, 22(1), pp. 87-92.

UNAMUNO, M. de. *La tía Tula*. Carlos A. Longhurst (ed.). Madrid: Cátedra, 2006.

NOTAS

[1] Se puede acceder al documental y a la exposición en línea: https://bajoplumademujer.wixsite.com/bajoplumademujer

[2] En su estudio *Gender in Translation*, Sherry Simon se refiere a esta situación como una «herencia de doble inferioridad»: «Históricamente, los traductores y las mujeres han sido las figuras más débiles en sus respectivas jerarquías: los traductores son sirvientes de los autores; las mujeres, inferiores a los hombres» (1996: 1). Sobre la «sexualización de la traducción», véase también CHAMBERLAIN, 1988. Todas las traducciones en este artículo son mías.

[3] Se trata de una carta de Ruzanna de Romaña, exalumna de la Universidad de California aparentemente residente en Shanghái cuando le escribe a Unamuno en 1934 para pedirle permiso para traducir algunas obras suyas al ruso y al inglés (CMU, 47/29).

[4] Sobre la relación entre Oniciu y Pizarro Zambrano, amigo de Federico García Lorca y primo de María Zambrano, con quien había tenido una relación romántica antes de conocer a Gratiana, véase Herrero, 2012.

[5] Se publicaron las cartas de Unamuno a Fite (UNAMUNO, 1956) y luego las de Fite a Unamuno (GARCÍA BLANCO, 1957) en la *Revista Hispánica Moderna*.

⁶ Efectivamente, la traducción de Manz se difundió por la radio en 1930 en Leipzig y también se escuchó en Múnich (KING, 1990: 147, n. 66).

⁷ Se refiere a unos sonetos aparecidos en *De Fuerteventura a París*, concretamente los poemas LI y LII.

⁸ Estos papeles se conservan en la Houghton Library de Harvard University. Sobre los apuntes para el seminario dedicado a Unamuno, véase HARKEMA, 2020: 43-44.

⁹ En una nota en la página 6 se advierte al lector que, salvo indicaciones al contrario, todas las traducciones son obra de la autora (RUDD, 1963: 6 n.).

RESUMEN: Este artículo analiza el papel de las mujeres en la traducción y difusión de la obra de Unamuno en el plano internacional durante la vida del autor y en las primeras décadas después de su muerte. Parte del *corpus* de las cartas de traductoras conservadas en el archivo de Unamuno y estudia varios casos representativos, divididos en tres grupos. Primero se comentan los desencuentros: cartas que Unamuno nunca contesta, contactos que se pierden y traducciones que nunca llegan a publicarse. Luego se destaca a dos traductoras francesas –Emma Clouard y Mathilde Pomès– que lograron publicar traducciones de la obra de Unamuno, además de desarrollar relaciones de amistad con el traducido. Por último, se considera el papel que desempeñaron dos norteamericanas –Eleanor L. Turnbull y Margaret T. Rudd– en la difusión de la obra e imagen de Unamuno en los Estados Unidos después de la muerte del escritor.

Palabras clave: traducción; traductoras; género; correspondencia; mediación cultural.

ABSTRACT: This article analyzes the role of women in the translation and international dissemination of Unamuno's work during the writer's life and in the first decades following his death. Taking the corpus of letters from female translators conserved in the Unamuno archive as its starting point, it discusses several representative cases among them, divided into three groups. It first comments on missed opportunities: letters that go unanswered, contacts that are lost, and translations that are never published. The article then highlights two French translators, Emma Clouard and Mathilde Pomès, who each published several translations of Unamuno's work in addition to developing friendships with him. Finally, it considers the role of two North American women, Eleanor L. Turnbull and Margaret T. Rudd, in the mediation of Unamuno's work and image in the United States after his death.

Key words: translation; female translators; gender; correspondence; cultural mediation.

DOI: https://doi.org/10.14201/ccmu.

LAS MUJERES EN LA BIBLIOTECA PERSONAL DE MIGUEL DE UNAMUNO

WOMEN IN THE PERSONAL LIBRARY OF MIGUEL DE UNAMUNO

Lycia LÓPEZ
Universidad de Salamanca
lycialopez@usal.es

1. INTRODUCCIÓN

El estudio de un autor es la única vía que nos lleva hacia el conocimiento de este. Toda la información y todas las investigaciones que se hagan serán lo que nos permita profundizar en su pensamiento e incluso sentir que podemos comunicarnos con ese autor y, sobre todo, comprenderlo.

Conocemos a Miguel de Unamuno porque es uno de los escritores y filósofos más importantes del siglo XX dentro de nuestro país y también fuera de nuestras fronteras; ya gozó de un extenso reconocimiento en vida gracias a su obra, a su función como profesor y rector en la Universidad de Salamanca y gracias a su forma de ser como ciudadano. No obstante, el estudio de su obra y de su pensamiento se realizaron post mórten, potenciando desde entonces una mejora del conocimiento sobre su persona, su obra y su existencia. Hay estudios sobre su vida, su forma de escribir tanto en verso como en prosa, sus cartas, sus relaciones con otros grandes autores, estudios sobre sus pensamientos políticos, religiosos, filosóficos, etc. Como bien estamos introduciendo, dichas investigaciones son las que nos han permitido precisar la personalidad del autor y la magnitud de uno de nuestros grandes literatos y filósofos.

Creemos en la conveniencia de aprovechar el presente y la historicidad que nos acontece para dar más luz si cabe a un personaje tan importante. Hablamos de un momento en el que se está comprendiendo que la mujer tiene un papel en la historia y ahora aparece en un plano transcendente, lo que lleva a que se tenga en cuenta al género femenino tanto dentro como fuera de la academia; de esta manera, y sobre todo en los últimos años, hemos podido notar cómo han aumentado los estudios sobre las mujeres y autoras del pasado que hasta entonces habían quedado silenciadas por una historia principalmente protagonizada por hombres. Es por ello que también es necesario saber qué relación y pensamiento tenían todos aquellos grandes autores sobre el género femenino; cómo se relacionaban con dicho género, y qué influencia silenciosa pudieron ejercer las mujeres sobre ellos, sobre su vida, su obra y, por supuesto, su pensamiento.

Este artículo tratará de responder a muchas de estas cuestiones, centrándonos, como ya hemos mencionado, en Miguel de Unamuno, sintiendo que será una nueva forma de estudio y una aportación más al perfeccionamiento del perfil de este autor.

Focalizamos nuestro trabajo en la biblioteca personal del autor, pero ¿por qué la biblioteca? La razón de este interés es porque nos parece una de las mejores formas de conocer a una persona, sus ideas, sus intereses, sus gustos e incluso sus manías.

Sabemos qué escribía Unamuno y cómo lo hacía, se ha investigado infinidad de veces sobre eso, se ha analizado a cada personaje de cada una de sus obras, pero ¿sabemos a ciencia cierta qué leía? Eso es fácil de saber si Unamuno lo dice, si investigamos en sus artículos y las citaciones que hacía o investigamos entre sus amigos escritores y contemporáneos. No obstante, se debe indagar mucho más, de ahí la naturaleza de nuestra propuesta. ¿Y sobre mujeres? ¿Qué sabemos sobre las mujeres que Unamuno leía? ¿Lo hacía? ¿A quiénes?

El hecho de tener libros en aquella época escritos por mujeres y anotados –significado de leídos– también nos aporta información sobre el autor y sus intereses. Antes de comenzar a explicar qué libros leyó, es importante saber qué tipo de marcas hacía pues eso también nos revela información acerca de lo delicado y organizado que era con sus lecturas, ya que rara vez utilizaba bolígrafos y solía marcar las hojas con lápiz, muchas veces simples palabras o traducciones, otras veces breves comentarios de opinión o de resumen y sobre todo simples marcas que denotaban importancia, que, junto con los subrayados, podían ir desde la categoría uno –una raya o una línea de subrayado– a la categoría tres –tres líneas– que indicaban mucha importancia. Al final del libro, en sus hojas en blanco finales, el autor apuntaba todas aquellas páginas importantes para que, si tuviera que hacer una futura búsqueda, le fuera de muy fácil acceso; muchas veces también anotaba sus ideas o el resumen de las obras.

Al estudiar su biblioteca descubrimos que este espacio salvaguarda alrededor de seis mil volúmenes. Cabe destacar que fueron donados en vida por él mismo a la Universidad de Salamanca e incluye obras que fue acumulando durante toda su vida, en sus etapas de Salamanca, Hendaya y Fuerteventura. Dicha biblioteca se conserva en la Casa Museo Unamuno, en Salamanca.

La catalogación que de este total de obras se hizo[1] dilucidó lo que ahora mismo no nos sorprende, un valioso tesoro, con libros publicados antes de 1830 que no solo brillan por su antigüedad, también por su extrañeza, ya que algunos están escritos en euskera y bien es conocido el «bibliocausto» que se vivió durante el franquismo en este país (EFE, 2012).

También dicha catalogación sirvió, como hemos nombrado, para conocer más al autor, viendo que sus gustos eran muy diversos pues coleccionaba obras de todos los estilos, pensamientos y variedades. Ayudó para confirmar algo que se sospechaba, era un amante de las lenguas pues albergaba cientos de libros y revistas en versión original; conocemos también cómo leía, dedicando atención minuciosa a cada lectura, tratando cada uno de los tomos como una obra de arte, brindándoles tiempo, anotando con cuidado, subrayando lo importante, haciendo valiosa a la obra, dando sentido a su lectura y guardándolos y donándolos para que sobrevivieran en el tiempo. Ahora, queremos que nuestra propia catalogación de obras femeninas sirva tanto para conocer la relación y el pensamiento de Unamuno hacia el género femenino como para poder dar más valía y voz a mujeres que no gozaron del reconocimiento que les pertenecía.

2. OBRAS ESCRITAS POR MUJERES

Nos adentramos en la casa de Miguel de Unamuno, en una de las estancias más queridas por él y donde tendremos el placer de conversar con su lado más íntimo, pues indagar en una biblioteca puede contribuir a desnudar una parte del alma del autor, quien nos da permiso para descubrir una parte de él que perfectamente podría haber ocultado al mundo en uno de los últimos estantes.

No es de extrañar que libros escritos por mujeres no hubiera muchos, era una hipótesis que casi sin argumentos ya podríamos haber convertido en tesis, aunque contábamos con una premisa muy significativa, la etapa histórica. La historia, y no solo refiriéndonos a la literatura, ha sido un terreno masculino que con el paso de los años solo dejó espacio para aquellas féminas que se hicieron hueco no sin una lucha previa; este historicismo masculino y literario fue una imposición hasta el siglo XIX, donde aún se seguía encontrando un panorama eminentemente masculino. Todo lo anterior otorga más valor a las obras caligrafiadas por mujeres que vamos a enumerar a continuación[2] y que son las que se encuentran en la biblioteca personal de Miguel de Unamuno. A su vez, haremos un resumen de cada una de las escritoras –haciendo hincapié en aquellas menos conocidas–, para poder dar a conocer a las mujeres que no solo Unamuno leía, sino que lucharon y consiguieron compartir sus palabras, pensamientos y creaciones en épocas oscuras para el género femenino.

2.1 Santa Catalina de Siena (1347-1380) fue una mujer nacida en la Toscana que ya de niña tuvo su primera visión de Dios y desde entonces, a la edad de siete años, se formó en los caminos de los santos y le dio especial importancia a la vida de santo Domingo, perteneciendo posteriormente a su misma orden. Obligada a casarse con tan solo doce años como era habitual en la época, Catalina se opuso y se cortó el pelo en señal de protesta ante sus padres, quienes seguían empeñados en hacer de su hija una buena esposa: «¿Te crees tú, sosa, que te vas a escapar a nuestra autoridad cortándote el pelo? Volverá a crecer y te casarás, aunque tengas que romper el corazón» (Unset, 2009: 43). Pronto se convirtió en esclava de su casa, poco quedaba de la niña feliz que fue, su familia pensó que de esta manera tan cruel aprendería a querer un «buen marido» pues «opinaban todos que de esta manera la joven llegaría a darse cuenta de que tenía que ser mejor convertirse en señora de su propia casa que andar como esclava de una familia numerosa» (Unset, 2009: 43).

La propia Catalina cuenta a su segundo confesor, Raimundo, en unas largas confesiones, que en esos momentos imagina a su familia como la familia divina: Jesús, María, apóstoles y discípulos; por lo que «servir la mesa llenaba su alma entera de dicha y dulzura, pues era a su Señor y Maestro a quien servía» (Unset, 2009: 43).

Fue fiel a sus creencias y confesó su promesa de castidad a la familia, quien, sin otro remedio que aceptarlo, le cedió una minúscula habitación dentro de la casa donde Catalina comenzó sus rezos y penitencias, negándose incluso a ella misma el sueño. Dejó de beber vino, solo comía verduras y se disciplinaba a ella misma para imitar a su padre espiritual –santo Domingo–: «Tres veces al día: una por sus propios pecados, otra los pecados de todas las almas de este mundo y la tercera por las almas del purgatorio» (Unset, 2009: 53-54). Después de superar una dura enfermedad y tras una primera negativa, consigue la santa pertenecer a las Hermanas de la Penitencia de Santo Domingo; se cree que dicha ceremonia tuvo lugar en 1366, cuando contaba con diecinueve años.

> Caterina tenía a su primer confesor, Tomás della Fonte, quien llenó una serie de cuadernos con las palabras de la santa que, aunque hoy desaparecidos, se sabe su contenido gracias a los biógrafos que tuvo posteriormente. No obstante, muchas de las conversaciones que en su soledad y en lo profundo de su alma tuvo la santa con su Señor, las recogió ella misma, retocándolas, en una obra que encontramos en la biblioteca personal de Unamuno: *Diálogo de la Divina Providencia* (De Siena, 1912).

Si algo sabemos de Miguel de Unamuno solo con leer sus obras es que catalogarlo religiosamente es confuso; encontrando estudios que lo encasillan como un ferviente ateo o teorías contrarias que veían en el escritor un cristiano convencido, a lo largo de su vida pasó por diferentes etapas que le acercaban o alejaban más de la fe. Sea cual fuere la respuesta, encontrar libros de santas en su colección solo nos indica que se interesaba en asuntos metafísicos y divinos; la curiosidad estaba en él como buen humanista que era y no podía un hombre con su curiosidad psicológica no leer a una de las seis patronas de Europa. Sabemos que ese libro lo leyó pues encontramos marcas en los párrafos que para nuestro autor eran más importantes; dicho libro lo encontramos en versión original, en italiano. Esta obra se trata de una nueva edición que sigue un códice sienés inédito, obra de 1912.

2.2 María Graham (1785-1842); de esta autora encontramos dentro de la biblioteca personal de Miguel de Unamuno un tomo que aglutina dos de sus obras: *Diario de mi residencia en Chile* (1822) y *Diario de mi viaje al Brasil* (1823). Estamos ante una mujer extraordinaria y afortunada por su condición social, lo que nos da mucha información sobre por qué pudo escribir con más facilidad y tener más trayectoria en una literatura masculina. Fue una viajera y escritora inglesa, hija de un vicealmirante de viajes a la India y mujer de un capitán de la marina real inglesa, Tomas Graham, de ahí el apellido de la autora, pues el de soltera era Dundas. Pudo viajar gracias a la profesión de su padre y posteriormente de su marido, no obstante, este último muere y es entonces cuando ella decide quedarse en América y no volver a Europa; fue en ese momento cuando comenzó a recorrer Chile y se convirtió en su escritora personal, narrando cada historia, cada paisaje, su cultura, comida, etc.

Podemos confirmar que el nombre de María Graham es un apodo muy conocido en Chile actualmente:

> Fue una suerte para Chile su visita. Nunca hubo viajero más interesado en verlo todo, en saberlo todo, en anotarlo todo en una época que es una especie de codo de nuestra historia, cuando empezaban a desarmarse las estructuras establecidas del sistema colonial español, y se iniciaba trabajosamente la vida independiente. (Lago, 2000: 23)

Contrajo nupcias por segunda vez con sir Augustus Wall Callcott, siendo finalmente conocida como Lady Callcott. Las narraciones nos cuentan que era una «personalidad relevante por sí misma, sus talentos, inteligencia y condiciones naturales» (Lago, 2000: 27). Se curtió intelectualmente desde muy pequeña, descubriendo, en soledad, el mundo de la literatura clásica y poesía inglesa que «alimentaron sus sueños de adolescente, determinaron su estilo mental y definieron su personalidad» (Lago, 2000: 45). Pero, además de la literatura, se interesaba también por la historia y la geografía y, a su vez, tuvo la suerte de tener un buen profesor de dibujo de Oxford. Todo esto y el hecho de criarse con su tío, un aristócrata que recibía en su casa a todo tipo de personalidades –María llegó a conocer a reyes y lores–, hizo de nuestra autora una erudita que en los bailes estaba siempre conversando con los hombres importantes, catedráticos y notabilidades y no era lo habitual.

> Los prejuicios de la educación femenina establecían de manera rígida que la mujer debía de ser ante todo recatada en su trato con el sexo masculino. La declararon coqueta. Ella dijo que sólo estaba interesada en ampliar sus conocimientos y tuvo muchas oportunidades para hacerlo en ese medio. (Lago, 2000: 68)

Su vida adulta estuvo delimitada por la tuberculosis, dolencias continuas y afecciones crónicas, es por ello por lo que aún sorprende más la vida que tuvo, todos sus viajes, sus estudios, su manera de conocer y dar a conocer, escribir, casarse, etc. Es así mismo admirable el hecho de que en sus diarios solo nombre dichas dolencias de pasada, como si no fueran importantes en su día a día: «por entonces, estuve en la cama durante algunos días para recuperar mis fuerzas y debí abandonar la lectura» o «estaba tan agotada con los ajetreos de esos días que debí guardar cama durante un tiempo para reponerme» (Lago, 2000: 71).

Su primer viaje a la India fue el inicio de su literatura sobre viajes, *Diario de una residencia en la India*, seguido por sus diarios de Chile y Brasil; posteriormente y debido a sus segundas nupcias, viaja por Italia, país en el que también escribe y crea arte; más adelante se mueve a Inglaterra, donde muere, con cincuenta y siete años, a causa de la tuberculosis con la que tanto tiempo llevaba luchando.

Entendemos que Unamuno tuvo grandes lazos con Sudamérica, por lo que no es rara la curiosidad por los relatos de María sobre países como Chile y Brasil, no obstante, debemos indicar que, aunque el libro está muy desgastado, no contiene ni una sola marca del autor, esto puede significar que el deterioro se ha causado por la pátina, pero no podemos dar por hecho que el libro no fue leído, aunque sabemos que si se leyó no se hizo de forma paulatina pues eso conllevaría marcas por parte del Rector.

2.3 *The Poetical Works of Elizabeth Barret Browning* (1806-1861) es un poemario donde se recogen todas las obras que esta escritora inglesa realizó durante su vida. Elizabeth comenzó a escribir con tan solo cuatro años, siendo ya una gran lectora de los grandes clásicos, los cuales leía en versión original; aprendió incluso hebreo para poder traducir relatos bíblicos. Comenzó a elaborar obras similares a las epopeyas homéricas con tan solo doce años, pero muchos años atrás ya había comenzado a crear un extenso repertorio de poemas. Con quince años ya leía a Mary Wollstonecraft, gran pensadora y feminista del siglo XVIII, comenzando a compartir sus ideales y forjando su personalidad futura. Su salud da un giro considerable al siguiente año, empezando a padecer una enfermedad sin nombre en aquel momento, por lo que solo conocemos algunos de los síntomas: pérdida de movilidad que le obligaba a ir en silla de ruedas en algunos momentos con dolores intensos junto a fuertes jaquecas, todo ello también moldeó su personalidad y cambió su conducta pues comenzó a tomar opiáceos para el dolor crónico y para el resto de su vida.

Considerada una de las autoras inglesas más importantes, escribió desde el pensamiento de los oprimidos –sirviendo sus poemas incluso para llegar a conseguir cambios sociales en el ámbito del feminismo y de la explotación infantil–. Fue admirada por grandes escritores como Edgar Alan Poe o Virginia Woolf; incluso su marido, antes de serlo, también fue un gran admirador, Robert Browing, un escritor y dramaturgo inglés, con quien, hasta el momento de casarse, compartió un gran número de cartas que se conservan hoy en día como uno de los epistolarios románticos más importantes de la historia de la literatura. Durante sus años de matrimonio vivieron en Florencia, Italia, donde la salud de ella le da un respiro y mejora notablemente, esto le permite escribir su obra en verso más madura, *Aurora Leigh*.

Dicha autora fue una gran mujer pues dedicó toda su infancia a autocultivarse, soportó el dolor de la muerte de sus hermanos y su madre, tuvo que lidiar toda la vida con varias enfermedades que la postraban en una silla de ruedas y consiguió desafiar la autoridad de su padre para poder casarse ya mayor en aquella época –superaba los cuarenta– con un hombre menor que ella con el que se fue de su país natal para poder ser feliz y poder tener descendencia y fama reconocida a nivel mundial (Avery y Stott, 2003).

El libro recopilatorio de los poemas de Elizabeth que se conserva en la biblioteca personal de Miguel de Unamuno tiene una franja roja en su portada que marca la propiedad de «M. de Unamuno». Encontramos en el índice marcas del propio don Miguel; sospechamos que dichas marcas pertenecen a los poemas que leyó o a los que le pareció que tenían un contenido más relevante para su pensamiento. En aquellos poemas marcados encontramos muchas traducciones en los márgenes, lo que ya nos indica que disfrutó de dichos poemas en inglés, su versión original.

2.4 Elizabeth Gaskell (1810-1865) es una escritora inglesa, también de la época victoriana –como Browning–. Es conocida por su biografía sobre Charlotte Brönte (Gaskell, 2013) y por otras obras como *Norte y Sur*, *Esposas e hijas* o *Mi prima Filis* –siendo esta última la obra leída por Unamuno–. Elizabeth Gaskell utilizó todas sus vivencias para inspirar su obra: su infancia, su edad adulta en ciudades industriales, la temprana muerte de su único hijo, etc. Era hija de un pastor y escritor unitario; su madre murió cuando ella era pequeña y su padre volvió a contraer matrimonio. Ella misma se casará a la edad de veintidós años con un pastor también unitario y que dedicaba su tiempo libre a la literatura y esto hacía que toda la vida social de ambos estuviera muy bien ubicada entre grandes escritores y otras personalidades como Charles Dickens, Charles Eliot Norton o la propia Charlotte Brontë, amiga de Gaskell –escribió la biografía de la hermana Brontë a petición del padre de esta (McVeagh, 1970)–. Por el contrario, Elizabeth Gaskell no dio muchas pistas de su vida, aunque casi todo lo podemos encontrar en sus obras.

El volumen de *Mi prima Filis* que se guarda en la biblioteca de don Miguel es una edición de 1920, donde la autora se permite escribir en primera persona, aunque el personaje sea un niño, y así contará la historia romántica que sufrirá el protagonista con su propia prima (Gaskell, 1920). El libro dentro de la biblioteca unamuniana se encuentra en perfecto estado y con alguna marca de relevancia dentro de tres páginas repartidas a lo largo del todo el libro, lo que nos indica que fue leído hasta el final.

2.5 Charlotte Brontë (1816-1855) es una de las hermanas Brontë que también en la época victoriana tuvieron la oportunidad de hacerse hueco entre sus colegas escritores. Podemos utilizar la biografía que nuestra autora anterior hizo sobre Charlotte para resumir brevemente su vida.

Su madre también murió al ser ella pequeña, al igual que sus dos hermanas mayores. Tuvo desde entonces muy buena relación con sus otras hermanas, Anne y Emily, con las que escribía desde pequeña y se pasaban horas inventado historias. Incluso decidieron publicar una colección de poemas bajo pseudónimos; dichos escritos no tuvieron mucho éxito, pero ellas entonces decidieron probar suerte con sus novelas, las cuales están consideradas ya clásicos de la literatura inglesa y tienen mucho valor pues se adelantaron a sus tiempos y abrieron paso a un nuevo tipo de literatura. Es entonces, en 1847, cuando escribió su obra más famosa, *Jane Eyre*, donde narra la historia de una niña huérfana con una infancia difícil de la cual consigue salir gracias a su intelecto para pasar a trabajar como institutriz; de esta manera comenzará una historia de amor con el señor de la casa que a la vez era su contratador, historia que no será fácil (Brontë, 1996). Hay que destacar que tenemos muchas coincidencias con la vida de la propia autora, quien también va –junto con su hermana Emily– a una institución en Bruselas para poder mejorar su francés y allí se enamora del propietario de la escuela a quien le escribirá varias cartas a pesar de estar casado y tener hijos.

Un par de años después murió su hermano, su hermana Emily y un año más tarde su hermana Anne, ambas de tuberculosis. Estas muertes hacen que Charlotte se sumerja en una gran depresión que solo puede paliar gracias a su editor en aquel momento, quien le hizo anudar amistades con otros literatos y literatas como será el caso de Elizabeth Gaskell.

Contrajo entonces matrimonio y siguió escribiendo sus novelas, no obstante, dos años después, en 1855, se queda embarazada, pero enferma y muere de tuberculosis al igual que sus dos hermanas escritoras con las que compartió su vida, su pasión, su oficio y sus primeras obras (Gaskell, 2013).

Gaskell asegura en una carta que la hermana Brontë era «una persona extraordinaria y sincera; es muy estricta consigo misma y habla afable y esperanzadamente de cosas y personas con franqueza; lo que me maravilla de ella es que haya conservado el ánimo y la fuerza en su vida desolada» (Gaskell, 2013: 695).

Jane Eyre es la obra que encontramos en la biblioteca de Unamuno, edición que data de 1906, una versión original inglesa con algunas anotaciones del propio rector, destacando las traducciones y algunas marcas que se extienden únicamente hasta la página 92, teniendo en cuenta que la obra está compuesta por un total de 517 páginas, podemos presuponer que si lo terminó ya no lo hizo con tanto ímpetu como al principio.

2.6 Emily Jane Brontë (1818-1848), por su parte, escribe únicamente una novela a lo largo de su vida, la cual ha alcanzado una fama mundial, se trata de *Wuthering Heights*, conocida en castellano por *Cumbres Borrascosas*. Sabemos que no escribió más debido a su temprana muerte por tuberculosis, pero sí que se conservan las poesías que escribía junto a sus hermanas y los textos sobre los países imaginarios que las hermanas se inventaron –junto a su hermano Branwell–.

Una vez vuelven de Bruselas las dos hermanas debido a la muerte de su tía, sus vidas cambiarán y Emily se convierte en la administradora de la casa. Es la que más relación tendrá con su hermano –el cual se dedicó a la pintura– y la que más le cuidará hasta la muerte. En sus años de alcohólico será ella quien le espere hasta que llegue para ayudarle y se dice que en estos tiempos muertos es cuando escribió su gran obra. Murió poco después, con tan solo treinta años, a causa de la tuberculosis como ya hemos dicho (Moragas Roger, 1945).

Cumbres borrascosas se considera un clásico dentro de la literatura inglesa y se cataloga a su vez como una de las obras maestras de la literatura universal, seguramente por la forma en la que une la tragedia, la venganza, el amor, el odio, la locura, la vida y la muerte. Sabemos que Unamuno leyó dicho libro –siempre en versión original– pues tiene traducciones de palabras sueltas por todo el libro y marcas en los párrafos que él consideraba más importantes o que quiso marcar para releer en el futuro y poder encontrar rápido dicho pasaje. Además, en la cubierta del libro encontramos una pegatina en color rojo que personaliza el libro, marcando que es propiedad del rector.

Cabe añadir sobre las hermanas Brontë que publicaron bajo pseudónimos masculinos para poder evadir las críticas y presiones de ser una mujer escritora en aquella época, dichos alias eran: Currer Bell, Ellis Bell y Acton Bell; compartiendo apellidos por ser hermanas y escogiendo nombres de varones que también coincidieran con la inicial del nombre de ellas. Criarse juntas y tener las mismas vivencias y pensamientos también hizo que sus obras fueran parecidas pues las protagonistas siempre eran mujeres valientes, muy inteligentes y que eran independientes a pesar de saber que no estaba bien visto. Todo esto hizo que sus obras tampoco estuvieran bien vistas en su momento pues iban en contra de todos los cánones, por lo que no podían firmar las obras como mujeres pues entonces nunca les hubieran dejado publicarlas. Solo Charlotte Brontë pudo publicar sin pseudónimo años después y lo hizo cuando sus obras ya tuvieron la repercusión y fama suficiente. Este lujo nunca lo pudieron tener sus hermanas, quienes fallecieron luchando contra la frase que Robert Southey le escribió a Charlotte Brontë en su momento: «Una mujer no puede ni debe hacer de la literatura la razón de su vida» (Gaskell, 2013: 205).

Lucharon de tal manera que en el prefacio de la segunda edición de *La Inquilina de Wildfell Hall* –segunda novela que escribe Anne Brontë poco antes de morir– podemos leer:

> Por lo que respecta a la identidad del autor [...] diría que tampoco es de gran relevancia que con ese nombre no se designe a un hombre sino a una mujer, como unos pocos de mis críticos afirman haber descubierto [...] a mi parecer, si un libro es bueno, lo es independientemente del sexo del autor. Todas las novelas se escriben, o debieran escribirse, para que las lean tanto hombres como mujeres, y no acabo de entender que un hombre pueda permitirse escribir algo que resulte verdaderamente vergonzoso para una mujer, ni por qué habría que criticar a una mujer por escribir algo que se consideraría digno y apropiado en el caso de proceder de la pluma de un hombre. (Brontë, 2020: 10)

2.7 Rosalía de Castro (1837-1885) destacó por sus escritos –en gallego y en castellano– y por ser una de las feministas más importantes de la época –manifestando siempre injusticias y exclusiones, sobre todo que afectaban a mujeres–, por lo que es relevante que fuera una de las escritoras más leídas por Unamuno. Hija de un sacerdote que no puede reconocerla por su condición, pasa su infancia rodeada de mujeres; se nutre de la cultura gallega, del idioma y de la ruralidad hasta que se muda a Santiago de Compostela, donde ya comenzará con sus estudios básicos. Años después comienza a publicar sus primeros poemas y conoce al que fuera su esposo –Manuel Murguía–, quien fue un gran apoyo para Rosalía, ya que bien sabemos que escribir en aquella época no estaba bien visto, pero su marido siempre la animará a seguir publicando. Tuvieron varios hijos y diferentes puntos de residencia a lo largo de los años, pero Rosalía siempre volvía a sus tierras gallegas. Se sabe que su salud nunca fue muy buena, aunque no se conserva más información. Lo que sí se puede confirmar es que muere a causa de un cáncer de útero en la localidad de Padrón a los cuarenta y ocho años (Villagrasa, 1986: 81).

Son las primeras obras completas de una mujer que encontramos dentro de la biblioteca personal del rector –una edición de las obras completas de 1909–, estas se componen de cuatro volúmenes; el primero, *En las orillas del Sar*, no se conserva, pero sabemos que lo leyó porque así lo reconoce él mismo Unamuno (Alonso, 1997: 35). En el segundo volumen encontramos su obra *Cantares Gallegos*, libro que podemos decir que leyó también con certeza y que fue utilizado pues se nota el desuso y encontramos notas subrayadas dentro del prólogo, que fue escrito por la propia autora. Además, durante alguna correspondencia, don Miguel hace alusión a esta obra (Alonso, 1997: 28). El tercer volumen corresponde a su obra *Follas Novas*, del cual no sabemos cuánto leyó, pero sí tenemos marcada la página 158, donde hallamos el poema en gallego «Tristes recordos». Por último, tenemos el cuarto volumen, que corresponde a su obra *El Caballero de las botas azules*, este no tiene ningún signo de haber sido leído, pero no podemos descartar que lo hiciera.

2.8 Emilia Pardo Bazán (1851-1921) fue una humanista en el siglo XIX, ya que se encargó de escribir novelas, poesía, ensayos, críticas, artículos, hizo traducciones, editó algunas obras y, por supuesto, fue pionera también en luchar por el derecho de las mujeres y por el feminismo. También nacida en Galicia, se cría en el seno de una buena familia que puede aportarle una educación muy completa que hace que sea una ferviente lectora ya desde muy pequeña, siendo ya escritora de poemas desde los nueve años y de cuentos desde los quince, edad de su primera publicación. Su padre era militante del partido liberal progresista, lo que les obligaba a vivir en Madrid durante largos periodos del año y allí completó sus estudios. Es en 1868, a la edad de dieciséis años, cuando contrae matrimonio con José Quiroga y cinco años después viajan por Europa, momento importante en la vida de Emilia pues esto supondrá una apertura hacia el conocimiento extranjero del que se nutrirá. Aprenderá otros idiomas, leerá otros autores y conocerá corrientes nuevas como el krausismo –llevándole a leer a los grandes filósofos de la historia–. Es la principal precursora del naturalismo en nuestro país, como denota su obra *La cuestión palpitante*; al ser leída se consideró inapropiada para una mujer y recibió ataques por parte de la Iglesia. Es entonces cuando su marido le pide que deje de escribir, lo que conlleva una negativa por parte de Emilia y una separación posterior que le permite a ella seguir su vida intelectual a tiempo completo no solo como escritora, también como activista y periodista política (Faus, 2003). Se definía como feminista radical e hizo un gran trabajo en estos términos (Mesa, 2020). Después de mucha lucha y más literatura, fallece en 1921 en Madrid.

Se sabe que mantenía con Miguel de Unamuno una fuerte amistad que se remonta al año 1895, como así demuestra la correspondencia entre ambos. Por dicha amistad nos hubiera extrañado no encontrar obras de esta autora en la biblioteca personal del rector. Al igual que con Rosalía de Castro, aumentamos el valor de conservar dichas obras ya que Emilia Pardo Bazán no es solo escritora y mujer, también precursora del feminismo de nuestro país. Es, de hecho, la autora que más libros tiene dentro de la biblioteca personal de Unamuno; entre ellos se conservan *Porvenir de la literatura después de la guerra*, obra que recoge una conferencia dada por la autora en 1916 e impresa un año más tarde, pero en la que no se mantienen signos de lectura. *Los poetas épicos cristianos*, obra que se encuentra en el tomo XII de unas obras completas de la autora que fueron editadas en 1895, por lo que podemos suponer que, aunque no se conserven todos, don Miguel llegó a poseer toda colección. En la obra *De siglo a siglo* encontramos una dedicatoria de la autora hacia el propio Unamuno, es el tomo XXIV de 1895 de la misma versión completa. *Cuentos sacroprofanos* corresponde al tomo XVII, dicha obra la encontramos en un pésimo estado de conservación, pero aún se conserva la dedicatoria de la autora. *Los tres arcos de Cirilo, Un drama* y *Mujer*, están dentro de un tomo llamado *Novelas ejemplares*, siendo la pieza número XIII de la misma colección; en dicha obra sí que encontramos signos de lectura en color rojo, color que no era habitual en Unamuno, pues todas las marcas él solía hacerlas en lapicero. *Cuentos de Navidad y Reyes* también se conserva, siendo el tomo XXV, muy deteriorado y dedicado. Tenemos otras obras completas editadas en 1910 y en ellas se conserva el volumen XXVII llamado *La literatura francesa moderna*, otra obra dedicada al rector. Por último, y cómo no, también dedicado con cariño, encontramos *La España de ayer y de hoy*.

2.9 Grazia Deledda (1871-1936) fue una escritora italiana que también está en la biblioteca personal de Unamuno y de una forma casi obligatoria, pues ya hemos comentado anteriormente la dificultad que las mujeres han tenido durante toda la historia para estar bien consideradas dentro de la escritura y la literatura, teniendo que esconderse muchas veces detrás de pseudónimos masculinos, no obstante, podemos encontrar dentro de esta mujer una gran excepción ya que fue galardonada con el Premio Nobel de Literatura en el año 1926.

Nace en Nuoro, una ciudad de Cerdeña donde no podía complacer sus inquietudes intelectuales pues la cultura estaba solo reservada para los hombres y es por ello por lo que tuvo que conformarse con leer y aprender toda aquella información que encontraba, muchas veces sin ningún orden; pero, de nuevo, tenemos a una mujer autodidacta que fue criada en una moral muy recta y mucha religiosidad a su alrededor.

Después de curtirse en las letras, comenzó a publicar sus primeros relatos en revistas y posteriormente ya crea sus primeras obras narrativas. Tuvo la suerte de ser admirada por otros escritores jóvenes, pues sus obras eran maravillas que narraban el amor y el dolor, la moral y la religiosidad. También narra a la perfección la vida en Cerdeña, lugar que le marcó tanto en su infancia que recreará en cada situación y libro. Vive momentos muy dolorosos en su vida como el alcoholismo de su hermano y la muerte de sus dos hermanas, muriendo una de ellas por un aborto realizado a escondidas y en malas condiciones.

Contrae matrimonio y es entonces cuando deja Cerdeña para mudarse a Roma, donde se dedica a cuidar a su familia y a escribir; desde entonces escribirá más de una novela por año, todas se publicarán y conseguirá ganar el Premio Nobel de Literatura en 1926, siendo la quinta mujer en lograrlo. Muere por un cáncer que ella misma relata en sus últimas obras y vuelve a su niñez en sus últimas novelas para recordar su tierra natal y la cultura sarda (Piromalli, 1970).

La obra que Unamuno conservaba de Deledda es *Elias Portolu*, publicada en 1903 y considerada como aquella que consagra a Grazia como escritora, donde se nos cuenta una historia de amor trágica a través de un protagonista masculino que no encuentra el coraje de obrar y se resigna hasta sus últimos momentos, lo que le hará vivir una vida bastante difícil e infeliz; no obstante, vivía ayudando a los demás y eso le daba consuelo, cabe decir que ayudaba a los demás pues era, además, de profesión sacerdote (Deledda, 1903). Se trata de una primera edición de 1903 que se conserva en mal estado, dicho libro lo encontramos en italiano. Hallamos alguna palabra traducida por lo que pensamos que Unamuno leyó dicha obra.

2.10 Marie Lenéru (1875-1918) es otra gran mujer a la que el rector vitalicio leyó, en concreto su obra *Journal de Marie Lenéru*. Nos encontramos ante el volumen más comentado por Unamuno y es por ello por lo que intentaremos analizarlo más profundamente y le daremos más importancia en un capítulo aparte, al igual que Unamuno lo hizo por encima del resto de obras.

2.11 Evelyn Underhill (1875-1941) fue una escritora inglesa conocida por escribir muchas obras sobre el misticismo cristiano como es *Practical mysticism. A Little book of Normal People*, publicado en 1914 y donde la autora nos habla de la importancia de esta corriente y práctica espiritual. No se encuentra mucha información sobre la vida de esta mujer, pero se cuenta que creció con un fuerte agnosticismo y que en su edad adulta tuvo una visión religiosa que le hizo convertirse y dedicar el resto de sus pensamientos y literatura al catolicismo y misticismo. Escribió también bajo pseudónimo, estudió en casa sus primeros años, pero después tuvo la suerte de estudiar en el King's College de Londres y pudo cultivarse en historia, psicología, botánica, teología y filosofía. Fue una de las mujeres más leídas de principios del siglo XX y primera mujer en dar conferencias a integrantes de la Iglesia católica. Se convirtió en una gran pacifista, mística, escritora y religiosa que ayudó con su obra a rescatar a autores que ya habían quedado olvidados, escritores religiosos de la época medieval y también místicos orientales (Cropper, 2010).

Encontramos alguna marca en este libro, pero hay una en particular en la página dieciséis que nos hace pensar que fue el capítulo en el que más hincapié hizo Miguel de Unamuno. Dicho capítulo se titula «What is mysticism», capítulo que leyó en versión original y que delata el interés del rector sobre el tema del misticismo y sobre su predisposición para aprender de otros, con independencia de su género.

2.12 María Francisca Clar Margarit (1888-1952) es una escritora que usaba dos seudónimos; uno de ellos era «Halma Angélico», que es el que utiliza en una de las obras leídas por don Miguel, *Santas que pecaron. Psicología del pecado de amor en la mujer*, y el otro era Ana Eyus.

Nacida en España, en Palma de Mallorca, fue una mujer que pudo estudiar en Madrid y que se separó de su marido, momento en el que comienza a escribir profesionalmente. Tenía convicciones católicas, pero era progresista y colaboraba todo lo que podía en todos aquellos movimientos que pusieran en auge la defensa de los derechos de las mujeres. Llegó a ser presidenta del Lyceum Club Femenino y vicepresidenta de la Asociación Nacional de Mujeres Españolas. Hizo una gran aportación feminista a los periódicos del momento y se dedicó al teatro y a la narrativa. Después de sus grandes años de trabajo durante la Segunda República española y tras el golpe de Estado de Francisco Franco en España en 1936, la escritora fue encarcelada, aunque finalmente la liberan y absuelven, no obstante, continúa el resto de su vida aislada y sin escribir nuevamente, terminando por culpa de la guerra y del franquismo convirtiéndose en una mujer olvidada que muere en 1952. Es la investigadora Pilar Nieva de la Paz quien consigue rescatarla del olvido y que haya podido así llegar hasta nuestros días (Limic, 2016: 214-236).

Esta autora, feminista y reivindicativa, nos cuenta en esta obra –*Santas que pecaron. Psicología del pecado de amor en la mujer*– la historia de otras mujeres: María Egipciaca, María Magdalena, Margarita de Cortona, Catalina de Génova y Teodora de Alejandría (Halma Angélico, 1935). Dichas mujeres no llegaron a escribir sus vivencias, pero han podido ser conocidas gracias a María Francisca y entendemos que esta obra recopilatoria era de interés para nuestro autor. Al menos, y ante la dificultad de investigar este tomo por su mal estado, sabemos que las primeras mujeres fueron leídas, dado que tenemos subrayados y marcas hasta la mitad del libro. Hay que destacar que este libro está dedicado por la propia autora a nuestro escritor y se puede ver en la Biblioteca Personal de la Casa Museo Unamuno en Salamanca.

Anteriormente hemos hablado de 12 autoras féminas, todas aquellas que se conservan dentro de la biblioteca. No obstante, sabemos que había más, aunque no hayan llegado hasta nuestros días; es el caso de Teresa de la Parra Sanojo (1889-1936), quien utilizaba el seudónimo de Teresa de Parra. Dicha autora venezolana –que vive su mayor parte de vida en España– escribe dos novelas que le llevaron a la fama: *Ifigenia y Memorias de Mamá Blanca*. Siendo más conocida la primera pues cuenta el problema de la mujer, cómo tiene que estar subordinada al hombre y cómo no puede destacar sin estar mal visto.

Conservamos correspondencia que ambos mantenían y donde doña Teresa deja ver su opinión sobre el autor, narra cómo se conocieron y cómo entablaron amistad, cuáles eran los pensamientos de don Miguel y cómo después puso en auge a la autora y a su obra y cómo efectivamente leía y anotaba las obras:

> Cuando lo conocí y le dediqué mi novela en el almuerzo literario de hace algunas semanas, pensé que no iba usted a leer ni una de sus 520 páginas. Es verdad que, con acento austero y patriarcal de abuelo vasco, había demostrado interesarse muy vivamente por su raza española de más allá del mar. Habló de ella con pasión, como si hablara de su propia ascendencia, «verdadera resurrección de la carne» explicó usted. Pero también es cierto que luego, con el mismo acento austero de abuelo vasco, y con aire además muy despectivo, habló de las personas superficiales, de las mujeres cuya única ocupación es el vestir, y de todos aquellos que confunden lamentablemente el modernismo o moda con la verdadera elegancia: la escultórica, la que reside en el ademán y en el esqueleto [...]. Deduje que mal podía encontrar gracia ante sus ojos una novela, cuyo órgano directo de expresión, como el teclado en un piano, era casi todo el tiempo la preocupación de la elegancia, no la escultórica, sino la otra, la de la equivocación lamentable, la del modernismo o moda. Y me fui convencida de que novela y autora habían de parecerles igualmente triviales e indignas de atención.
>
> Grandísima fue mi sorpresa el otro día, cuando al entrar en un recinto oí que hablaba usted de *Ifigenia* ante numeroso auditorio: ¡Ya estaba leído! ¡Y con lujo de pormenores anotado! La analizaba usted detalle por detalle, sin entusiasmos ni elogios, sino con esa paciente curiosidad con que examina el naturalista un insecto del campo o la flor silvestre que por primera vez ha llamado su atención. Mi presencia no alteró ni un ápice el hilo de su conversación, y siguió detallando el libro como si entre la autora y la recién llegada no existiese el menor lazo común. Yo sentí al instante el milagro del desdoblamiento, me hice también auditorio, y por primera vez, encantada, libre de censura y de elogios directos, sin asomos de vanidad, tuve la sensación noble y reconfortante de «haber escrito».
>
> Quiero darle las gracias por el milagro de desdoblamiento, quiero dárselas por el juicio escrito, pero quiero dárselas sobre todo por estas 4 páginas que recibí anteayer, apretadas notas, hechas con lápiz al calor de la lectura. ¡Cuántas son y qué llenas están de vida! [...] (Bosch y Fombona, 1982: 159-160)

Esto nos demuestra que no solo leía obras importantes escritas por mujeres con renombre en el momento, también leía obras de autoras desconocidas y ahora lo demostraremos en el apartado que vamos a dedicar a Marie Lenéru. Además, vemos que no solo las leía, sino que también hablaba de ellas y mandaba *feedbacks* a sus escritoras.

La primera obra –*Ifigenia*– no está catalogada dentro de la biblioteca del autor, lo que nos hace pensar que se perdió o que lo prestó, pero sabemos que lo leyó pues la carta que Teresa le escribe y que introducimos hace referencia a ese libro. La segunda obra sí que se encuentra dentro de la biblioteca y está dedicada al autor con lugar y fecha: París, febrero de 1929, mismo año de la edición del libro y donde sabemos que la autora residía en aquel año. También sabemos que el rector le dedicó tiempo a este libro tanto por el estado físico del mismo como por las anotaciones. Casi todas las marcas que encontramos son por significado pues al final del libro la autora introduce una lista de los principales venezolanismos y americanismos que aparecen en la obra y se nota que dicha lista final era de mucho interés para Unamuno, el cual siempre buscaba aumentar su vocabulario y como buen humanista siempre buscando la etimología de las palabras. Dicho interés humanista lo podemos corroborar con su biblioteca y con la catalogación femenina que hemos realizado, pues destaca la versatilidad de Miguel de Unamuno para leer las obras en versión original, destacando el inglés, el francés y el italiano.

3. MARIE LENÉRU

Un apartado aparte es necesario para esta autora, no solo por el gran número de anotaciones que tiene su obra por parte de Miguel de Unamuno, sino también porque entendemos que es la mujer más desconocida de todo nuestro listado, y no solo para aquella época. Esta mujer no es conocida tampoco ahora, por lo que queremos dar más luz a este personaje y que pueda comenzar a ser un nombre más familiar.

La biografía de esta fémina es ciertamente escasa en todos sus idiomas, incluido el francés, lengua materna de la autora. Encontramos bastantes dificultades para hallar información sobre su vida y obra. En cualquier caso, para la elaboración de este apartado se ha tomado como punto de referencia el estudio doctoral de Suzzane Lavaud y su obra *Marie Lenéru: sa vie, son journal, son théâtre*; manual que sintetiza muy bien la personalidad de esta escritora y de sus obras, pues, como dijo la propia Suzanne: «He intentado hacer un retrato vivo y fiel de Marie. No he querido separar su vida de su obra, todo lo contrario, unirlos todo lo posible» (Lavaud, 1932: 20).

La propia obra de Marie y la tesis de Suzanne son la única información veraz que podemos encontrar, y es que la obra de Marie no es nada más ni nada menos que una obra autobiográfica, es por ello que toda la síntesis de la vida de Lenéru que van a leer a continuación es una traducción propia de la obra de dicha mujer. Entonces, ¿qué nos cuenta en su obra y quién es esta mujer?

Marie Lenéru desciende de una familia de marines, su padre muere en 1876, dejando en Brest –Francia– una viuda de veintiún años y una hija de diez meses pues Marie nace el 2 de junio de 1875.

En su diario ya declara lo extraña que se siente consigo misma por no haber conocido a su padre (Lenéru, 1922b: 187). Es a la edad de nueve años, mientras está en Montpellier y más concretamente en casa de su tío –quien era profesor de la Facultad de Letras– que Marie comienza su diario, por lo que estamos hablando de una obra autobiográfica escrita en primera persona y desde el presente. Pocas obras que cumplan esas características podemos encontrar, por lo que es prácticamente una obra única, pues se puede ver la trayectoria de una niña a mujer, no solo en sus vivencias, también estilísticamente en su forma de escribir. Dicho diario lo continuará hasta que su enfermedad le impide seguir escribiendo.

En 1887, cuando tiene la temprana edad de doce años, contrae el sarampión y esto le afectará a los oídos de una manera drástica y se quedará parcialmente sorda en 1888, después de fuertes dolores que le provocaron un gran sufrimiento. La sordera se vuelve total durante 1889, al mismo tiempo que empieza a tener problemas en los ojos, resultado de una enfermedad de córnea simultánea. Su vida empieza a cobrar sentido a través del tacto y es su madre quien la lleva a París durante 1893 para poner a su hija en manos de un especialista. Es durante este periodo (1889-1893) cuando abandona el diario. Por suerte, sus ojos, por una progresión lenta que conlleva años, volverán a ser sensibles a la claridad del mundo, vuelve a ver de alguna manera y esto le entusiasma.

Dentro de su obra desconocida la más famosa es su diario, pues es donde cuenta su vida desde la infancia y su paso por la ceguera y la sordera; también donde nos narra sus pensamientos, su religión y su entusiasmo por la vida, sus voluntades futuras, su propia personalidad e incluso sus estudios y sus lecturas. Pero Marie escribió otras obras teatrales dignas de ser nombradas: *Les Affranchis*, *Le Cas de Miss Helen Heller*, *Le Redoutable*, *La triomphatrice* y *La Paix*. Dichas obras teatrales fueran representadas en l'Odeon –teatro parisino–; tiene, además, otras obras más profundas que no se llegan a representar, como *La Maison sur le roc* (Lenéru, 1922). Es difícil creer que alguien que logró tal distinción pueda caer en el olvido tan rápidamente, pero la trayectoria de la fama seguida por la desmemoria es familiar en las carreras de las mujeres escritoras.

Como ya hemos dicho, su obra más famosa es su propio diario, es ahí donde vemos reflejada su alma y notamos que su fe va desapareciendo poco a poco, pero a su vez vemos cómo va adquiriendo pasión por la vida a pesar de todos los problemas; también nos transmite cómo escribir era su vida y hasta qué punto se pueden superar los propios demonios. Marie Lenéru muere a causa de la gripe española el 23 de septiembre de 1918 en Lorient, Francia (Lavaud, 1930). Se leía en el periódico español *El Día:*

> Marie Lenéru ha muerto, y apenas se ha hablado de su muerte; apenas si se ha sabido. Aquí, en España, no creo que ningún periódico haya dedicado algunas líneas a la desaparición de esa mujer que encarnó uno de los cerebros más potentes del teatro contemporáneo, y la Prensa francesa, ocupada por una actualidad más palpitante, ha dejado pasar en silencio la muerte de una de las personalidades que más encomiaba [...]. (Nelken, 1918: 6)

Hay que añadir que, curiosamente, el mismo día, en el mismo periódico, encontramos una columna escrita por Miguel de Unamuno en primera plana hablando de España, la situación política y el patriotismo.

Está claro que la vida de esta escritora no fue fácil, tuvo que escribir dos volúmenes para poder narrar toda su vida, ambos se encuentran en la biblioteca personal de Unamuno, y al analizarlos encontramos que esta labor ya la hizo el propio rector, pues hallamos marcas que evidencian la lectura de ambos tomos, prestándoles mucha atención y marcando las partes del libro que eran más importantes bajo su criterio. A continuación, queremos hacer partícipe al lector de algunos de los párrafos que Unamuno subrayó, marcó y de los cuales hizo anotaciones, seguiremos el orden que Unamuno estableció en las notas que al final del libro hizo.

Las primeras anotaciones las encontramos en el prefacio de la obra, escrito por François de Curel, una marca importante es: «Pasaremos del corazón a la memoria, de la memoria al olvido y los círculos que se habrán formado sobre el abismo serán reemplazados por una calma absoluta» (Lenéru, 1922a: 34). Anotaciones marcadas como estas, que hablen sobre la idea de morir, encontraremos muchas y tienen sentido dentro del pensamiento de Unamuno a quien sabemos que le atormentaba la idea de morir y muchas obras le dedicó a este concepto (Rabaté, 2009: 701).

Podemos incluso ver claras similitudes entre frases que encontramos marcadas dentro de la obra de Marie Lenéru y frases de la obra del propio don Miguel y he aquí unos cuantos ejemplos:

En el primer tomo encontramos estas palabras:

> Este libro es muy triste, es por eso por lo que lo amo tanto, pero me gusta lo triste porque es verdad; tengo que tratar de describir uno de los sentimientos que se ha iluminado más, es decir, descubrir que amo el dolor; lo sufro, y es precisamente por eso que lo amo porque uno solo sufre cuando uno ama, y uno solo ama, y los tristes recuerdos son tan queridos para mí, incluso más, esos felices recuerdos. (Lenéru, 1922a: 34-35)

En la obra filosófica cardinal de Miguel de Unamuno, *Del sentimiento trágico de la vida* (1912), podemos encontrar ideas similares:

> La voluntad es una fuerza que se siente, esto es, que se sufre. Y que goza, añadirá alguien. Pero es que no cabe la facultad de gozar sin poder sufrir, y la facultad de goce es la misma que la del dolor. El que no sufre tampoco goza. (Unamuno, 1983: 162)

Encontramos marcada en el *Diario* la siguiente frase –página 9–: «¿Qué es resignación? Desesperación aceptada». Si hacemos un repaso por la misma obra de don Miguel, podremos encontrar que, aunque marque dicha frase, su pensamiento es claro cuando habla de Spinoza y su filosofía al decir: «Aquélla no es filosofía de la resignación, sino de la desesperación […] aunque sí que vemos que para él –Spinoza– la resignación puede ser desesperada» (Unamuno, 1983: 54-56).

«El aislamiento me llevó a la reflexión, la reflexión a la duda, la duda a una necesidad de Dios más sincera y más inteligente» (Lenéru, 1922a: 12), dicha frase la subraya Unamuno, quien ya sabemos que reflexionó mucho sobre Dios y las ideas que nos llevan a creer en Dios, asegurando en la misma obra: «No es, pues, necesidad racional, sino angustia vital, lo que nos lleva a creer en Dios» (Unamuno, 1983: 196).

Cabe destacar que Marie Lenéru empieza a hablar de su sordera una vez comienza el año 1897 y nuestro autor marca, tanto en el primer tomo como en el segundo, todas aquellas páginas que tratan este tema. Entendemos que le interesaba bastante al igual que entendemos que fue un rasgo de la personalidad de la autora que le hizo ser como era, ya que su vida giró en torno a su discapacidad auditiva. De hecho, en la página 56 del primer tomo, Marie narra que tiene veinticuatro años, pero que está cansada de ser ella y encontramos una nota en el margen de la propia mano de Unamuno donde nos indica: «La sordera una vejez prematura. Viviendo en sí vivió años y años».

Encontramos también muchas páginas marcadas por el autor donde justo la autora habla del «horror de la nada» y de que no hay sufrimientos intolerables o, al menos, no hay ninguno que sea tan fuerte como para querer la muerte (Lenéru, 1922).

Nos cuenta Marie también que una vez leyó una revista con chistes bastante malos para las mujeres, Unamuno marca esta frase en el reverso del libro y hace la siguiente asociación: «grosero=masculino».

También descubrimos una marca en la página 114, a la pregunta de «¿cómo escribir una novela?» dicha marca tiene mucha relación con la propia obra del autor titulada *¿Cómo se hace una novela?* Escrita por Unamuno en 1927 como él mismo nos narra en el prólogo.

En el segundo tomo no encontramos ninguna marca hasta la página 168, donde la autora hace referencia a Schopenhauer; Unamuno lo señala.

Más adelante hay notas de la mano del rector que aseguran que «escribir es vivir», pensamiento que sabemos que secundó a lo largo de su vida y pensamiento que seguramente fue el que siguió Marie Lenéru a lo largo de su existencia.

Localizamos que la autora escribe que le gustaría morir soltera, a lo que Unamuno apunta: «la sordera le impide casarse», no teniendo muy en cuenta el deseo de la escritora o seguramente pensando que de no haber estado sorda sí habría querido el matrimonio. Continúa Marie hablando del celibato y la virginidad, muchas de las frases son marcadas por don Miguel, a quien sabemos que este tema también le interesaba y se puede comprobar leyendo *La tía Tula*, donde nos narra la historia de una mujer que quiere conservar su virginidad y cumplir con su celibato.

Seguimos con muchas marcas en aquellas páginas donde nos habla sobre su sordera y su vida con ella. En la página 261 nos dice Lenéru:

> En la literatura hay literatura escrita, sentida y hablada [...]. Las primeras tres líneas de un libro lo clasifican de inmediato [...]. La literatura hablada se escribe rápidamente, pero no da al pensamiento el entrenamiento correcto del estilo, la feliz dilatación del esfuerzo. (Lenéru, 1922b: 261)

Entendemos que Unamuno no estaba de acuerdo con esta división que hacía la autora, pues marca: «son sentimientos de una sorda».

Sabemos por su obra *Niebla* que Unamuno discute si podemos sentir envejecer (Unamuno, 2002: 188-189) y marca como «sentirse envejecer» o «la edad! Envejecer!» todas las páginas donde la autora habla del tema de la edad, que es algo que le inquietaba, incluso escribe en la página 217 del segundo tomo que se está preparando para la vida y para ser feliz antes de hacer lo mismo para la muerte, lo que Unamuno etiqueta a lápiz con la palabra «esperanza».

Sabemos que cuando el subrayado era de tres líneas, significaba que tenía gran importancia lo que había leído el rector y que dichas palabras habían calado en él, así podemos encontrar subrayado el siguiente texto de la página 218:

> Solo hay muerte. ¿Soy más o menos sincera que tú? Pero la muerte es un reproche a la vida. Si tuviéramos tiempo para ser pacientes podríamos esperar con todos los dolores y problemas. ¡Ay! ¡Si el tiempo se detuviera en sufrimiento, si uno no envejeciera! Sientes que todo cambiaría, ¿no es absurdo? Que sea una contradicción es francamente insoportable. Entonces, no persigas a la vida si no quieres la muerte. ¡Crees que me estoy burlando de ti [...] pero estás hablado de «cosas absurdas» todo me parece tan lógico. (Lenéru, 1922b: 218)

Dicha frase, escribe Unamuno, le inspira a «vivir, vivir aunque sea sufriendo», pensamiento que Unamuno ya relata en sus obras: «El dolor es la sustancia de la vida y la raíz de la personalidad, pues sólo sufriendo se es persona» (Unamuno, 1983: 216).

En la página 227, Unamuno marca una frase, la escribe en francés en el reverso del libro, vemos que no ha querido tocarla, ni traducirla, solo darle importancia, seguramente esta frase fuese de su agrado: «Le baiser est un secret sans paroles». que significa: «El beso es un secreto sin palabras».

Por otro lado, podemos afirmar que Unamuno admiraba la forma de escribir de Marie, quizá por eso es la obra escrita por una mujer en la que más se detuvo. Podemos constatar esto por el comentario que hace de la página 236, donde encontramos una descripción de la ciudad natal de la autora –Brest–, dicha descripción Unamuno la califica como «espléndida».

Es en la página 153 donde Marie comienza a tener una actitud derrotista, donde sucumbe a toda la presión de su vida y alega que ella no puede tener la vida que los demás tienen. Esto es según don Miguel un grito de desesperación, lo que el propio escritor pone en consonancia con la página 268 y nos indica que estas páginas están correlacionadas pues aquí la autora habla de que «nada es mejor que un grito de pasión [...] pero la pasión no tiene palabras. El grito de pasión sin metáforas es la onomatopeya».

Posteriormente, Lenéru comienza a hablar de sus vivencias en 1908 y con ello a tratar la eternidad, tema abordado por Unamuno tanto en sus obras como en su vida personal. Unamuno era una persona que se preguntaba constantemente sobre el final de la vida y el más allá, por lo que pensar en la eternidad es una consecuencia directa de este pensamiento. Por otro lado, en *Del sentimiento trágico de la vida* ya expone su pensamiento: «¡Eternidad!, ¡eternidad! Este es el anhelo: la sed de eternidad es lo que se llama amor entre los hombres; y quien a otro ama es que quiere eternizarse en él» (Unamuno, 1983: 62); «No quiero morirme, no, no quiero ni quiero quererlo; quiero vivir siempre, siempre, siempre» (Unamuno, 1983: 68).

Es en la página 278 del diario donde encontramos un comentario en el margen escrito por don Miguel y no en el reverso donde suelen estar. «Escribir para llorar, ¿qué tiene de bueno? Nada es peor, ¿qué aprendería con eso? Es mi estado normal. Solo lloramos delante de alguien, pero dentro tenemos la emoción de las lágrimas» afirma Marie Lenéru, a lo que Unamuno contesta: «Sí, pero que no siempre está presente. Se llora a solas y en silencio. Ante un ausente», con lo que está queriendo decir que está de acuerdo con las emociones que una persona tiene dentro cuando llora, pero no aprueba la afirmación de que solo lloramos ante alguien.

> Nuestras abstenciones son una gran parte de nosotros mismos. Todo lo que no somos, todo lo que hacemos y no decimos, debe contar mucho más en este mundo en el que tenemos tan poco tiempo para estar, para decir y para hacer, y lo que me separa de Nietzsche, a quien quiero tanto, es todo lo que no supo cómo decir. (Lenéru, 1922b: 279)

Así reflexiona la escritora sobre lo que callamos y así consigue que Unamuno reflexione y llegue a la conclusión de que podemos querer a la gente por lo que callan, así lo anotará en el reverso del tomo.

En dicha hoja final del libro encontramos una página en blanco y escrita al revés, ahí es donde Unamuno indicaba todas las páginas marcadas y en ella hace un resumen muy sintetizado del libro, lo que nos hace ver que se ha interesado por él, tanto como para leer el segundo volumen. Dice de Marie Lenéru: «Nacida para la sociedad tiene que vivir en soledad, es carcelaria en su sordera».

4. CONCLUSIONES

Podemos afirmar que Unamuno leía a mujeres, no a tantas como se podía en aquel momento ni todas las obras de aquellas a las que ya tenía en su biblioteca; quisiéramos pensar que muchos de los libros escritos por mujeres no se conservan. Es cierto que sorprende que muchas de las mujeres por las que se interesó tuvieran tantas cosas en común: mujeres que se nutrieron desde muy jóvenes en la literatura clásica, muchas fueron autodidactas, mujeres que perdieron a sus madres o hermanos pronto, que sufrieron enfermedades que influyeron en su personalidad, mujeres que reivindicaron sus derechos a escribir, que escribieron sobre sus propias vidas, mujeres que comenzaron movimientos feministas o que se salían de la norma, mujeres sobresalientes.

Sabemos que leyó más libros escritos por féminas gracias a las cartas que mantuvo con muchas admiradoras y amigas; conocemos que al menos echó un vistazo a sus obras y les pudo hacer luego críticas, halagos, consejos, etc.

Vemos que Unamuno compartía, sobre todo con Marie Lenéru, muchas preocupaciones y pensamientos, casi todos ellos relativos al sufrimiento, la agonía de la nada, dudas existenciales y dolores en vida que el propio autor trató en su gran obra *Del sentimiento trágico de la vida*. Podemos concluir también que el rector leyó a aquellas mujeres que sobresalieron por encima del machismo de la época, que publicaron y que a su vez tuvieron muchas dificultades en sus vidas para hacerlo, intentando que se entrevieran esos sufrimientos vitales plasmándolos dentro sus obras. También pudo ser conocedor y vivir el cambio que supuso tener que escribir bajo pseudónimo hacia un avance más liberal y merecedor: poder publicar un libro siendo mujer con el derecho de firmarlo con tu propio nombre.

Saber qué mujeres leía Unamuno es saber más sobre Unamuno y conocer más a estas mujeres, grandes personalidades con grandes historias que han tenido un pequeño recorrido y nunca un gran reconocimiento, siendo necesarios aún más estudios sobre ellas hasta poder alcanzar la igualdad con el gran número de estudios que de cada gran celebridad masculina se ha hecho –podemos ver la escasez de fuentes en este trabajo, habiendo sido algunas incluso imposibles de encontrar en lengua castellana–.

BIBLIOGRAFÍA

ALONSO, Xésus (ed.). *Vintisete escritores de fóra falan de Rosalía de Castro: de Menéndez Pelayo (1876) a María Zambrano (1985)*. Santiago de Compostela: Fundación Rosalía de Castro, 1997.

AVERY, S. y STOTT, R. *Elizabeth Barrett Browning*. England: Routledge, 2003.

BRONTË, A. *La inquilina de Wildfell Hall*. Madrid: Alianza, 2020.

BRONTË, C. *Jane Eyre*, London: Nelson, 1906.

BRONTË, E. *Wuthering Heights*. London: Nelson, 1912.

BOSCH, V. y FOMBONA, J. *Teresa de la Parra, obra (narrativa, ensayos, cartas)*. Caracas: Biblioteca Ayacucho, 1892.

CROPPER, M. *The Life of Evelyn Underhill*. Montana: Kessinger Publishing, 2010.

DELEDDA, G. *Elias Portolu*. Torino: Editrice Nazionale, 1903.

DE SIENA, C. *Libro della Divina Dottrina*. Bari: Laterza, 1912.

EFE. La catalogación de la biblioteca de Unamuno descubre tesoros editoriales. *La Vanguardia*, 12 de marzo de 2012. Recuperado de https://www.lavanguardia.com/cultura/20120312/54268034799/biblioteca-unamuno-tesoros-editoriales.html

FAUS, P. *Emilia Pardo Bazán: su época, su vida, su obra*, tomo I. Valladares: Fundación Pedro Barrié de la Maza, 2003.

GASKELL, E. *Mi prima Filis*. Madrid: Calpe, 1920.

GASKELL, E. *La vida de Charlotte Brontë*. Barcelona: Alba, 2013.

HALMA ÁNGELICO. *Santas que pecaron. Psicología del pecado de amor en la mujer*. Madrid: Aguilar, 1935.

LAVAUD, S. *Marie Lenéru: sa vie, son journal son théâtre*. Paris: Paris Société francaise d'Éditions Littéraires et Techniques, 1932.

LENÉRU, M. *Journal de Marie Lenéru. Tomo I*. Paris: Crès, 1922a.

LENÉRU, M. *Journal de Marie Lenéru. Tomo II*. Paris: Crès, 1922b.

LIMIC, T. *Mujeres del teatro español entre 1918-1936: Halma Angélico y la búsqueda de la humanidad*. Tesis doctoral. Universidad de Granada, 2016.

McVeagh, J. *Elizabeth Gaskell*. Londres: Routledge y Kegan Paul, 1970.

Mesa, E. Emilia Pardo Bazán, conservadora y feminista radical. *La Vanguardia*, 20 de febrero de 2020. Recuperado de https://www.lavanguardia.com/historiayvida/historia-contemporanea/20200220/473660757618/pardo-bazan-escritora-carlismo-feminismo.html

Moragas, V. *Vidas borrascosas: evocación de la vida de Charlotte, Emily y Anne Brontë*. Barcelona: Arimany, 1945.

Nelken, M. Marie Lenéru, ha muerto. *El Día*, 1 de noviembre, 1918.

Parra, T. *Las memorias de mamá blanca*. Paris: Le livre Libre, 1929.

Parra, T. *Ifigenia*. España: Anaya, 1992.

Piromalli, A. *Grazia Deledda*. Firenze: La Nuova Italia Editrice, 1970.

Rabaté, Colete y Jean-Claude. *Miguel de Unamuno, biografía*. Madrid: Taurus, 2009.

Unamuno, M. *Del sentimiento trágico de la vida*. Madrid: Sarpe, 1983.

Unamuno, M. *Niebla*. Madrid: Colección Austral, 2002.

Unamuno, M. *La Tía Tula*. Madrid: Cátedra, 2003.

Underhill, E. *Practical mysticism. A Little book of Normal People*. London: Den, 1912.

Undset, S. *Santa Catalina de Siena*. 1.ª ed. M. Bosch y J. Armada (eds.). Madrid: Ediciones Encuentro, S.A., 2009.

Valdés, M. y Valdés, M. E. *An Unamuno source book, A catalogue of readings and acquisitions with an introductory essay on Unamuno's dialictical enquiry*. Toronto and Buffalo: University of Toronto, 1973.

Villagrasa, E. Breve acercamiento a los condicionamientos de la vida y obra de Rosalía de Castro. En *Actas do Congreso Internacional de Estudios sobre Rosalía de Castro e o seu tempo*. Volumen 1. Consello da Cultura Galega: Universidade de Santiago de Compostela, 1986.

Notas

1 Nos basamos en la catalogación que realizaron los hermanos Valdés y que publicaron en 1973 (Valdés y Valdés, 1973).

2 El orden de presentación es cronológico.

RESUMEN: En el siguiente artículo se estudiarán las diferentes obras escritas por mujeres que Miguel de Unamuno conservaba en su biblioteca persona para poner en valor dicha biblioteca y el pensamiento y obra de dichas mujeres. Se prestará una especial atención a la obra y figura de Marie Lenéru, pues es la más comentada por don Miguel. Con la siguiente investigación se intentará conocer más a Unamuno a través de sus lecturas escritas por mujeres, pero también se pretende dar a conocer a dichas escritoras que no pudieron gozar del reconocimiento en su momento y también poner en valor a aquellas que entonces sí pudieron disfrutar del placer de ser mujeres y escritoras, pero que aún no están lo suficientemente estudiadas.

Palabras clave: Unamuno; biblioteca; feminismo; literatura femenina; Marie Lenéru.

ABSTRACT: In the following article we will reveal the different works written by women that Miguel de Unamuno kept in his personal library. We will highlight the value of this library and make these women known by briefly reviewing their lives and works. Special attention will be paid to the work and figure of Marie Lenéru, as she is the one most commented on by don Miguel. With the following lines we will try to know more about Unamuno through his readings written by women, but we will also try to make known those women writers who could not enjoy the recognition at the time and also to give value to those who could enjoy the pleasure of being women and writers but who are still not sufficiently studied.

Key words: Unamuno; Library; Feminism; Literature for women; Marie Lenéru.

DOI: https://doi.org/10.14201/ccmu.

LA CORRESPONDENCIA DE MAESTRAS, DIRECTORAS, ESTUDIANTES Y OPOSITORAS CON MIGUEL DE UNAMUNO*

THE CORRESPONDENCE OF FEMALE TEACHERS, HEADMISTRESSES, STUDENTS AND APPLICANTS FOR PUBLIC SCHOOL WITH MIGUEL DE UNAMUNO

M.ª Isabel Rodríguez Fidalgo
Universidad de Salamanca
mrfidalgo@usal.es

Adriana Paíno Ambrosio
Universidad de Salamanca
adriana.paino@usal.es

Jesús García Sánchez
Universidad de Salamanca
jegarsan@usal.es

1. Introducción

El primer tercio del siglo XX viene marcado por una serie de cambios que inciden directamente en los roles de género derivados de la incorporación de la mujer al trabajo remunerado. Hasta entonces sus obligaciones se limitaban a las labores domésticas como madre y esposa, configurando con ello el modelo femenino de «ángel del hogar» (Aresti, 2000; Cibeiro, 2005). Si bien es cierto, las que trabajaban

* Esta investigación homenajea a la catedrática de la Universidad de Salamanca Josefina Cuesta Bustillo, *in memoriam*, como una de las pioneras en el análisis de la correspondencia femenina a Miguel de Unamuno.

fuera del contexto familiar lo hacían por pura necesidad económica y no todos los oficios estaban bien vistos en la sociedad, como así recoge Nash (1983: 22):

> La mujer se vería impulsada a contraer matrimonio para establecer su seguridad económica. Mal visto aún en casi todos los sectores de la sociedad, el trabajo asalariado femenino sigue considerándose como recurso último frente a la penuria, y en cualquier caso como algo transitorio hasta la consecución de un marido. Así, la falta de recursos económicos de la mujer le hacen considerar el matrimonio como una opción suya, como única manera de garantizar su bienestar económico.

Este contexto tan opresivo en el que vivían estas mujeres comienza a transformarse, muy lentamente, con el cambio de siglo de la mano del desarrollo industrial que lleva a la mujer a ocupar puestos de trabajo remunerados además de los que ya venían desarrollando como costureras, niñeras, criadas, hilanderas, etc. (Jiménez, 2009; Scott, 1993). La concepción social de la mujer trabajadora empieza también a cambiar y con ello surge el debate entre lo que se consideraban trabajos femeninos y masculinos. En este caso, los trabajos bien vistos para ser desempeñados por mujeres eran los de secretarias, enfermeras, operadoras de telégrafos y teléfonos, dependientas para los nuevos negocios y, por supuesto, maestras (Herrero, 2010).

A medida que estas nuevas prácticas sociales van consolidándose durante este periodo, a partir de los años treinta, las aspiraciones de las mujeres experimentan un ligero cambio. Esto se produce especialmente entre las más jóvenes, de clase media, con carreras y profesiones, de manera que, lejos de conformarse con el matrimonio como una única salida personal, tienen otras metas ligadas a sus inquietudes intelectuales (Aresti, 2007). Ante estos nuevos roles de género surgen paralelamente los obstáculos sociales para llevarlos a cabo, tanto dentro de las propias familias como fuera de ellas. Como sostiene Caamaño (2010: 180):

> En este contexto, fue la legislación social la que permitió visualizar y modelar el lugar que iba asumiendo el trabajo en la sociedad moderna, separando la actividad laboral del tiempo libre, regulando el ritmo de vida y restringiendo el trabajo a determinadas categorías de la población.

No hay que olvidar, por lo tanto, que los derechos de las mujeres no se verán reconocidos hasta que no queden recogidos a nivel legislativo; y precisamente en esta materia son muchas las cuestiones a tratar. Por poner un ejemplo, en la Ley Dato de 13 de marzo de 1900 se contemplan por primera vez algunas cuestiones relacionadas con la maternidad de las trabajadoras[1]. Concretamente, se establecía la prohibición de trabajar en las tres semanas posteriores al alumbramiento y la reserva del puesto de trabajo durante ese periodo, aspectos que posteriormente fueron matizados en 1907 y en 1923 en disposiciones posteriores (Nielfa, 2003). Pero estos no dejan de ser primeros pasos para una materia, la igualdad de género, donde los avances se realizan de forma muy lenta, incluso, como ya se sabe, con ciertos retrocesos motivados por los diferentes contextos históricos y políticos transcurridos en el siglo XX. De hecho, en la actualidad, todavía se sigue trabajando por una verdadera equiparación de derechos entre hombres y mujeres.

El ámbito laboral femenino, en este primer tercio del siglo XX, ha sido abordado desde diversas disciplinas que han permitido conocer la situación de la mujer en aquella época. Ahora bien, el acercamiento a dicho problema realizado desde la perspectiva que ofrece el análisis epistolar aporta un enfoque peculiar y complementario a los realizados. Este permite conformar un encuadre del contexto histórico de sus emisores y conocer los modos de pensar y de vivir en el momento en el que esas cartas fueron escritas. A este respecto, Castillo (2002: párr. 5) añade que la correspondencia:

> Actualmente es documento de vital importancia para la historia de las mentalidades y para la reconstrucción de sucesos de la vida cotidiana. Así, también, aporta al conocimiento de segmentos de la sociedad que la historia tradicional no ha asumido con detenimiento, como es el caso de la historia de las mujeres. Las cartas, además, han resultado documentos interesantes para otras disciplinas, entre ellas la antropología cultural.

El contexto en el que se enmarca dicha correspondencia es crucial a la hora de enfocar la discusión científica que se derive de estos estudios. Basta aludir al ámbito jurídico donde se establecen ciertas limitaciones que afectan a la privacidad, principalmente de las mujeres. Aunque esto es extensible a España y a otros muchos países, parece especialmente clarificadora la legislación belga:

> El derecho del marido, y a veces su deber, de vigilar la correspondencia de su mujer, nos parece jurídicamente incontestable. Procede de su autoridad y de la unidad que el legislador ha juzgado indispensable en la dirección de la vida común. El marido puede, en consecuencia, abrir las cartas que su esposa escribe o las que ella recibe.
>
> [...]
>
> La mujer no tiene ningún derecho sobre la correspondencia de su esposo, ni aunque haya caído fortuitamente en sus manos. (Hanssens, 1890: 273-276)[2].

Esta investigación se plantea teniendo como ejes vertebradores los descritos anteriormente. La investigación que centra su objeto de estudio en la correspondencia de mujeres del ámbito educativo que escribieron a Unamuno. La particularidad que ofrece radica en el hecho de que se accede a un ámbito público desde la perspectiva privada que tienen las cartas y permiten un acercamiento inédito tanto a estas emisoras como a su interlocutor.

2. MARCO TEÓRICO

2.1. *La educación femenina en España, 1900-1939*

El 26 de octubre de 1900 María Cristina de Borbón, regente en la minoría de edad de su hijo Alfonso XIII, firmó el real decreto por el que se nombraba a Miguel de Unamuno y Jugo rector de la Universidad de Salamanca[3]. Exactamente un mes antes, el 26 de septiembre, Teresa Iglesias Recio, una niña de 13 años de Villares de la Reina, se matriculó en el Instituto de Salamanca. Fue la única alumna que ingresó en el instituto ese año. Junto a ella, 113 varones iniciaron sus estudios en el curso que daba la bienvenida al siglo XX[4]. Siguiendo los pasos de su abuelo paterno Ángel, cirujano, Teresa estudió Medicina en la Universidad de Salamanca. El 13 de octubre de 1913 se licenció, con el número 1 de 26[5]. Fue la primera mujer en hacerlo en Medicina en la centenaria universidad charra y hoy se la recuerda[6]. De hecho, de su promoción de inicio solamente se tiene memoria de ella y de otro niño, Casto Prieto Carrasco[7], futuro catedrático, diputado y alcalde y que, como es de sobra conocido, se convirtió en uno de los mejores amigos de Unamuno. Su asesinato causó una honda impresión en el rector.

Miguel de Unamuno, Casto Prieto y Teresa Iglesias iniciaron juntos en 1900 un periplo que, en el caso del rector y del político, culminó trágicamente en 1936. En el curso que concluyó ese año, las alumnas del Instituto de Salamanca habían aumentado notablemente con respecto a 1900: 185 alumnas y 467 alumnos[8]. Como se ve, un tercio de siglo de la historia de España y varios cambios de régimen habían servido para mejorar el acceso de la mujer a la enseñanza que hoy se denomina secundaria, pero no para igualar su papel al de los varones.

Sin duda, el mayor impulso a la feminización vino con la proclamación de la Segunda República en 1931. De todas formas, si se repasan los datos de alumnas de varios años en el Instituto de Salamanca, el panorama es desolador, como se ve en la Tabla 1.

Tabla 1. Alumnado de nuevo ingreso en el Instituto de Salamanca, 1900-1935

Año de entrada	1900	1910	1920	1930	1935
Alumnas	1	4	50	79	185
Alumnos	113	118	269	333	467

Fuente: Elaboración propia a partir del *Catálogo general del Fondo IES Fray Luis de León*.

Un análisis similar para la enseñanza universitaria presenta un paisaje todavía peor, como se aprecia en la Tabla 2.

Tabla 2. Alumnado matriculado en la Universidad de Salamanca, 1900-1934

Curso	1900/1901	1910/1911	1920/1921	1930/1931	1933/1934
Alumnas	0	1	9	48	73
Alumnos	388	345	401	835	789

Fuente: Elaboración propia a partir de las Memorias anuales de la Universidad del curso reseñado. BGH, BG/Revistas/1178/1-12/41, 51, 61, 71 y 74, respectivamente.

Y, sin llegar a esas escandalosas diferencias, la enseñanza primaria muestra también desfase entre niños y niñas. En el año en que Unamuno se hace cargo del rectorado, hay matriculados en su distrito 85 430 niños y solamente 71 683 niñas[9]. En las escuelas de toda España, normalmente los niños estaban a cargo de un maestro y las niñas de una maestra (Figura 1). Incluso, hasta la segunda mitad del siglo XX, los varones entraban por diferente puerta que las féminas, exactamente lo mismo que en algunos países europeos, democráticos o no.

Figura 1. Típica imagen de una clase de niñas con su maestra. En este caso, doña Carmen con sus alumnas de Jarafuel (Valencia), 15 de octubre de 1932. Fuente: Colección particular de Jesús García Sánchez.

Hay que tener en cuenta que en los impresos de matrícula de los institutos ni siquiera estaba contemplada la posibilidad de que hubiera alumnas, como así se puede apreciar en el de María de Unamuno, donde aparece como «Don» y «alumno». Esto queda reflejado en el impreso de matrícula de María de Unamuno (Figura 2) donde a modo de curiosidad se señala que la edad real de la firmante no es de 26, sino de 31 años menos dos días.

Si se establece una especie de escala en el acceso a las enseñanzas, la educación universitaria sería la más elitista para las mujeres, seguida de la de los institutos, la de las escuelas de Magisterio y, finalmente, la primaria. El prestigio social del profesorado de cada una de las enseñanzas se situaría también en un orden idéntico.

Ciertamente, se observa desde principios del siglo XX un intento por modernizar la enseñanza, pero la coeducación o la igualdad de género no estuvieron entre los planteamientos prioritarios. Tampoco eran objetivos básicos de la vida política o de la sociedad en general.

El año 1900 comenzó con un cambio sustancial, como fue la supresión del Ministerio de Fomento y la creación de una nueva cartera que asumiera las

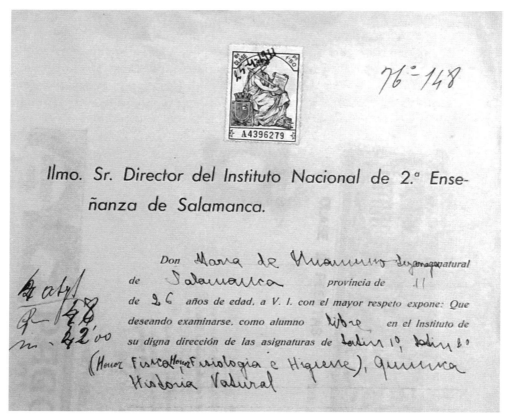

Figura 2. Impreso de matrícula de María de Unamuno, 25 de abril de 1933. Fuente: ahpfl, leg. 16718, exp. 15.

competencias educativas[10]. El nuevo organismo se denominó Ministerio de Instrucción Pública y Bellas Artes, copiando la primera parte del nombre que en Italia existía desde el primer gobierno de su Unificación, en 1861, y en Francia incluso desde los tiempos de la Asamblea Legislativa de 1791[11].

En concreto, esos dos países conocieron en los últimos años del siglo XIX y principios del XX procesos modernizadores. En Italia, en 1904, se amplió en tres años la edad de educación obligatoria, para que alcanzara a niños y niñas de 12 años[12]. Paralelamente, en Francia hubo frecuentes debates parlamentarios y numerosos cambios normativos, que afectaron en especial a las materias que había que cursar, a las condiciones laborales del profesorado y a la enseñanza primaria y secundaria de alumnos y, particularmente, de alumnas (Marchand, 2000: 621-697).

En unos casos mirando al exterior y en otros por propia iniciativa, España llevó a cabo también cambios con diferente éxito. Tal fue el caso de la importante reforma del conde de Romanones, algunos de cuyos principios estuvieron en vigor hasta mediados del siglo XX y otros duraron solamente unos meses, por las pugnas políticas del momento. En ella se regulaba la enseñanza primaria en múltiples aspectos, se asumía por el Estado el pago al profesorado y se fijaban las condiciones de acceso a la docencia[13].

Precisamente en este último aspecto, como es bien sabido, hasta la promulgación de la Ley General de Educación, de 1970, no se requería tener un título universitario para convertirse en docente de educación primaria[14].

Escapa a los objetivos de este trabajo analizar en detalle la formación de las maestras del primer tercio del siglo XX, teniendo en cuenta, además, que hubo numerosos cambios en la estructura de las enseñanzas del Magisterio: 1898, 1900, 1901, 1903 o 1905 son años de reformas (léase, a veces, de bandazos) en lo que a este asunto se refiere. Vino luego una cierta estabilidad, con normativa creada en 1914, 1917 y 1931 (Lorenzo, 2002: 107-139).

En términos generales, las maestras se formaban en las Escuelas Normales, que eran de varios tipos y que a veces estaban integradas en los institutos.

El acceso al puesto de funcionaria se hacía por una oposición, con unas reglas muy detalladas, en especial a partir de la publicación del Estatuto del Magisterio, en 1917[15]. A veces el Ministerio convocaba a la vez concursos de ingreso de interinas[16]. Esto tuvo como consecuencia que, aunque la edad de entrada en la profesión se situaba en torno a los 21 años, algunas ingresaban antes. En concreto, entre las maestras que escriben a Unamuno y de las cuales se conserva su correspondencia en la Casa-Museo Unamuno, entraron con 17 años Gabriela Vicente Iza[17] y Julia Pérez del Olmo[18], Prudencia Daza Álvarez accedió con 19[19]. Por su parte, María Adelina Martínez Martín y María Rosa Díaz Sabater ingresaron con 20[20].

Una vez que ingresaban, las maestras pertenecían a un cuerpo separado del de maestros varones. Unas y otros se agrupaban por el sueldo en nueve (y luego, siete). A diferencia de algunos países, incluso avanzados, las mujeres y los hombres cobraban lo mismo. En el primer tercio del siglo XX, el número de maestras y maestros fue normalmente parecido. En algunas categorías, a veces, incluso, fue idéntico. Por ejemplo, en 1933 había 50 maestros y 50 maestras de 1.ª Categoría, que cobraban 9000 pesetas anuales y 1225 maestros y 1225 maestras de 5.ª Categoría, con un sueldo de 5000 pesetas. El esfuerzo republicano por la educación se tradujo en un incremento notable de los efectivos: en un año, de 1933 a 1934, se pasó de 15 754 maestras y 17 818 maestros a 21 108 y 22 385, es decir, un aumento global del 30 %[21].

Por lo que respecta al profesorado de institutos, son muy pocas las mujeres que imparten docencia. Su titulación habitual era la de licenciadas, aunque había algunas doctoras, pero, tal como se ha visto, muy pocas accedían a esos grados[22]. De todas formas, se da la feliz circunstancia de que una de las principales es muy conocida por Unamuno y a él le escribe en 1924: María Luisa García-Dorado Seirullo. Hija de Pedro García-Dorado Montero, amigo y compañero de Unamuno, fue una alumna brillante en el Instituto de Salamanca[23], se licenció en Latín en su ciudad natal y está considerada la primera catedrática de Instituto de España[24].

El 17 de julio de 1936 todas las grandes preocupaciones habituales de las maestras y profesoras (oposiciones, traslados, concursos, etc.) se convirtieron en pequeñas preocupaciones, ínfimas, podría decirse, en comparación con el tamaño del gran monstruo que llegó ese día: la guerra civil.

Muchas maestras y, sobre todo, muchos maestros, perecerían en la guerra, víctimas de la lucha o de la represión. Como en el genial grabado de Castelao (Figura 3), darían a sus alumnos la última lección defendiendo sus ideas y muriendo por ellas.

Los docentes fueron sometidos, como todos los funcionarios, a procesos de depuración (Cuesta Bustillo, 2009). Las dos catedráticas de Instituto que escriben a Unamuno (María Luisa García-Dorado y Caridad Marín) sobrevivieron a la guerra, pero sufrieron sus consecuencias. La primera perdió a su hermano Pedro, que fue asesinado. Ella misma pasó por la prisión unos días, antes de ser depurada, con resultado favorable para ella. Peor situación, incluso, vivió Caridad Marín Pascual. Destinada en el Instituto de La Línea de la Concepción (Cádiz) desde varios años antes de la guerra[25], los nuevos superiores colocados por los sublevados calificaban su labor como:

Figura 3. «La última lección del maestro». Grabado de Castelao, de su obra *Galicia mártir*, reproducido en un sello de Correos de 1939. Fuente: Colección particular de Jesús García Sánchez.

> demoledora de la sociedad, formando conciencias juveniles con espíritu destructor, moderando corazones de niños con sentimientos de odio a todo lo bueno, despertando en los cerebros de esos pequeños estudiantes las ideas más perversas[26].

Fue apartada del servicio y dada de baja en el escalafón en 1937[27]. En territorio republicano consiguió ingresar en un instituto de Barcelona, ciudad a la que siempre estuvo vinculada, como así se verá en el apartado de análisis y resultados en las cartas que escribió a Unamuno. Acusada por los franquistas de masona, se le abrió un proceso que se dilató 23 años, entre 1943 y 1966. Condenada a 12 años de prisión, pasó por la cárcel, aunque no tanto tiempo[28]. Tras muchas vicisitudes, consiguió volver a ejercer la docencia, curiosamente antes de que se cerrara su proceso de masona, pero perdiendo la categoría y la antigüedad[29], que finalmente pudo recuperar con la llegada de la democracia[30].

Por otra parte, en las escuelas se viven procesos de ideologización. ¡Viva Stalin! o ¡Viva Franco! son frases frecuentes en los ejercicios escolares de un bando y de otro. En unos centros educativos el alumnado hace el saludo fascista y en otros levanta el puño. Como se ve en la figura 4, en el bando franquista, incluso, los niños enviaron su adhesión directamente a Franco, sin duda siguiendo consignas del partido único, que proporciona las tarjetas postales, a veces con el texto ya impreso. El grado de conformidad de sus maestros o maestras con estas consignas es otro debate académico interesante.

Pero cualquier análisis de la educación en la guerra civil española no puede y no debe concluir sin recordar a las maestras y a los maestros, a las niñas y a los niños en edad escolar que tuvieron que exiliarse. Todas estas personas continuaron educando y educándose en condiciones especialmente difíciles. Cientos de docentes fueron internados en los campos de refugiados de Francia. En los campos de «primera hora» de las playas de los Pirineos Orientales, es decir, en Argelès-sur-Mer, Le Barcarès y Saint-Cyprien, se organizaron escuelas improvisadas por parte de organizaciones sindicales españolas, con alumnado infantil, adolescente y adulto[31].

La ocupación nazi de Francia provocó que a los campos empezaran a llegar refugiados

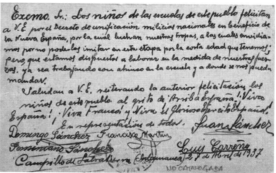

Figura 4. Tarjeta postal dirigida a Francisco Franco por los niños de la escuela de Campillo de Salvatierra (Salamanca), 27 de abril de 1937. Fuente: Colección José Luis Rodríguez Argüeso.

de varios países y judíos expulsados de Alemania. Con el paso del tiempo, los responsables franceses se hicieron cargo de la nueva situación. Los docentes eran nombrados por el Ministerio del Interior de Francia, entre aquellas personas internadas en los campos que tuvieran Bachillerato o equivalente[32]. No era necesario tener experiencia educativa en el país de origen, como fue el caso de Dolores Lozano, una internada que enseñó la lengua de Cervantes a los niños más pequeños, españoles o no, en el emblemático Campo de Gurs (Figura 5). Docentes, la mayoría mujeres, de Alemania, Polonia y de la desaparecida Austria se encargaron de diversas materias[33], junto a varias refugiadas alsacianas (García Sánchez, 1993). Al menos una de las profesoras de los niños españoles de Gurs, Ilse Grete Elsa Hamburger, fue deportada, con la colaboración de numerosos funcionarios y trabajadores franceses. Murió en las cámaras de gas de Auschwitz, el 13 agosto de 1942[34].

2.2. La vinculación de Unamuno con el contexto educativo

En su examen de ingreso en el Instituto, el dictado que le correspondió a María Luisa García-Dorado era del siguiente tenor literal: «Los hombres buenos y honrados deben vivir siempre esclavos del cumplimiento de sus respectivos deberes»[35]. Por ironías del destino, parece una frase hecha para los múltiples deberes que Miguel de Unamuno tenía que cumplir en el ámbito educativo, tal como

Figura 5. Clase de niños españoles y de otras nacionalidades en el campo de concentración de Gurs, 10 de noviembre de 1941. Fuente: *Rapport d'André Jean-Faure à la suite de son inspection du camp de Gurs*. Archives Nationales de France, Pierrefitte-sur-Seine, F/7/15104, dossier 2, rapport 2, p. 40.

se aborda en el siguiente apartado. Sería una imperdonable tautología si se afirmara que el nombramiento de Miguel de Unamuno como rector salmantino le pone al frente de la Universidad. Sin embargo, no es tal tautología analizar las competencias educativas del insigne bilbaíno afincado en Salamanca.

Desde el momento en que se convierte en rector de la Universidad, Miguel de Unamuno es el responsable máximo no solamente de la *alma mater* salmantina, sino también de todo el entramado educativo de su distrito universitario, es decir, de los centros de las provincias de Ávila, Cáceres, Salamanca y Zamora. Así estaba establecido en la normativa del siglo XIX y se refuerza, a los pocos meses de la llegada de Unamuno a la ciudad del Tormes: «El Rector, además de Jefe inmediato de la Universidad, es el Superior jerárquico del distrito universitario y Presidente nato de las Corporaciones del mismo que quedan mencionadas»[36]. Tales corporaciones eran las escuelas especiales, los institutos, las Escuelas Normales y las asociaciones de estudiantes[37]. La palabra «Jefe», que no era muy habitual, aparece en la correspondencia femenina dirigida a Unamuno, como se verá más adelante. No es, por tanto, solamente una expresión más o menos cariñosa o de respeto, sino que es la establecida en la legislación. Unamuno fue alto responsable, además, de la educación española en Portugal y, en concreto, del Instituto Español de Lisboa, que se creó en septiembre de 1932[38]. El 7 de noviembre de 1900, es decir, a los pocos días de su toma de posesión, don Miguel firma el que es quizá su primer documento de enseñanzas no universitarias, como se ve en la figura 6.

Sin ánimo de exhaustividad, hay que señalar que entre las funciones que Unamuno tenía asignadas en los centros no universitarios figuraban las siguientes:

- Nombramiento y cese de directores y profesores.
- Aprobación de los horarios generales del centro.

- Aprobación de los tribunales de exámenes.
- Supervisión del cumplimiento del horario del profesorado, con aplicación de sanciones, si había faltas reiteradas de asistencia.
- Ascensos y gratificaciones económicas al profesorado, generalmente a propuesta del ministro o del subsecretario de Instrucción Pública.
- Decisiones sobre la legalidad de los centros privados, generalmente a propuesta de la Inspección Provincial.
- Aplicación de sanciones disciplinarias al alumnado.
- Enlace en un sinfín de asuntos entre el Ministerio de Instrucción Pública y los responsables de los centros educativos no universitarios.
- Expedición de títulos de Bachiller y de Magisterio (Figura 7).

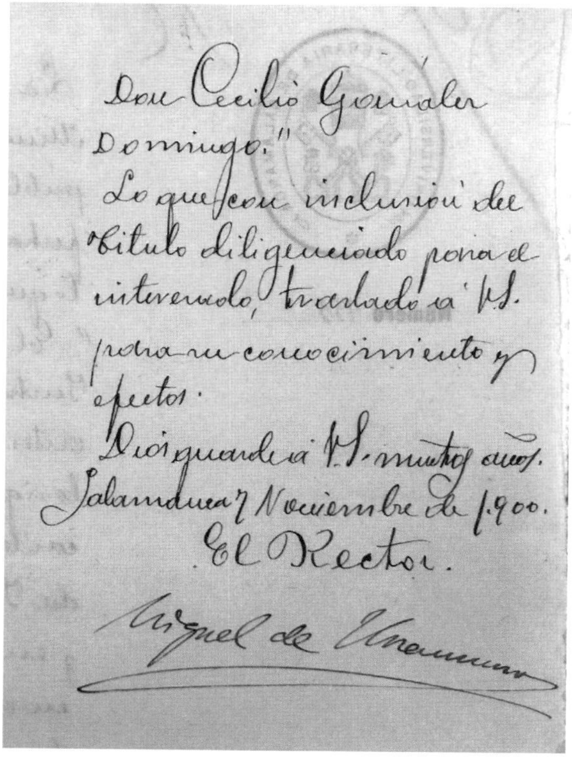
Don Cecilio González
Domingo."
Lo que con inclusión del
título diligenciado para el
interesado, traslado a V.S.
para su conocimiento y
efectos.
Dios guarde a V.S. muchos años.
Salamanca 7 Noviembre de 1.900.
El Rector.
Miguel de Unamuno

Figura 6. Nombramiento del nuevo director del Instituto de Salamanca, 7 de noviembre de 1900. Fuente: Ahpfl, leg. 15941, exp. 2, p. [2].

Las funciones de Unamuno en el ámbito de las enseñanzas universitarias o no universitarias eran herederas de un modelo liberal con grandes influencias francesas. El alto grado de centralización era una mezcla del jacobinismo revolucionario, del bonapartismo imperial y de las peculiaridades administrativas hispanas. Se creó así un sistema con una burocracia a veces asfixiante: Unamuno tenía que visar facturas para la compra de lapiceros; ordenar, mediante oficio a un albañil, la retirada de un andamio, o resolver mil y un problemas con las llaves y las cerraduras de las escuelas, por poner unos pocos ejemplos concretos.

Por otra parte, la documentación conservada muestra que Unamuno es intermediario, en momentos de conflictos, entre el Ministerio y los estudiantes (los de 23 años y los de 11), tratando de que estos no se *contagien* de los movimientos de los universitarios madrileños. Así ocurre, por ejemplo, en la época del gabinete Canalejas, unos días antes de que este presidente fuera asesinado:

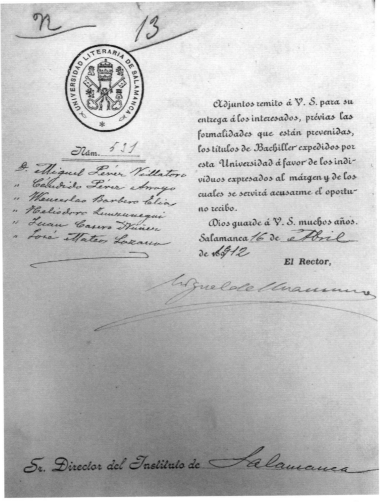

Figura 7. Comunicación de Unamuno al director del Instituto de Salamanca sobre la expedición de seis títulos de Bachiller, 16 de abril de 1912. Fuente: ahpfl, leg. 17287, exp. «Correspondencia recibida del Rectorado y Ministerio, 1912».

Conviene que V. S. lo haga conocer así a los [estudiantes] de esa Universidad y a los demás Centros de ese Distrito, ejerciendo cerca de ellos autorizada mediación para evitar que gestiones apasionadas o noticias inexactas los conduzcan a una situación irregular[39].

Seguramente empleó su influencia para encarrilar todo tipo de conflictos, tanto en época monárquica, como republicana, aunque de eso no siempre queda rastro en los documentos.

En la Salamanca de Unamuno, hubo épocas más tranquilas que otras y, también, unos estudiantes más reivindicativos que otros. Un testimonio de la ciudad del Tormes en la época republicana señala que «las algaradas estudiantiles las formaban los universitarios y muy rara vez los estudiantes de la Normal de Maestros, humildes y acomplejados» (Sánchez, 1976: 42).

El estallido de la guerra lo cambió todo. Quizá entronque con la personalidad de don Miguel que fuera cesado como rector sucesivamente por las autoridades de los dos bandos enfrentados, en apenas el plazo de dos meses[40].

A las numerosas funciones del rector, la guerra le añadió otra: la de colaborador con los sublevados en la «limpieza» administrativa del profesorado de todos los niveles. Así se estableció en una orden de agosto[41] y, de manera especial, en una circular de septiembre que, en colaboración con otros organismos unipersonales o colectivos, encarga directamente a los rectores de universidad la clasificación del profesorado, según su lealtad. La norma es muy detallada para la Enseñanza Primaria: maestros con informes desfavorables, maestros con conducta no bien definida y maestros con informes favorables. El profesorado de enseñanza secundaria, profesional y universitaria también se sitúa, lógicamente, entre los objetivos de la norma[42].

Unamuno se topó de frente muy pronto con la realidad de la depuración. El primer contacto de Unamuno con este asunto le llegó el 24 de agosto, por el informe desfavorable que el alcalde de Torresmenudas (Salamanca) le envió sobre la maestra del pueblo, María del Rosario Andrés y Manso[43]. Rosario, que había sido compañera de clase de Ramón de Unamuno en el Instituto[44], era hermana de José Andrés y Manso, diputado y amigo del rector. Como es bien sabido, Manso había sido ejecutado cruelmente unos días antes, el 28 de julio, en La Orbada (Salamanca), junto a otro amigo, Casto Prieto Carrasco. Rosario fue expedientada y depurada y perdió su condición de maestra durante algunos años[45]. A partir de ese momento, el despacho de Unamuno es testigo del movimiento de informes favorables o desfavorables sobre el profesorado.

Surge entonces la pregunta: ¿fue cómplice don Miguel de los desmanes de la depuración del profesorado? Las fuentes no permiten una respuesta fácil. Parece haber un cierto consenso académico que apunta a que Unamuno no participó en la represión o en la depuración del profesorado, sino que fue, simplemente, «correa de transmisión» (Heredia, 2007: 46; Rabaté, 2018: 74) que reproduce las consignas de las nuevas autoridades.

Es evidente que no le dio tiempo prácticamente a nada, porque fue cesado antes de que funcionaran a pleno rendimiento las comisiones depuradoras de cada distrito y, claramente, no tuvo la actitud de los rectores de Zaragoza o Sevilla. Pero, por otra parte, decenas de maestros y maestras del distrito del que Unamuno era «Jefe» fueron suspendidos o expulsados antes de que él abandonara el puesto[46].

Y en otro orden de cosas, para finalizar ya este apartado, no se debe obviar una circunstancia personal que convierte a don Miguel en un personaje preocupado por la educación. Era padre de numerosos hijos en edad escolar, que acudían a las clases del Instituto en las dependencias universitarias de las Escuelas Menores, al lado de su despacho rectoral. Los documentos que se conservan sugieren que seguía muy de cerca la evolución de sus hijos (imagen de uno de ellos, en la figura 8). Unamuno, incluso, cumplimentó y firmó la solicitud para el examen de ingreso en el Instituto de su hijo Pablo y la letra de don Miguel se intuye en impresos de otros hijos. Esto era una excepción, pues siempre (en esa época y en décadas posteriores) era el propio estudiante, incluso aunque tuviera solamente 10 años, el que rellenaba y firmaba la documentación, a veces con notables dificultades.

Figura 8. Ramón de Unamuno (fila superior, tercero por la derecha), con un grupo de alumnos y alumnas en una fiesta del Instituto General y Técnico de Salamanca, 1925. Fuente: Universidad de Salamanca, Casa Museo Unamuno, fmu-92, Foto 426.

Pero también la familia Unamuno era un reflejo de la desigual sociedad de la época. Los cinco varones ingresaron en el Instituto a su edad normal, 10 años[47]. En cambio, su hija María lo hizo a los 29. Se da la circunstancia, además, de que en dos documentos cumplimentados por María para sus matrículas en el Instituto señala su edad verdadera, en otro pone un año menos y en, nada menos, seis impresos, se quita cinco años[48].

Por su parte, ni Felisa ni Salomé cursaron estudios en el Instituto. Por ironías del destino, el fallecimiento de Salomé, el 11 de julio de 1933[49], supuso la creación de dos premios de 1500 pesetas que llevaban su nombre, para que alumnos brillantes de la Universidad de Salamanca fueran a estudiar al extranjero. Parece que el principal impulso a los premios surgió del que fuera presidente del Gobierno y ministro, Ricardo Samper, ya que Unamuno se lo agradece el último día de 1934[50].

3. Marco metodológico

La investigación que aquí se presenta centra su objeto de estudio en una selección de cartas enviadas por 85 mujeres a Miguel de Unamuno. La particularidad de este corpus epistolar, que se conserva en la Casa-Museo Unamuno de la Universidad de Salamanca (USAL), es su vinculación con el contexto educativo del primer tercio del siglo XX. Por este motivo, las cartas analizadas proceden de estudiantes, maestras, opositoras y directoras de escuela sumando un total de 136 cartas, 7 tarjetas de presentación y 7 postales[51] enviadas entre 1900 y 1936. Hay que especificar que algunas proceden del contexto educativo español y otras del contexto educativo internacional (Tabla 3).

Tabla 3. Objeto de estudio

	Mujeres	Cartas	Tarjetas	Postales
Contexto educativo español	51	82	6	1
Contexto educativo internacional	34	54	1	6
Total	85	136	7	7

Fuente: Casa-Museo Unamuno. Elaboración propia.

En relación con el tratamiento administrativo de cada mensaje, hay que señalar que Unamuno o el funcionario encargado de la correspondencia rectoral diferenciaban entre correspondencia particular y oficial. Las cartas analizadas en el presente artículo se consideraron todas privadas y ninguna de ellas, ni las posibles respuestas unamunianas, figuran en los numerosos libros de registro de entrada y salida de correspondencia que se conservan en el Archivo de la Universidad de Salamanca. Ciertamente, a veces hay paralelismo entre cartas oficiales y particulares. Es el caso de las cartas que dirige Enriqueta Muñoz, directora de la Escuela Normal de Maestras de Zamora, el 5 y el 6 de enero de 1901. La del 5, que forma parte del presente artículo, es una carta particular detallando a Unamuno su delicado estado de salud y anunciándole que solicitará seis meses de baja. Efectivamente, al día siguiente dirige una carta al Rectorado con una instancia en la que solicita la licencia por enfermedad. La primera no queda registrada y pasa a formar parte del archivo particular de don Miguel, conservado en la Casa-Museo Unamuno. La segunda se registra como correspondencia oficial, con el tratamiento propio de tal misiva[52].

Partiendo de estas cuestiones se plantea como objetivos generales de esta investigación:

1. Establecer los motivos por los cuales estas mujeres escribieron a Miguel de Unamuno.

2. Determinar en qué medida dicha correspondencia refleja la sociedad de la época en la que vivieron estas mujeres.

3. Determinar en qué medida dicha correspondencia permite realizar un nuevo acercamiento a Miguel de Unamuno.

Desde el punto de vista metodológico, se parte de una perspectiva cualitativa. Concretamente, se ha llevado a cabo un análisis de contenido de las cartas objeto de estudio, que se ha estructurado a partir de las siguientes variables:

- Identificación de las emisarias: nombre, profesión, localidad y año en el que escriben.
- Temas abordados en la correspondencia y su relación con la sociedad del primer tercio del siglo XX: educativos, sociales, culturales y literarios (sobre las obras de ellas o de Unamuno), ideológicos y políticos, personales, peticiones, favores, felicitaciones, pésames u otros.

Especificar que, en el siguiente apartado, a la hora de recoger los testimonios reflejados en las cartas, se ofrecerá una transcripción literal de las mismas.

4. ANÁLISIS Y RESULTADOS

La Casa-Museo Unamuno (USAL) alberga un rico patrimonio epistolar femenino, que ofrece la posibilidad de conocer qué mujeres escribieron al célebre escritor y con qué motivos. Precisamente, con ello se llevará a cabo un acercamiento a Unamuno bajo una perspectiva muy particular, que es la que ofrecen las mujeres que estudiaban o se dedicaban al magisterio en una época que, como se ha señalado en epígrafes anteriores, se enfrentaba a los cambios que supuso la incorporación de la mujer a los diferentes ámbitos laborales, tanto en el sector público como privado.

Por el tipo de mensajes, es lógico que la inmensa mayoría de las mujeres que escriben a Unamuno lo hagan en cartas, que permiten extenderse en la explicación. Sin embargo, no ha de extrañar el envío de algunas postales, en especial desde fuera de España. La tarjeta postal permite enviar un texto corto al reverso de la imagen de un paisaje, un edificio, un personaje o una consigna política, constituyendo una fuente histórica complementaria, en especial, pero no exclusivamente, en el primer tercio del siglo XX (Phillips, 2000).

4.1. *Las mujeres vinculadas al sector educativo en la correspondencia a Miguel de Unamuno*

El análisis realizado ha permitido identificar a las siguientes mujeres relacionadas con el contexto educativo español, su profesión, el periodo en el que mantuvieron correspondencia con Unamuno, el lugar desde donde le escribían y el número de cartas que se conservan en la actualidad (Tabla 4).

Las cartas objeto de estudio ofrecen información relevante del ámbito educativo de la época, que está relacionado con la labor profesional que ejercían estas mujeres en dicho contexto. Como se puede observar en la tabla anterior, las emisarias de la correspondencia trabajaban como directoras en diferentes Escuelas Normales –como Salamanca, Zamora, Ávila, Santa Cruz de Tenerife o Málaga– y colegios, destacando aquí a la conocida María de Maeztu, que dirigió la Residencia de Señoritas de Madrid, entre 1915 y 1936. También como inspectoras de Primera Enseñanza –en Barcelona y Alicante–; como profesoras de Instituto de Historia, Música o Latín, resultando de interés descubrir en la correspondencia

Tabla 4. Identificación de las emisarias procedentes del contexto educativo español

Nombre	Profesión	Fechas de envío	Lugar de envío (provincia actual)	N.º de cartas
María Luisa García-Dorado Seirullo	Profesora de Latín en el Instituto General y Técnico de Castellón	07/03/1924	Castellón de la Plana	1 carta
María de Maeztu y Whitney	Maestra y pedagoga, licenciada en Filosofía y Letras por la Universidad de Salamanca, directora de la Residencia de Señoritas de Madrid	19/05/1908 15/06/1909 21/12/1916 06/03/1920 10/03/1920 30/03/1920 05/06/1920 08/02/1921 06/05/1932 10/10/1933	Bilbao Madrid	10 cartas
María Enriqueta Muñoz Peña	Directora de la Escuela Normal de Maestras de Zamora	19/12/1900 05/01/1901	Zamora	2 cartas
Julia Pérez del Olmo	Maestra en Priaranza del Bierzo (León)	19/02/1930 20/05/1934	Priaranza del Bierzo (León)	2 cartas
María Puente	Profesora en el Colegio de Santa Teresa de Arévalo (Ávila)	03/10/1933	Arévalo (Ávila)	1 carta
Isabel Amalia Martín Rivero	Maestra en Béjar (Salamanca)	06/10/1921	Béjar (Salamanca)	1 carta
Concepción Ruiz	Maestra Nacional	24/11/1900	Lagunilla (Salamanca)	1 carta
Fermina Santos Reguilón	Maestra	29/06/1901	Cariño (La Coruña)	1 carta
Leonor Serrano	Inspectora de Primera Enseñanza de Barcelona	1915 Sin fechar	Barcelona	2 cartas
Eduvigis Simón García	Maestra en Valladolid	27/07/1930	Rioseco (Valladolid)	1 carta
Victoria Adrados Iglesias	Maestra e inspectora de Primera Enseñanza de Salamanca	22/10/1913	Madrid	1 carta y 1 tarjeta
Ana María Molinero Tablares	Maestra	20/01/1901	Bilbao	1 carta
Eustaquia Larrainzar Senosoain	Maestra Superior de Escuela	14/02/1900	Bilbao	1 carta
Guadalupe Delgado Pineda	Inspectora Provincial de Primera Enseñanza de Alicante	08/02/1933	Alicante	1 carta
Prudencia Daza Álvarez	Maestra de la Escuela de Niñas de Guisando (Ávila)	04/06/1902	Guisando (Ávila)	1 carta
María Rosa Díaz Sabater	Maestra Nacional en San Rafael (Segovia)	08/01/1936	San Rafael (Segovia)	1 carta

Nombre	Profesión	Fechas de envío	Lugar de envío (provincia actual)	N.º de cartas
Fidela Díaz Yanes	Exdirectora de la Escuela Graduada del Barrio Norte de Santa Cruz de Tenerife	02/06/1931	Santa Cruz de Tenerife	1 carta
Encarnación García	Profesora de Historia de la Escuela de Maestras de Vizcaya	03/10/1931	Bilbao	1 carta
Julita Alonso Casado	Maestra de la Escuela Pública de Párvulos de Zamora	24/01/1901	Zamora	1 carta
María González Almendral	Directora de la Escuela Normal Superior de Maestras de Zamora	31/08/1914	Zamora	1 carta
María Gómez Hernández	Maestra de Aveinte (Ávila)	27/05/1934 16/06/1934 28/09/1934	Aveinte (Ávila)	2 cartas y 1 tarjeta
Ángela González Sánchez	Maestra Nacional	22/05/1934	Reinosa (Cantabria)	1 carta
Florinda Gutiérrez Corral	Maestra Nacional en Ardonsillero (Salamanca)	24/11/1931	Ardonsillero (Salamanca)	1 carta
Amalia Iglesias García	Directora de la Escuela Normal de Maestras de Salamanca	Sin fechar	Salamanca	2 tarjetas
María del Buen Suceso Luengo de la Figuera	Directora de la Escuela Normal de Maestras de Málaga	03/06/1907	Málaga	1 carta
Caridad Marín Pascual	Catedrática de Instituto	21/08/1932 04/09/1932	Barcelona	2 cartas
Juana Whitney	Directora del Colegio de Señoritas de Bilbao (Vizcaya). Academia Anglo-Francesa	05/02/1901 03/03/1901 05/09/1914	Bilbao	3 cartas
Carmen Martínez Ynsa	Maestra Nacional	08/12/1931	Madrid	1 carta
María Adelina Martínez Martín	Maestra en la Escuela Nacional Unitaria de Niñas de Burjasot (Valencia)	14/10/1935	Burjasot (Valencia)	1 carta
Juana Marrero Gutiérrez	Maestra Nacional de la villa de Garachico (Santa Cruz de Tenerife)	05/03/1923	Garachico (Santa Cruz de Tenerife)	1 carta
Aurora Mena Gordillo	Profesora de música en las Escuelas Normales de Cáceres y San Sebastián (Guipúzcoa)	10/09/1916 14/05/1931	Cáceres San Sebastián	2 cartas
Manuela Martínez Mendizábal	Directora y profesora de la Escuela Normal de Maestras de Ávila	18/12/1900 25/05/1901 18/06/1901 06/07/1901	Ávila	4 cartas
Consuelo Morás Rodríguez	Maestra de la Escuela Nacional de Loureda (Arteijo, A Coruña)	20/10/1922	Madrid	1 carta

Nombre	Profesión	Fechas de envío	Lugar de envío (provincia actual)	N.º de cartas
Clotilde Rabier	Directora de la Escuela Francesa de Salamanca	30/07/1932 06/09/1932	Matilla de los Caños (Salamanca) Salamanca	2 cartas
Concepción Sáiz Otero	Profesora de la Escuela Normal de Maestras de Madrid	20/10/1906 28/09/1907 25/10/1913 30/11/1913	Madrid Pancorbo (Burgos)	3 cartas y 1 tarjeta
Carmen Tapia y Cánovas	Directora de la Escuela Normal de Maestras de Zamora	21/02/1901 19/08/1904	Zamora	2 cartas
Dolores Caballero Núñez	Profesora de Escuela Normal	24/04/1919	Albacete	1 carta
Carolina Vasco Hernández	Maestra de Berrocal de Salvatierra	18/11/1900	Berrocal de Salvatierra (Salamanca)	1 carta
Concepción del Barco y Lozano	Maestra en La Línea (Cádiz)	26/09/1931	La Línea de la Concepción (Cádiz)	1 carta
Gabriela Vicente Iza	Maestra	Sin fechar	Ciudad Real	1 carta
María Babón Martín	Maestra	06/05/1931	Nueva Villa de las Torres (Valladolid)	1 carta
Antonia Cabanillas	Maestra	Sin fechar	Madrid	1 carta
María Ángeles Román Acal	Alumna de la Escuela Normal de Maestras de San Sebastián	07/05/1933	San Sebastián	1 carta
María Luisa Castellanos	Estudiante de la Universidad de Oviedo	01/08/1918	Llanes (Asturias)	1 carta
Una estudiante de Matemáticas	Estudiante	30/09/1918	Valencia	1 carta
Dolores García	Estudiante de Magisterio en Toledo	22/03/1934	Toledo	1 carta
Encarnación Lecuna	Estudiante de Bachillerato en Torrelavega (Cantabria)	03/10/1934	Torrelavega (Cantabria)	1 carta
María Luisa González	Opositora	30/06/1922	Madrid	1 carta
Clotilde Maurin de Korlowski Figarola	Editora, librera y profesora	14/10/1929 30/01/1930	Barcelona Chicago (EE. UU.)	2 cartas
Adelina Méndez de la Torre	Escritora y pedagoga vasca	22/05/1908 12/02/1930	Bolonia (Italia) Bilbao	1 carta y 1 postal
Teresa Salanova	Escritora y profesora	24/09/1915 27/12/1917 14/01/1918 29/01/1918 07/02/1918 14/04/1918 20/04/1918 09/10/1920	Bodón (Ciudad Rodrigo) Salamanca Madrid	8 cartas y 1 tarjeta

Fuente: Elaboración propia.

nombres como el de María Luisa García-Dorado Seirullo; o como futuras maestras, preparando las oposiciones a magisterio. Y, por supuesto, el grueso de las mujeres analizadas que ejercían como maestras, tanto en el ámbito rural como en el urbano. Completan este contexto educativo las estudiantes o alumnas que también, en algunas ocasiones, como se verá más adelante, decidieron escribir a Unamuno. Pero dentro de este fondo epistolar analizado también se han identificado cartas de mujeres procedentes de otros lugares del mundo como EE. UU., Brasil, Argentina, Italia, Francia, Alemania, Rumanía o Portugal, entre otros (Tabla 5).

Tabla 5. Identificación de las emisarias procedentes del contexto educativo internacional

Nombre	Profesión	Fechas de envío	Lugar de envío (país actual)	N.º de cartas
Amelia Agostini	Alumna de la Residencia de Señoritas (Madrid)	13/11/1922	Madrid	1 carta
Teresa Raveca de Crespo	Directora y maestra uruguaya en la Escuela Laureles al Sur	08/05/1930	Laureles al Sur (Uruguay)	1 carta
Jessica E. Royer	Profesora	27/08/1910	Mandan (EE. UU.)	1 carta
Ria Schmidt-Koch	Profesora de la Universidad de Berlín	28/02/1935	Berlín (Alemania)	1 carta
María Raquel Adler	Profesora y poeta argentina	Sin fechar	Buenos Aires (Argentina)	1 carta
Enriqueta Compte y Riqué	Educadora uruguaya y fundadora del primer Jardín de Infantes en Montevideo (Uruguay)	06/06/1936	Montevideo (Uruguay)	1 carta
Isabel Cuchi Coll	Portorriqueña, antigua alumna del Centro de Estudios Históricos (Madrid) y profesora en el City College (Nueva York, EE. UU.)	09/07/1934	Nueva York (EE. UU.)	1 carta
A. Druprat	Profesora de español en la Escuela E. P. S. de Valence (Rhone-Alpes, Francia)	17/11/1936	Burdeos (Francia)	1 carta
Sarah M. Gaughey Oakley	Profesora del Beaver College (Pensilvania, EE. UU.)	07/01/1934	Jenkintown (EE. UU.)	1 carta
Clotilde González de Fernández	Maestra argentina	01/11/1901 01/01/1905 01/1/1910 01/11/1913	Posadas-Misiones (Argentina)	1 carta y 3 postales
Elsa Henduschka	Profesora de idiomas	08/03/1936	Viena (Austria)	1 carta
Elizabeth Hadley Hunt	Directora de la Escuela de Arte The Art Students Guild	20/07/1932	Ridgewood (EE. UU.)	1 carta

Nombre	Profesión	Fechas de envío	Lugar de envío (país actual)	N.º de cartas
Lastinia Jonás Vergara	Maestra y directora de la Escuela Común n.º 8 de la provincia de Buenos Aires (Argentina)	01/10/1923	Buenos Aires (Argentina)	1 carta
Marie Larrieu	Profesora de francés, emigrante en México	01/06/1894 31/05/1899 18/07/1899 26/08/1900 20/01/1903 03/02/1901 01/05/1901 03/08/1903 06/08/1903 03/05/1910 13/07/1910 20/12/1910 12/08/1917 12/01/1922 31/05/1922	Bilbao Azcapotzalco (México) Guanajuato (México)	15 cartas
Angelina García Ladevese	Profesora de francés en la Escuela Normal de Pernambuco (Brasil) y corresponsal de *La Nación* de Buenos Aires. Emigrante en Brasil	24/05/1931	Pernambuco (Brasil)	1 carta
Claire Lautier	Carta de Claire Lautier, profesora de Letras en la Escuela Superior de Señoritas de Nimes (Francia)	Sin fechar	Nimes (Francia)	1 carta
Carolina Marcial Dorado	Departamento de Español del Barnard College, perteneciente a la Universidad de Columbia (Nueva York, EE. UU.)	13/03/1935 20/0371935	Nueva York (EE. UU.)	2 cartas
Mary Stephenson	Británica, profesora de español en la Universidad de Londres	19/05/1928 04/6/1928	Londres (Reino Unido)	2 carta y 1 tarjeta
Higinia Trujillo	Maestra puertorriqueña	29/09/1929	Carolina (Puerto Rico)	1 carta
Gratiana Oniciu	Estudiante rumana	29/06/1936	Bucarest (Rumanía)	1 carta
Laura Louise Porteons	Estudiante de Nueva Orleans (EE. UU.) en la Universidad de Salamanca	12/05/1914	Nueva Orleans (EE. UU.)	1 carta
Helene Ayache	Estudiante francesa	21/02/1936	Fontenay-aux-Roses (Francia)	1 carta
Leonore Rocttig	Estudiante alemana	11/10/1931	Lübeck (Alemania)	1 carta

Nombre	Profesión	Fechas de envío	Lugar de envío (país actual)	N.º de cartas
Sibyl Colefax	Estudiante de español	Sin fechar	Londres (Reino Unido)	1 carta
Gwen B. Cobb	Estudiante de la Universidad de Berkeley (California, EE. UU.)	17/09/1935	Berkeley (EE. UU.)	1 carta
Alicia Fernandes Silva	Estudiante brasileña	28/05/1931	São Paulo (Brasil)	1 carta
Inés Gay	Estudiante	12/05/1914	Turín (Italia)	1 carta
Grace E. Harrah	Estudiante estadounidense	02/05/1914 06/06/1914 22/08/1914 05/10/1914 03/08/1915 18/08/1916 13/10/1921	Detroit (EE. UU.) Salamanca Boston (EE. UU.) Madrid	6 cartas y 1 postal
Lea Ludivina Spout	Estudiante argentina	30/09/1930 Sin fechar	Bernal (Argentina)	2 postales
Rosita Valazza	Estudiante italiana	13/05/1914	Turín (Italia)	1 carta
Gabriela Mistral	Escritora, diplomática y profesora chilena	Sin fechar	Génova (Italia)	1 carta y 1 copia
Carolina Guillermina Michaëlis de Vasconcellos	Profesora, filóloga, romanista, novelista y estudiosa de las literaturas ibéricas, especialmente la portuguesa	01/07/1911	Oporto (Portugal)	1 carta
Yolanda de Blassi	Profesora en Florencia	20/01/1935	Florencia (Italia)	1 carta
Josefina Brizio	Estudiante en Turín	11/05/1911	Turín (Italia)	1 carta

Fuente: Elaboración propia.

La mayoría son profesoras/maestras y estudiantes. Quizá el caso más significativo sea el de Marie Larrieu, que le escribe a Unamuno 15 cartas en francés, recordando en muchas de ellas que fue su profesora en Bilbao de este idioma.

4.2. *Acercamiento a Unamuno desde la perspectiva educativa epistolar*

La correspondencia analizada muestra los diferentes motivos por los cuales las mujeres descritas anteriormente se ponen en contacto con Unamuno. Evidentemente, los temas relacionados con la educación en sus múltiples vertientes serán los más abordados, aunque no los únicos, como así se expondrá a continuación (Tabla 6).

Tabla 6. Relación de temáticas abordadas en la correspondencia

Motivos por los que escriben	Emisarias
Peticiones vinculadas a aspectos educativos Solicitud de: • Referencias y recomendaciones para ellas o para algún conocido, para obtener algún cargo, obtener una beca, etc. • Petición de cambios de destino o traslados. • Petición de información para las oposiciones. • Quejas y reclamaciones sobre los procesos administrativos.	Enriqueta Muñoz Isabel Amalia Martín Rivero Fermina Santos Ana Molinero Eustaquia Larrainzar Clotilde González de Fernández Angelina García Ladevese Caridad Marín Juana Whitney Manuela Martínez Mendizábal Concepción del Barco y Lozano María Babón Martín María Luisa González Clotilde Rabier María Puente Florinda Gutiérrez Corral Carmen Tapia y Cánovas Sibyl Colefax
Notificación de: • Ceses. • Reincorporaciones. • Traslados.	Carmen Martínez Ynsa Aurora Mena Consuelo Morás Rodríguez
Condiciones económicas: • Salarios. • Becas. • Costes de materiales y matrículas.	Carolina Marcial Dorado Concepción Sáiz Antonia Cabanillas María de Maeztu y Whitney
Aspectos relacionados con la pedagogía: • Dudas e informaciones. • Cuestiones relacionadas con las obras de Unamuno. • Cuestiones relacionadas con las obras de las emisarias.	Guadalupe Delgado Pineda Teresa Raveca Clotilde González de Fernández Lastinia Jonás Vergara Suceso Luengo Elizabeth Hadley Hunt María Adelina Martínez Concepción Sáiz Alicia Fernandes Silva María de Maeztu y Whitney Jessica E. Royer
Problemas relacionados con el ejercicio de la profesión: • Problemas en las instalaciones o del día a día. • Problemas con los compañeros.	Julita Alonso Casado María Gómez Hernández Manuela Martínez Mendizábal Concepción Sáiz Concepción del Barco y Lozano Prudencia Daza Álvarez Marie Larrieu Carmen Tapia y Cánovas Aurora Mena M.ª Luisa Castellano

	Motivos por los que escriben	Emisarias
Aspectos sociales	• Relacionados con la vida de la época.	Juana Whitney Carmen Martínez Ynsa Leonor Serrano Eduvigis Simón García Amelia Agostini Estudiante de Matemáticas Angelina García Ladevese
Aspectos culturales y literarios	Relacionados con la producción literaria de las emisarias: • Traducciones. • Envíos de obras, valoraciones y juicios. Relacionados con las obras de Unamuno: • Opiniones sobre sus obras. • Solicitud de ejemplares.	Suceso Luengo Concepción Sáiz Leonore Rocttig Gwen B. Cobb Leonor Serrano Ria Schmidt-Koch María Raquel Adler Enriqueta Compte y Riqué Isabel Cuchi Coll María Rosa Díaz Sabater Encarnación García Sarah M. Gaughey Oakley Elsa Henduschka Juana Marrero Mary Stephenson Higinia Trujillo Dolores Caballero Gratiana Oniciu Inés Gay Grace E. Harrah Clotilde Maurin de Korlowski Figarola Teresa Salanova Helene Ayache Carolina Guillermina Michaëlis M.ª Luisa Castellanos Claire Lautier Dolores García María Ángeles Román
Aspectos políticos e ideológicos	• Relacionados con la biografía de Unamuno (exilios, discursos, publicaciones). • Con otras personalidades públicas. • Situación histórica-política del momento.	Angelina García Ladevese María Luisa García-Dorado Seirullo Julia Pérez del Olmo Fidela Díaz Yanes Juana Whitney Aurora Mena Gabriela Mistral Clotilde Maurin de Korlowski Figarola A. Duprat Gabriela Vicente Adelina Méndez de la Torre Teresa Salanova Teresa Raveca

Motivos por los que escriben		Emisarias
Aspectos personales	• Felicitaciones. • Pésames. • Agradecimientos. • Autógrafos y fotografías.	Lastinia Jonás Vergara Juana Whitney Encarnación Lecuna Lea Ludivina Spout Inés Gay Concepción Sáiz Julia Pérez del Olmo Concepción Ruiz Victoria Adrados Iglesias María González Almendral M.ª Gómez Hernández Ángela González Sánchez Amalia Iglesias García Carolina Vasco de García Gabriela Vicente Laura Louise Porteons Rosita Valazza Adelina Méndez de la Torre Marie Larrieu Aurora Mena Grace E. Harrah

Fuente: Elaboración propia.

Profundizando en los motivos que llevaron a las mujeres objeto de estudio a intercambiar correspondencia con Unamuno, dos son las ideas fundamentales que se desprenden de las cartas. Sin lugar a dudas, el tema de las peticiones subyace en todas ellas, ahora bien, estas pueden ser de varios tipos, encontrándose aquí vínculos con los temas educativos, como no podía ser de otra manera, puesto que provienen de este contexto, y con otros en este caso relacionados con aspectos sociales, culturales y literarios, políticos e ideológicos y personales.

Buena parte de estas cartas recogen peticiones de referencias y recomendaciones, bien para ellas o para algún conocido, para obtener un cargo profesional, una beca, ganar una oposición o realizar un cambio de destino. Ejemplo de ello se encuentra en las cartas de Clotilde Rabier, quien está interesada en trabajar en una Escuela Francesa que va a abrir sus puertas en Salamanca y, gracias a la recomendación de Unamuno ante el embajador de Francia, consigue la dirección de la misma. Otras, en cambio, le escriben para pedir referencias para concursar en una plaza de maestra, como es el caso de Isabel Amalia Martín Rivero. Esta especifica que no tiene a nadie a quien solicitarlas y hace diversas alusiones personales, como que es huérfana. O el caso de Fermina Santos, que quiere conseguir una plaza de maestra en Zamora o Salamanca y quiere saber si para ello necesita presentarse a concurso, al tiempo que se atreve a sugerirle que le ayude a conseguir la plaza con más sueldo.

> … pero si es necesario esperar al concurso esperaré dicha fecha á fin de solicitar varias de las que haya vacantes rogando á V.S. me agracie con la de mayor sueldo que pueda ser de las que en este caso solicite[53].

Las recomendaciones para las oposiciones es otro tema por el cual escriben a Unamuno y de forma explícita lo manifiesta María Luisa González, quien cuenta que está en el tercer ejercicio de las oposiciones, es el número 10 y hay 25 plazas, pero para estar más segura de su obtención de la plaza le pide que escriba a uno de los miembros del tribunal pidiéndole alguna referencia de ella y recomendándole.

Entre aquellas que pedían referencias para otras personas, se encuentran Ana Molinero, que pide recomendación para Santiago García Rivero, para obtener una plaza de delegado de Inspección de las escuelas públicas en Bilbao; o María Puente, que solicita una carta de recomendación para Tomás Cuesta Dutari porque quiere presentarse a las oposiciones de inspector del Timbre.

Entre las emisarias que quieren cambiar de destino se encuentra Enriqueta Muñoz, directora de la Normal de Maestras de Zamora que, por motivos personales, quiere realizar una permuta de destino con una profesora de Cádiz para estar más cerca de su familia que vive en Sevilla, lo que le supondría pasar de directora a profesora, pero no le importa. Pero también hay otras que solicitan su traslado por problemas con sus compañeros de trabajo, como sucede con Manuela Martínez Mendizábal, a la cual, según cuenta ella, están haciendo la vida imposible personas «diabólicas» que vierten calumnias sobre ella:

> [...] manejar el arma terrible de la calumnia; ruego á V. S. si le es posible, proponga al Ministro á otra Escuela Normal, en igualdad de circunstancias, cuanto más lejos mejor, pues mi salud se resiente cada dia mas, en vista de las injurias que conmigo se cometen[54].

Como se relata en las cartas, todo se remonta a una factura de cisco impagada durante su periodo como directora de la Escuela Normal de Ávila que ahora le reclaman a ella y que ha llegado, incluso, a los tribunales.

> Hoy ha estado por cuarta vez en mi casa el del cisco á decirme que el lunes me iba a demandar porque la otra Directora decía que era yo quien debia de pagar la cuenta[55].

Algunas de estas plazas no forman parte del distrito educativo de Salamanca, por lo que las emisarias solicitan la recomendación para poder presentarla en otros distritos. Ejemplo de esto es el de Eustaquia Larrainzar, quien quiere que interceda por ella ante el rector de Valladolid, pues quiere pedir un traslado desde la Escuela de Niñas de Leiza (Navarra) a la de Azpeitia (Guipúzcoa).

> Presentó su expediente en tiempo oportuno en el Rectorado de Valladolid, y como el Sr Rector de dicho distrito Universitario es ese que ha de hacer el nombramiento, se desea una recomendación eficaz para el mismo[56].

Contrariamente a lo que manifiesta la señora Martínez Mendizábal, de la abundante documentación que se conserva sobre ella cabe deducir que era una persona muy conflictiva. Tanto el rectorado de Salamanca como el Ministerio de Instrucción Pública recibieron numerosas quejas contra ella. Fue cesada en el cargo de directora de la Escuela Normal de Ávila[57], lo que se aprecia en las cartas, porque solamente la primera de las cuatro que manda a Unamuno está escrita con membrete. Como la situación no se resolvía, el Ministerio pidió a Unamuno detallada información[58]. Don Miguel firmó un informe demoledor en el que, finalmente, recomendaba «trasladar a dicha señora a otra escuela, como medida de buen gobierno y en la primera ocasión que se presente»[59]. El Ministerio actuó a vuelta de correo y, «en vista de lo informado por el Rector de la Universidad de Salamanca», la envió a Ciudad Real[60]. Allí parece que la situación fue tranquila e, incluso, participó en algún tribunal de oposiciones[61]. En 1904 consiguió un ascenso y se trasladó a Córdoba[62], donde volvió a incurrir en irregularidades. Se le abrió un expediente disciplinario en febrero de 1909 y se le suspendió de empleo y medio sueldo[63]. Con el expediente inconcluso, le sobrevino la muerte el 22 de diciembre de ese año. Sus herederos solicitaron los haberes supuestamente debidos, a lo que el Ministerio se negó, argumentando que, a todos los efectos, los cargos probados «llevan aparejada la pena de separación del Profesorado»[64]. Literalmente, fue expulsada de la docencia a título póstumo.

La petición de información sobre el trámite de las oposiciones que debían superar para poder acceder al magisterio o a algún otro puesto es otra de las cuestiones que también se repiten en numerosas ocasiones en las cartas recibidas por Miguel de Unamuno. Aquí se puede señalar la apreciación que hace Juana Whitney, que dice que su hija, María de Maeztu, todavía no se puede presentar a las oposiciones de maestra al tiempo que pide información sobre una cátedra de Francés en Salamanca; y la consulta que realiza Florinda Gutiérrez, con motivo de la resolución de una plaza que lleva esperando desde 1918. Acude a Unamuno en calidad de presidente del Consejo de Instrucción, diputado y maestro, esperando que se resuelva favorablemente su petición:

> Rogandole se interese V. pues segun declaraciones del Sr Ministro esta pendiente de lo que informe el Consejo y siendo V. su Presidente espero lo informará favorablemente[65].

Las quejas o reclamaciones por el sistema de acceso a las plazas quedan reflejadas en algunas cartas, como en la de María Babón Martín, una maestra con 42 años de experiencia docente que tiene una hija también maestra. No está de acuerdo en que las opositoras del año 28 tengan derecho a plaza pese a haber aprobado uno o dos ejercicios, y algunas ninguno. Mientras que su hija, que ha ejercido como interina, no tiene derecho a plaza. Refleja las irregularidades administrativas que hay para asignar las plazas:

> ¿Que mayores méritos tienen las opositoras del 28 que las maestras que se encuentren en las condiciones de mi hija? no se hán colocado muchas señoritas por el concurso de interinos, por solo haber desempeñado una escuela seis meses?[66].

Concepción Barco y Lozano escribe a Unamuno como presidente del Consejo de Instrucción Pública, y ella se presenta como maestra de Instrucción Primera interina, según el plan antiguo. Dice que no tiene la propiedad de una plaza, aunque sí que tiene el título, pero según el plan nuevo hoy se exige un cursillo que ella no puede hacer por haber excedido la edad. Aunque ha presentado una instancia ante el ministro, pide a Unamuno que haga una resolución favorable otorgando la propiedad de la plaza en las mismas condiciones que a los del plan nuevo:

> […] me permito suplicarle favorable resolución en tan humanitario asunto que salvaría la angustiosa situación que esta olvidada clase atraviesa, otorgando la propiedad que en la misma se solicita a todo Maestro de antiguo plan con servicios interinos, sin fijarle estos ni edad, por ser de derecho[67].

La notificación de ceses, reincorporaciones y traslados se ve reflejada en las cartas de Consuelo Moras, que envía un expediente a Unamuno donde le cuenta cómo ha sido destituida acusada de faltar un día a su trabajo como maestra en la Escuela Nacional de Lourada (Arteijo, La Coruña). Dice que ese día fue a hablar con la inspectora de La Coruña por sus problemas económicos, pero que esta en confabulación con el cura del pueblo (que quería el puesto para su cuñada) aprovechó su ausencia para acusarla de abandono de su puesto. La culpan de diferentes faltas graves que ella dice que son falsas y por esta razón escribe a Unamuno para que tome su expediente con benevolencia:

> Pero, esta gracia de la Inspectora encubría un propósito menos piadoso, pues aprovechando la ausencia de la Maestra y de acuerdo con el Párroco - interesado en perjudicar a la Maestra, cuya Escuela desea para una cuñada, giró visita la Inspectora el mismo día 13 con objeto de señalar como falta grave la ausencia, por 24 horas, de la Maestra. Exactamente, al día siguiente de la visita ya se encontraba la Maestra al frente del cargo[68].

Y Carmen Martínez Ynsa, que se presenta como «maestra con servicios internos del segundo escalafón», cuenta que le dieron la propiedad en 1927 cuando se encontraba con un mal embarazo en cama y no pudo tomar posesión en la escuela, ante este hecho le quitaron la plaza. Ahora ha visto un caso similar con otra profesora y ha aprovechado para reclamar su reincorporación, esperando que Unamuno pueda ayudarla ya que es la única que puede mantener a su familia.

En relación con las cuestiones económicas, salarios, becas, costes de materiales y matrículas se puede apreciar que es otro de los temas que se traslucen en las cartas como, por ejemplo, la enviada por Carolina Marcial Dorado, que informa de las condiciones de unas becas para señoritas que ofrece el Barnard College de Nueva York:

> La becaria española recibirá: alojamiento, manutención y estudios gratis; pero tendrá, como es natural, que costearse su pasaje de ida y vuelta y tener algún

dinero disponible para lavado y gastos personales. (Unas mil trescientas pesetas - $200.00 son suficientes para el curso escolar)[69].

Pide a Unamuno que busque a una candidata adecuada y le detalla los requisitos que se exigen, entre los que se encuentran la edad, cultura y dotes personales deseadas:

Los requisitos que se exigen son los siguientes:

Edad aproximada: de 18 a 22 años.

Cultura: Estudios correspondientes a unos cuatro años de bachillerato. Hablar el inglés con soltura y dominio.

Dotes personales: La becaria deberá ser inteligente y deberá tener inclinaciones hacia el estudio. Deberá tener una grata personalidad y saber adaptarse al nuevo medio ambiente. También deberá tener el don de gentes y por su agrado y simpatía ser una excelente representante de su país en Bernard College[70].

Y en una segunda carta le pregunta la posibilidad de que una estudiante de la Barnard College sea becada para estudiar en España en la Residencia de Señoritas. Algo muy similar a lo que hace María de Maeztu, quien alude en su carta a su intención de conceder una beca por cada universidad a la alumna con mayor inteligencia que quiera ir a Madrid a hacer el doctorado o algún estudio de investigación. Dice que esa alumna tiene que ser elegida por el claustro de profesores e informa de las condiciones de la beca a Unamuno:

La beca cubriría totalmente los gastos de la vida en la Residencia en tal forma que la alumna seleccionada no tendría que abonar estipendio alguno ni se le exigiría a cambio ningún trabajo[71].

Las condiciones salariales son otra preocupación que comparten con Unamuno. Antonia Cabanillas, auxiliar de una Normal, dice que cobra 1500 pesetas de sueldo y comenta que recientemente se han mejorado las condiciones salariales de los auxiliares de universidades, institutos, escuelas de comercio, etc., menos de las suyas. Quiere su apoyo frente al ministro de Instrucción Pública para el aumento salarial. Por otra parte, comenta que aún está esperando recibir el dinero que dejó de cobrar durante 6 meses cuando fueron suspendidos por el Directorio Militar.

El coste de las matrículas y del material escolar aparece en cartas como la de Concepción Sáiz, que le da las gracias por los consejos que le da sobre lecturas escolares, mientras que alude a las dificultades que se ha encontrado como profesora, como la falta de libros económicos para sus alumnas. En otra de sus 15 cartas le menciona un problema que se está encontrando y que hace alusión a que las alumnas de su Escuela no quieren ir a trabajar a provincias y que prefieren prescindir de la mitad de su sueldo con tal de no salir de Madrid o ampliar estudios en el extranjero. Dice que ella propuso que no se pudieran ampliar estudios si no llevaban tres años desempeñando el puesto, pero no fue atendida su solicitud:

> Catorce alumnas de mi Escuela que debían marchar a provincias han solicitado este año su agregación a diferentes cursos o pensiones para el extranjero. Estoy descorazonada. Hace ya algunos años (el mal es viejo) que propuse que no se concediera licencia para ampliar estudios a quien no llevase tres años desempeñando su escuela. No fui atendida y los abusos crecen[72].

Una vez que estas mujeres ya estaban trabajando es común que acudiesen a los consejos de Unamuno desde la perspectiva más puramente pedagógica, que no deja de entrañar las dudas que implicaba el ejercicio de la profesión y sus inquietudes intelectuales como maestras. Vinculado con este tema se puede mencionar de nuevo a María de Maeztu, quien está interesada en participar en un congreso en Londres para presentar un estudio sobre la educación femenina y el acceso de la mujer a la universidad, para lo que solicita que Unamuno le responda unas preguntas. Teresa Raveca, más atrevida, en su carta cuenta que hay un concurso para profesores para la realización de trabajos sobre temáticas pedagógicas. Le pide que escriba su trabajo que le retribuirá, informando de la fecha tope de entrega.

> El Consejo de Enseñanza acá llama a concurso, a los maestros y premiará el mejor trabajo si yo ganara retribuiré a Vd con la mejor voluntad pues es grande el aprecio y admiración que le tengo por sus buenas enseñanzas y hasta deseo de veras saludarlo y visitarlo lo que creo no dejaré de hacerlo dentro de 1 año o dos cuando mucho[73].

La petición de obras para la docencia es otra de las cuestiones que se tratan, lo cual se puede apreciar en la carta de Guadalupe Delgado, quien le pide alguna de sus obras para el Museo Pedagógico que están organizando y que forma parte de una Biblioteca escolar:

> Yo que recuerdo siempre como dos de mis mejores emociones estéticas haber oído en el Ateneo de Madrid la lectura de poesías suyas al propio D. Miguel Unamuno y la lectura –hecha recogidamente por mí misma– de la «Vida de D. Quijote y Sancho» y que comprendo la que pueden sentir otros lectores, me permito rogarle un envío de cualquiera de sus obras y por él le anticipo las gracias[74].

Caben señalar también las dudas que plantea Suceso Luengo, quien menciona cuestiones metodológicas, o Lastinia Jonás Vergara, que escribe una carta desde Argentina para realizar una consulta sobre ortografía. Concretamente, quiere saber cómo se dividen las sílabas de Atlas y Atlántico. Dice que es directora y única maestra de una escuela rural, en un rancho cerca de la estación. Elizabeth Hadley Hunt es directora de una escuela de arte religiosa. Se define ella misma en la carta, dice que es una mujer de 42 años y que le ha costado entender *Del sentimiento trágico de la vida*. Cuenta muchos detalles de la escuela en la que trabaja, el tipo de alumnos (desde los 18 hasta los 70 años) y el volumen de ellos que tiene. Reflexionan sobre Dios a través del arte y la obra de Unamuno les ha ayudado mucho y ahora quieren enseñar más asignaturas y pide consejo para saber cómo se puede llegar mejor a los estudiantes, no sabe si debe ser dentro de la Iglesia o fuera de ella:

> More even than a desire to express my thanks to you this letter is a cry for help to the only person in this world who can show us how to go further with some work in our school of the arts here.

> [Más que un deseo de expresarle mi agradecimiento esta carta es un grito de ayuda a la única persona en este trabajo que puede mostrarnos cómo ir más allá con algún trabajo en nuestra escuela de artes aquí][75].

M.ª Adelina Martínez, por su parte, comenta que ha visto en la revista *Estampa* «unos gráficos con trabajos en papel (plegados)», se está refiriendo a las pajaritas de papiroflexia que hacía Unamuno. Quiere saber si puede enviarle algunas anotaciones para poderlas llevar a la práctica con sus alumnos.

Figura 9. Artículo sobre las pajaritas de papel de Unamuno que referencia M.ª Adelina Martínez en su carta. Fuente: Revista Estampa, 1932.

En relación a los problemas a los que se enfrentan estas mujeres relacionados con el ejercicio de la profesión en el día a día o con los compañeros también fueron tema de debate con Unamuno en su correspondencia. Prueba de ello es el caso de María Gómez Hernández, quien habla de su mala relación con sus jefes y de que la han sustituido por «envidias», o el de Aurora Mena. que cuenta que se ha visto obligada a pedir un traslado de Cáceres a Guipúzcoa, debido a las malas relaciones con sus compañeros:

Todo termina y terminó tambien para mí el triste aprendizage de conocer el mundo, pues yo creía cuando vine aquí que todas las personas son nobles y no podían abrigar doblez y mandad; pero que decepción he sufrido![76].

Un caso singular es el que presenta Prudencia Daza, maestra en una escuela de niñas en Ávila. Quiere que su hijo asista a la escuela de niñas en la que ella imparte clase, pero el alcalde dice que «no es de Ley» y que tiene que ir a la de niños. Ella considera que al ser la profesora tiene el derecho a impartir clases a su hijo, pero le han dicho que consulte con alguien «que sepa más» para decidir qué hacer y por esta razón escribe a Unamuno para que le dé una respuesta:

> […] me dice el Sr. Alcalde como presidente de la misma que mi niño no puede continuar cursando en mi escuela porque no es de Ley, que para eso está la de niños. Le digo mis razones y no las oye, le digo que es hijo mío, que yo no admito más niños que ese por ser hijo de la Profesora, y sin embargo insiste en su tema […][77].

Por su parte, Julita Alonso Casado comparte con el escritor el problema al que se enfrenta diariamente, pues lleva 8 meses sin auxiliar y tiene 130 alumnos. Le pide a Unamuno solución ante esta situación:

> La auxiliar que aqui estuvo y que fue á la graduada, me dicen es hija del cartero de uno de los caciques y esos remueven el asunto. Yo no he molestado á nadie y pido humildemente á V.S. de orden en que se me ponga la auxiliar que me corresponde[78].

Además de las peticiones en las que subyace el contexto educativo, como se ha señalado en líneas anteriores, también estas mujeres en su correspondencia tratan otro tipo de temas que tienen que ver más con sus inquietudes y preocupaciones intelectuales y que, por lo tanto, se vinculan al contexto social, cultural y literario, político e ideológico del momento en el que viven. Por ejemplo, Angelina García Ladevese menciona aspectos sociales haciendo una crítica a la falta de educación de la mujer durante la monarquía:

> Vea lo que puede hacer por mi, pues tengo grandísima experiencia del enseño y podria ser muy útil ahora para contribuir á la educación de la mujer española que tanto abandonó la culpable monarquia[79].

La escasez a la que se enfrenta el género femenino en cuanto a posibilidades educativas y sobre todo de participación en los círculos intelectuales, protagonizados mayoritariamente por los hombres, queda también patente en la correspondencia de Amelia Agostini, quien interesada en «La liga española de los Derechos del Hombre» a raíz de una charla a la que pudo asistir en el Ateneo de Madrid solicita a Unamuno alguna tarjetita que sirva de pase para poder acceder al mismo cuando ella lo desee. Esto suscitó los primeros signos de activismo entre algunas mujeres que empezaban a reivindicar la igualdad de derechos que los hombres, aspecto que queda plasmado en la carta de la activista Leonor Serrano, una de las primeras inspectoras de Primera Enseñanza, e impulsora de nuevas pedagogías que escribe a Unamuno para compartir con él ideas sobre la mujer. Además de hacerle una invitación para dar una charla en Barcelona organizada por el grupo político «Nueva Acción», señala la sorpresa que debe ser para él que una mujer esté envuelta en los temas políticos que son «tan inadecuados» a su sexo:

> ¿No ha pensado V. jamás, con su excelsa inteligencia, que la mujer española impulsiva y sentimental, –aunque hoy por hoy inculta y ultrarreligiosa– pudieran ser una honda fuerza de reconstitución, fuerza afectiva e impulsiva, la fuerza de la debilidad?[80].

Otro caso que refleja los aspectos sociales de la época en los que estaban inmersas estas mujeres es el de Eduvigis Simón García, que se define como «maestra metida en pueblos salvajes». Ella cuenta que su hija fue a misa y el cura no quiso darle la comunión pese a ir «recatadamente vestida». Quiere saber qué puede hacer, quiere denunciarlo o llevarlo a la prensa y alude a la «impunidad» de los curas. Además, le pregunta qué le debe por la consulta. Dice sobre el párroco en cuestión que es un «soberbio embustero como son todos los curas»:

> El dia 13 del presente mes que rige a las 8 de la mañana estaba una hija mía en misa, se presentó (a su tiempo) a recibir la comunion y el tal cura que la decía, se la negó; despues de la misa entré en la sacristía, le pregunté el porqué y me contestó que porque no le dio la gana; le dige que lo pondría en conocimiento del Obispo y dijo que como era un cura independiente no tiene ley ni Jefe así que por lo que se vé no pueden ser castigados actos tan groseros en los curas[81].

Relacionado con los aspectos culturales y literarios la correspondencia refleja, por una parte, cuestiones vinculadas a su producción como autoras, bien como traductoras, como es el caso de Grace E. Harrah, Elsa Henduschka o Gratiana Oniciu, o por las referencias que piden a Unamuno cuando han escrito alguna obra, novela o poesía. Es el caso de María Luisa Castellanos, primera sufragista asturiana que habla sobre los problemas con la directora de la Escuela Normal por la que muchas señoritas han tenido que dejar comenzada la carrera. También habla de un libro social que está escribiendo y que saldrá publicado pronto titulado *La mujer antes, en la guerra y después*, del que dice que tendrá el gusto de enviarle un ejemplar cuando vea la luz. Es interesante mencionar que parece que se conocen, su carta es una contestación a otra que ha recibido de parte de Unamuno.

La epístola de Juana Marrero llama especialmente la atención por el modo en el que escribe un poema que quiere compartir con el escritor:

> Recibid; el homenage; de mi admirción; de dicha y de paz.
> De amor; al estudio; a los sabios; que saben dar;
> clase; y al amar; a sus discípulos; saben; con;

saber; saber consagrar; su amor a las
bellas letras; de qué; sin ser poeta.
Sabe exponer; razones; sin
cuento; dar vida a el
hablar; y cantar;
las glorias;
españolas[82].

Raquel Adler le envía su libro titulado *Revelación (mi Romance)* y Enriqueta Compte y Riqué le remite sus obras *Estudio y trabajo* y *Lecciones de mi escuela*, esperando sus valoraciones al respecto.

Se ha podido comprobar que algunas de estas mujeres coinciden en el interés de entrevistar a Unamuno o publicar algo en la prensa sobre él relacionado con su faceta literaria. Así se puede observar en la carta de Claire Lautiere, quien agradeció a Unamuno su entrevista para el *Petit Merichonau* sobre los destinos de España. Comenta que la entrevista duró 2 horas y que Unamuno se la concedió con espontaneidad y cordialidad, sin mirar el reloj en ningún momento. Dice que ahora le muestra su admiración pues ha conocido al hombre detrás del autor:

> [...] no hablo del encantamiento de estas dos horas de visita pasadas escuchándole. Estoy ahora más emocionada por el pensamiento de que esas dos horas la han sido robadas, sin un minuto de impaciencia por su parte, a su actividad, a su solicitud sobre todo a la meditación en un destino cruel. Dos horas a las que yo no tenía ningún derecho, que un amigo apresurado o triste quizá me hubiera rehusado, y que un gran escritor que yo no conocía me ha querido conceder con la espontaneidad y la cordialidad de un amigo[83].

Dolores Caballero, antigua profesora de geografía de la Normal de Salamanca, escribe una carta para pedir a Unamuno permiso para publicar unos versos suyos dedicados al Cristo Yacente de la iglesia de Santa Clara en Palencia en el periódico *El Socialista de Albacete*, fundado por su marido, Alfonso de la Vega. Los versos se los dio en una ocasión cuando realizó una visita a Salamanca para ser copiados. También con la intención de publicar sobre Unamuno en un periódico de la época le escribe Isabel Cuchi Coll, maestra de literatura de Nueva York. Mientras que, en el caso de Mary Stephenson, dice que está preparando una antología sobre literatura española moderna que tendría una breve introducción en inglés y una selección de obras de la literatura desde 1850. Su intención es incluir en la misma un fragmento de *Niebla*, para lo cual pide permiso a Unamuno. Su respuesta afirmativa lleva a agradecerle el permiso, en una segunda carta, donde también le dice que sus obras filosóficas son muy apreciadas en Alemania.

> Es por eso que yo me atrevo a dirigirme a Vd. para preguntarle si pudiera hacerme el gran favor de dar su permiso para que se incluya en el libro lo siguiente de sus obras literarias: –«Niebla»– pág. 176-179[84].

Pero también se han encontrado en la correspondencia cuestiones relacionadas con aspectos culturales y literarios sobre las obras de Unamuno, principalmente con el fin de pedirle ejemplares o alguna explicación sobre sus escritos. Clotilde Maurin de Korlowski Figarola, propietaria junto a su marido de una librería y editorial, menciona su inminente viaje a Estados Unidos, donde dará a conocer la obra de Unamuno y de otros grandes autores españoles:

> Tenemos casi terminado <u>Unamuno y sus críticas</u>. Me llevo allá las cuartillas que me servirán para conferencias. Escribimos hoy mismo a Wenceslao Roces para pedirle unas notas suyas sobre <u>Unamuno</u>, algunas fotografías de Vd.; a ser posible algunas de cuando era usted pequeño, don Miguel; algunas tomadas en su Salamanca; algunas recientes en Hendaya, para proyecciones[85].

Vuelve a escribir ahora ya desde Estados Unidos, concretamente desde Chicago, y comenta el viaje que está realizando y que en todas partes conocen y leen a Unamuno, pero faltan sus libros y falta propaganda por parte del editor y del librero.

Por su parte, Ria Schmidt-Koch escribe desde la Sociedad Kantiana de Berlín y le informa que está preparando la edición de un catálogo de libros filosóficos alemanes que hayan sido traducidos al castellano. Le hace varias preguntas para saber qué libros ha traducido Unamuno:

> Para verificar y completar los datos reunidos para el catálogo mencionado, le quedaría sumamente agradecida me conteste las preguntas siguientes:
>
> a) Cuales libros filosóficos alemanes fueron traducidos por Usted ó bajo su dirección?
> b) Referente a estas traducciones: Como es el título en castellano?
> c) En que año fueron editadas?
> Por qué casa editorial?
> d) Tiene Ud. alguna traducción en preparación?
> En caso de sí: qué obra es?
> e) Qué más traducciones del alemán le parecen deseables?[86].

Entre las que reconocen la obra unamuniana está la profesora de Pensilvania Sarah M. Gaughey Oakley, con 70 discípulas a su cargo, que imparte un curso de ensayo español. Ha leído recientemente *Del sentimiento trágico de la vida* y ha disfrutado mucho de su lectura. Algo similar a lo que cuenta desde Puerto Rico Higinia Trujillo, aficionada a la literatura de España quiere que le explique «su nuevo género nivola», aunque reconoce que no ha leído sus obras porque comenta que son caras en su país y espera encontrarlas en otro sitio más económicas. Pide a Unamuno que le haga un listado con sus mejores obras para que ella pueda leerlas.

Vinculado al interés de las obras de Unamuno entre las estudiantes, son varias las alusiones a incluirlo dentro de sus trabajos escolares. Por ejemplo, el caso de Leonor Rocttig, estudiante alemana, que afirma ser una gran aficionada a las obras de Unamuno, dice que en su colegio se aprende español en los dos últimos años y al finalizar hacen un examen en el que cada discípula debe hablar de un poeta español. Ella quiere hablar de Unamuno, pero solo conoce su obra, no sabe nada de su vida interior. Por esta razón le pide que le envíe un pequeño texto de su actividad en Salamanca, su vida y sus pensamientos:

> Honorable Señor de Unamuno ruego a Usted una pequeña descripción de su actividad en Salamanca o en donde Usted esté, una descripción de su vida y de sus pensamientos[87].

No es la única petición que hay de este tipo, María Ángeles Román y Dolores García también se ponen en contacto con él porque están desarrollando sendos trabajos sobre la vida y obra del escritor y quieren obtener información.

Al igual que ocurría con el contexto social también subyace el político e ideológico de la época en algunas de las epístolas analizadas. En este caso son recurrentes las menciones a las personalidades públicas y acontecimientos del momento, el tema del exilio de Unamuno y sus diferentes cargos públicos, entre otros. Este es el caso de A. Duprat, que comenta que hace varios años vio en Hendaya a Unamuno rodeado de jóvenes cuando estaba exiliado y que desde entonces simboliza para ella a la España liberal. Comenta que quiere que le envíe un texto con el que ella pueda argumentar a su compañera su ideología política y explicar por qué no deben ganar los marxistas:

> ¡Cómo querría yo convencer a esta persona, que merece serlo [convencida], que la libertad, el progreso se perderían para siempre con la victoria de los marxistas, que usted ha elegido, con toda independencia, la parte más justa, la más humana!

> Yo le pido, como una gracia, [generosamente], si usted no me juzga demasiado inoportuna (yo soy muy consciente de sobrepasar los límites de la discreción), escribir algunas palabras que impresionaran vivamente a la Señorita Ribeira y que me dieran el mejor argumento que yo pueda oponerle[88].

Gabriela Mistral también alude a dichos temas en su carta que escribe de forma conjunta a Miguel de Unamuno y al famoso escritor francés Romain Rolland. En ella pide a ambos que escriban un telegrama para enviárselo al entonces presidente de México donde se garantice que el político y escritor mexicano José Vasconcelos pueda salir del país con vida. Por lo que dice Gabriela, este se presentó a la presidencia del gobierno, pero perdió y ahora se le busca por formar parte de la rebelión. Habla de que el ejército de ese país, y en general de América, está «podrido»:

> El ejercito está podrido y no conoce otra escalera de ascensos que el adulo a la pasión del jefe y es tan necesariamente criminal, que no entiende siquiera cuando daña en su prestigio al mismo regimen que sirve.

> P. D.- Mi carta es estrictamente privada; yo no actuo en ninguna acción política de la América[89].

La alusión al contexto republicano se encuentra en la correspondencia de Aurora Mena, concretamente un mitin que dio Unamuno en el frontón Urumea, en San Sebastián, y comenta que «hace votos por la consolidación de la República». Menciona el cargo de presidente del Consejo de Instrucción Pública que ha obtenido Unamuno y se presenta como subordinada. Otro tema recurrente aquí son las menciones a los destierros y celebraciones por su regreso que aparecen en las cartas de Teresa Salanova, Adelina Méndez de la Torre, Julia Pérez del Olmo o Teresa Raveca.

María Luisa García-Dorado Seirullo, por su parte, alude en su carta al contexto del exilio de Unamuno en la época de Primo de Rivera:

> Ya puede Vd. suponer el efecto de la R. O. del Directorio. Yo no sé cuándo esos señores querrán marcharse y dejarnos tranquilos. No pueden verse mayores enormidades y desaciertos en menos tiempo y casi casi asusta la rapidez para imaginar desatinos. Son enormes por ese lado![90].

Es interesante destacar la influencia de dicho contexto en el ejercicio de su profesión, ya que también se encuentran en las cartas las represalias que sufrieron estas mujeres por cuestiones ideológico-políticas. Es el caso de Fidela Díaz Yanes, que dice que ha sido «injustamente castigada» y separada del servicio por un año «víctima de la tiranía de un gobernador de la Dictadura». Cuenta que han pasado 6 meses, pero que todavía no ha podido volver a su puesto como directora de la Escuela Graduada del Barrio Norte de Santa Cruz de Tenerife y solicita que si le llega a él su expediente que «lo tome con cariño»:

> Por si el expresado asunto sea sometido al estudio del Consejo de su digna presidencia, le suplico encarecidamente lo tome con el cariño de quien desea proteger al inocentemente perseguido, y después reconocida mi inculpabilidad en los cargos que falsamente se me hacen sea reintegrada a mi destino (Directora de la Escuela graduada del barrio Norte de Santa Cruz de Tenerife) y se me indemnice la cantidad que tan injustamente he dejado de percibir[91].

Por último y profundizando ya en esas otras cuestiones de carácter más personal de estas mujeres se encuentran los agradecimientos de estudiantes extranjeras que han venido a España, como Grace E. Harrah, Rosita Valazza, Laura Louise Porteons o Inés Gay; esta última, estudiante italiana, escribe a Unamuno para agradecerle el regalo de dos libros. Habla de su experiencia en España, aprendiendo español, y de lo contenta que está por haberle conocido a él y a sus obras:

> Si no fuese que yo tengo el deber de agradecerle mucho y mucho el amable regalo de sus dos libros, querría esperar aún, para poder escribir conociéndole mejor, pero a Vd esto resultaría más o menos indiferente...[92].

La petición de los autógrafos es algo que aparece en varias cartas como, por ejemplo, la de Encarnación Lecuna, estudiante de bachillerato de 14 años, que le pide a Unamuno un autógrafo en su «pequeño álbum», o Lea Ludivina Spout, estudiante argentina, que le envía una postal para pedirle un autógrafo y que forme parte de su colección. Son varios los testimonios que aluden a diversas felicitaciones por su nombramiento como rector, como Carolina Vasco García o Concepción Ruiz; o por su puesto de director general de Primera Enseñanza, en la carta de Victoria Adrados. Pero también de despedida, como Juana Whitney, que le manifiesta su apoyo por su destitución; o María González Almendral que, tras su cese, se despide con tristeza del que ha sido su «jefe», aunque lo hace en términos de inferioridad y sumisión:

> Será necesidad ofrecer a V. mi inutilidad, pero pasaré por necia y se la ofreceré sinceramente. Su afma. María G. Almendral[93].

Sin olvidar los pésames por la muerte de alguno de sus familiares, los cuales aparecen en las cartas de María Gómez Hernández, Ángela González Sánchez, Aurora Mena o Julia Pérez del Olmo:

> Mi respetable Sr: Con la mas profunda sinceridad, le acompaña en la pena que le aflige en estos dias por la pérdida de su amada esposa, su admiradora y humilde s.s.[94].

5. Discusión y conclusiones

El análisis realizado posibilita un acercamiento a la conocida figura de Miguel de Unamuno, que adopta ciertos matices que hasta ahora no habían sido contemplados. La particularidad de este radica en el enfoque que aporta la correspondencia femenina de 85 mujeres vinculadas al ámbito educativo del primer tercio del siglo XX, en sus 136 cartas, 7 tarjetas de presentación y 7 postales enviadas entre 1900 y 1936. De ellas subyace un vínculo específico con el famoso escritor, el cual se manifiesta de dos formas: bien en su condición de «jefe», ya que él ejerce la Presidencia del Consejo de Instrucción Pública y el cargo de rector durante un periodo de su vida, o bien como «maestro» en su labor docente. Esto queda muy claramente reflejado en el encabezamiento y en las despedidas en muchas de las cartas enviadas, como: «me congratulo y honro en tener tan dignísimo Jefe» (Concepción Ruiz), «Muy Señor mío y respetabilisimo jefe» (Enriqueta Muñoz), «Muy distinguido Jefe y estimado amigo» (Victoria Adrados), «Excelentísimo Sr Rector de la Universidad de Salamanca» (Enriqueta Muñoz y Carmen Tapia), «Su afectísima amiga y discípula» (M.ª Luisa Dorado), «Ilustre Profesor» (Lea Ludivina Spout), «Dear Professor de Unamuno» (Sibyl Colefax) o «Querido profesor» (M.ª Luisa González), entre otros.

Ligado directamente a esto se encuentra también el contenido de las cartas que, como se ha expuesto, gira en torno a las diversas peticiones para las que requieren su atención. Concretamente se han identificado diversas cuestiones relacionadas con la solicitud de referencias y recomendaciones en el ámbito de la profesión de maestras, opositoras o estudiantes; cambios de destino; información educativa; reclamaciones; notificaciones de ceses y reincorporaciones;

aspectos económicos (sueldos y becas); consejos pedagógicos; problemas laborales; inquietudes y preocupaciones intelectuales vinculadas al contexto social, cultural y político, y aspectos de carácter personal. Quizá estos últimos son los que más podrían llamar la atención, teniendo en cuenta que las mujeres objeto de estudio en su mayoría escriben a Miguel de Unamuno sin tener cercanía personal con él. Puede haber excepciones como las referencias de María de Maeztu y su madre, de las cuales se conoce su amistad, o la de su antigua profesora Marie Larrieu. El intercambio de cartas tiene como finalidad, por lo tanto, compartir con él cosas cercanas de su vida y su día a día, lo que ofrece una imagen de Unamuno como persona cercana, amable, que escucha y atiende y quien, en definitiva, ayuda y se preocupa por las inquietudes y problemas de estas mujeres que acudían a él. Prueba de ello, además, es el hecho de que muchas no le escriben una sola carta, sino varias –en el caso de su maestra de francés se conservan hasta 15 epístolas–; esto constata la citada actitud solícita y cercana de Unamuno para con estas mujeres a la par que permite extraer mucha información, como así se ha descrito anteriormente, de esas posibles respuestas que pudo ofrecerles, teniendo en cuenta que, hasta el momento, no se conservan las respuestas enviadas por Unamuno.

Por otra parte, el fondo epistolar también lleva a reflexionar sobre cómo vivían estas mujeres, así como lo que implicaba para la sociedad de la época pertenecer o estar vinculada al ámbito educativo a principios del siglo XX, resaltando aquí las preocupaciones e inquietudes que tenían. No hay que olvidar que las mujeres en esta época comienzan a abandonar el rol del «ángel del hogar» para adentrarse en el mercado laboral, e ir ocupando espacio poco a poco en un campo, como es el educativo, que con el tiempo se ha asociado con el género femenino. Eran muchas las vicisitudes relacionadas con el ámbito laboral por las que tuvieron que pasar y resulta curioso que, aunque algunas son propias del contexto educativo de la época en la que vivían (conflictos surgidos ante la división entre escuelas de niños y niñas, el tema de la factura del cisco, etc.), otras siguen actualmente, sobre todo las vinculadas a las relaciones personales, como pueden ser las enemistades en el entorno laboral o las particularidades de la propia profesión (cambios de destino, bajas laborales, oposiciones, etc.).

En definitiva, este estudio pone de manifiesto la importancia que ofrece este fondo epistolar que alberga la Casa-Museo Unamuno (USAL), desde una doble dimensión: la que implica el conocimiento del receptor y la de las emisoras. En este sentido las epístolas son documentos que pertenecen en un principio al ámbito privado, pero que, curiosamente, hacen posible configurar una imagen pública de ellos y de la época.

BIBLIOGRAFÍA

ARESTI ESTEBAN, N. El ángel del hogar y sus demonios. Ciencia, religión y género en la España del siglo XIX. *Historia Contemporánea*, 2000, 21, pp. 363-394.
ARESTI ESTEBAN, N. La mujer moderna, el tercer sexo y la bohemia en los años veinte. *Dossiers Feministes*, 2007, 10, pp. 173-185.

CAAMAÑO ROJO, E. Mujer y trabajo: origen y ocaso del modelo de padre proveedor y madre cuidadora. *Revista de Derecho de la Pontificia Universidad Católica de Valparaíso*, 2010, XXXIV, pp. 179-209.

CASTILLO, D. D. La carta privada como práctica discursiva: Algunos rasgos característicos. *Revista Signos*, 2002, 35(51-52), pp. 33-57.

CIBEIRO, E. De «ángel del hogar» a «mujer moderna»: las tensiones filosóficas y textuales en el sujeto femenino de Carmen de Burgos. *Letras Femeninas*, 2005, 31(2), pp. 49-74.

CUESTA BUSTILLO, J. (dir.). *La depuración de funcionarios bajo la dictadura franquista (1936-1975)*. Madrid: Fundación Francisco Largo Caballero, 2009.

GARCÍA SÁNCHEZ, J. Beatriz. *Cuadernos Republicanos*, 1993, 13, pp. 61-67.

HANSSENS, E. *Du secret des lettres*. Bruselas: Bruylant-Christophe, 1890.

HEREDIA SORIANO, A. Hacia Unamuno con Unamuno (II). *Cuadernos de la Cátedra Miguel de Unamuno*, 2007, 44, pp. 27-80.

HERRERO FAÚNDEZ, R. *La imagen de la mujer en la prensa entre 1910-1915 y 2000-2005: estudio comparado*. Tesis doctoral. Universidad Complutense de Madrid, 2010.

JIMÉNEZ SUREDA, M. La mujer en la esfera laboral a lo largo de la historia. *Manuscrits*, 2009, 27, pp. 21-49.

LORENZO, J. A. Hacia la profesionalización y modernización del Magisterio (1898-1936). *Revista Complutense de Educación*, 2002, 13(1), pp. 107-139.

MARCHAND, P. *L'Histoire et la Géographie dans l'enseignement secondaire*. París: Institut national de la recherche pédagogique, 2000.

NASH, M. *Mujer, familia y trabajo en España (1875-1936)*. Barcelona: Antrophos, Editorial del Hombre, 1983.

NIELFA CRISTÓBAL, G. Trabajo, legislación y género en la España contemporánea: los orígenes de la legislación laboral. En L. Gálvez y C. Sarasúa (coords.): *¿Privilegios o eficiencia?: Mujeres y hombres en los mercados de trabajo*. Alicante: Servicio de Publicaciones de la Universidad de Alicante, 2003, pp. 39-56.

PHILLIPS, T. *The postcard century. 2000 cards and their messages*. Londres: Thames & Hudson, 2000.

PRADO HERRERA, M. L. de. Universitarias en Salamanca en el primer tercio del siglo XX: cuantificación y perfiles. *Culture & History Digital Journal*, 2019, 8(1), p. e005.

RABATÉ, C. y RABATÉ J.-C. *En el torbellino. Unamuno en la Guerra Civil*. Madrid: Marcial Pons, 2018.

SÁNCHEZ, M. *Maurín, gran enigma de la guerra y otros recuerdos*. Madrid: Edicusa, 1976.

SCOTT, J. W. La mujer trabajadora en el siglo XIX. En G. Duby y M. Perrot (dirs.): *Historia de las mujeres en Occidente*, vol. 4. Madrid: Taurus, 1993, pp. 405-436.

Notas

[1] Ley de 13 de marzo de 1900, fijando las condiciones de trabajo de las mujeres y los niños. *Gaceta de Madrid* (en lo sucesivo, GM), 14 de marzo de 1900, pp. 875-876. Para el Reglamento acerca del trabajo de mujeres y de niños, v. Real Decreto de 13 de noviembre de 1900. GM, 15 de noviembre de 1900, pp. 562-563.

[2] El texto, en francés en el original, forma parte de una tesis doctoral, no del articulado de una norma, pero se basa en la legislación existente y en una abundante jurisprudencia sobre el secreto de la correspondencia. Un ejemplar de esta obra, pionera en muchos aspectos, en Université de Liège, Bibliothèque, Fonds ancien, XXX.D2/0007.

[3] GM, 27 de octubre de 1900, p. 347.

[4] Todos los datos académicos y personales de Teresa Iglesias Recio aparecen en su expediente educativo. Archivo Histórico Provincial de Salamanca, Fondo IES Fray Luis de León (en lo sucesivo, AHPFL), leg. 16341, exp. 15. Para los datos de sus compañeros, v. *Catálogo general del Fondo IES Fray Luis de León*, pp. 162-165. Con cerca de 100 000 registros archivísticos, el nivel de detalle de este catálogo no tiene parangón en los institutos españoles y la documentación que reseña es ideal para poder realizar, entre otros muchos, estudios de género, como el de estas páginas.

[5] Universidad de Salamanca: *Memoria sobre el estado de la instrucción en esta Universidad y establecimientos de enseñanza de su distrito, correspondiente al curso académico 1912-1913*. Salamanca: Universidad Literaria, 1914, p. 35. Biblioteca General Histórica, Universidad de Salamanca (en lo sucesivo, BGH), BG/Revistas/1178/1-12/53.

[6] La Universidad de Salamanca la homenajeó en 2018, en el marco de las celebraciones del VIII Centenario de la institución. El Ayuntamiento de Villares de la Reina propuso el 15 de marzo de 2019 que el Centro de Salud del pueblo llevara el nombre de Teresa Iglesias Recio, sin que la Junta de Castilla y León, competente en el asunto, haya adoptado, a la hora de escribir estas líneas, decisión alguna al respecto. Los autores agradecen al Ayuntamiento de Villares de la Reina las informaciones proporcionadas.

[7] AHPFL, leg. 16529, exp. 15.

[8] *Catálogo general...*, op. cit., pp. 427-445.

[9] Universidad de Salamanca: *Memoria sobre el estado de la instrucción en esta Universidad y establecimientos de enseñanza de su distrito, correspondiente al Curso académico de 1900 á 1901*. Salamanca: Imprenta Calón, 1902, p. 39. BGH, BG/Revistas/1178/1-12/41.

[10] Art. 1.º, Real Decreto de 18 de abril de 1900. GM, 19 de abril de 1900, p. 316.

[11] Aunque habitualmente se señala que los orígenes del actual Ministère de l'Éducation Nationale se sitúan en 1828, lo cierto es que ya en 1791 existió un Comité d'Instruction Publique, con funciones similares, como se demuestra en la documentación conservada. Archives Nationales de France, Pierrefitte-sur-Seine (en lo sucesivo, ANF), D/XXXVIII/1 y 2, así como F/17/1207 y ss. para la primera etapa (1791-año IV).

[12] Ley 407, de 8 de julio de 1904, conocida popularmente como «Legge Orlando», por el ministro de Instrucción Pública que la propuso. *Gazzetta Ufficiale del Regno d'Italia*, Roma, 4 de agosto de 1904, pp. [3933]-3937. Biblioteca Nazionale Centrale, Florencia, RAV0106503.

[13] Real Decreto de 26 de octubre de 1901. GM, 30 de octubre de 1901, pp. 497-499.

[14] Art. 102, ap. 1, letra a, de la Ley 14/1970, de 4 de agosto, General de Educación y Financiación de la Reforma Educativa. Ministerio de Justicia y Boletín Oficial del Estado: *Colección Legislativa de España, Disposiciones Generales*. Madrid: Imprenta Nacional del BOE, 1970, tomo 327, p. 852.

[15] El título completo es Estatuto general del Magisterio de Primera Enseñanza. Real Decreto de 12 de abril de 1917. GM, 17 de abril de 1917, pp. 143-149.

[16] Es muy significativa, por el gran número de plazas y la extensión geográfica, la convocatoria de la Dirección General de Primera Enseñanza de 16 de agosto de 1918. GM, 18 de agosto de 1918, pp. 436-439.

[17] Ministerio de Instrucción Pública y Bellas Artes. *Primer Escalafón de Maestras de Escuelas Nacionales existentes en 31 de diciembre de 1933*. Madrid: Nueva Imprenta Radio, 1934, Segundo folleto, pp. 12-13. Biblioteca de Educación, Madrid (en lo sucesivo, BE), 23308.

[18] *Ibid.*, Quinto folleto, pp. 66-67.

[19] Ministerio de Instrucción Pública y Bellas Artes. *Escalafón general fusionado del Magisterio Primario con arreglo a su situación en 1º de enero de 1912. Maestras*. Madrid: Antonio Marzo, 1912, pp. 88-89. Biblioteca Nacional de España, Alcalá de Henares, FI/294/V02.

[20] Ministerio de Instrucción Pública y Bellas Artes. *Primer Escalafón...*, 1934, op. cit., Primer folleto, pp. 56-57 y Segundo folleto, pp. 72-73, respectivamente.

[21] *Ibid.*, todos los folletos; Ministerio de Instrucción Pública y Bellas Artes. *Primer Escalafón de Maestros de Escuelas Nacionales existentes en 31 de diciembre de 1933*. Madrid: Nueva Imprenta Radio, 1934; *Ídem. Primer Escalafón de Maestras de Escuelas Nacionales. Altas de 1934*. Madrid: Nueva Imprenta Radio, 1935; idem. *Primer Escalafón de Maestros de Escuelas Nacionales. Altas de 1934*. Madrid: Nueva Imprenta Radio, 1935.

[22] Los grados de Bachiller, de Licenciado y doctoral se establecieron en el «Plan Pidal», llamado así por el ministro de la Gobernación, Pedro José Pidal. Real Decreto de 17 de septiembre de 1845. GM, 25 de septiembre de 1845, pp. [1]-5. Esta norma es la que crea los institutos españoles. La actual denominación de grados universitarios, aunque tiene algunas similitudes, presenta notables diferencias.

[23] Su expediente académico en AHPFL, leg. 16179, exp. 10.

[24] Sin negar esta condición de pionera, aceptada por numerosos especialistas, debemos matizar que su acceso fue como catedrática auxiliar. V. nombramiento en 18 de mayo de 1923. GM, 26 de mayo de 1923, p. 802. Además, figuró en varios escalafones de catedráticos no como la primera, sino como la segunda en antigüedad en ese cuerpo, muchos puestos por detrás de

Julia Gomis Llopis. V., por ejemplo, *Revista Minerva: Escalafón de los Catedráticos Numerarios de Segunda Enseñanza. Situación a 5 de enero de 1934*. Madrid: Imprenta L. Rubio, 1934, s. p., núm. 269 para Julia y 366 para María Luisa. BE, Depósito Auxiliar, C 811/1.

[25] *Ibid.*, p. [86].

[26] «Relación del personal docente dependiente del Rectorado de la Universidad de Sevilla, propuesto a la Comisión de Cultura y Enseñanza para que sean sancionados», pp. 7-8. Archivo Histórico, Universidad de Sevilla, leg. 1992-10.

[27] Orden de 19 de junio de 1937. *Boletín Oficial del Estado* (en lo sucesivo, BOE), Burgos, 22 de junio de 1937, p. 2015.

[28] Centro Documental de la Memoria Histórica, Salamanca (en lo sucesivo, CDMH), Tribunal Especial para la Represión de la Masonería y el Comunismo, exp. 6285. También, *ibid.*, Tribunal Nacional de Responsabilidades Política, exp. 75/00110.

[29] Orden de 2 de agosto de 1965. BOE, 25 de agosto de 1965, p. 11857.

[30] Real Decreto de 2 de junio de 1977. BOE, 4 de julio de 1977, pp. 14941-14942.

[31] Aunque sobre este asunto se conservan fuentes en varios archivos españoles y franceses, hay que destacar, por su variedad e importancia, la documentación correspondiente a la enseñanza en el Campo de Saint-Cyprien del Fondo *Josep Mir Fabrèch*, integrado, a su vez, en el Fondo *Magisteri Exiliat de Catalunya*, de la Biblioteca de la Universitat de Girona.

[32] *Rapport d'André Jean-Faure à la suite de son inspection du camp de Rivesaltes*, 4 de junio de 1942. Archives Nationales de France, Pierrefitte-sur-Seine (en lo sucesivo, ANF), F/7/15105, dossier 2c, pp. 30-31.

[33] *Rapport d'André Jean-Faure à la suite de son inspection du camp de Gurs*, 10 de noviembre de 1941. ANF, F/7/15104, dossier 2, rapport 2, pp. 78-79 y 201-204. También, Archives Départementales des Pyrénées-Atlantiques, Pau, 500 W 13 y 500 W 15, con copias en United States Holocaust Memorial Museum, Washington, Accession Number 2002.280.

[34] Según el Centro Mundial de Conmemoración de la Shoá, *Yad Vashem*, Jerusalén, Ilse Hamburger fue transportada en un tren de mercancías de la SNCF francesa, el llamado *Convoi 17*, que partió de Gurs el 5 de agosto de 1942, escoltado por gendarmes franceses. Tras pasar por el Campo de Drancy, llegó a Auschwitz-Birkenau el 13, en un tren de transporte de animales, desde el que Ilse fue conducida directamente a las cámaras de gas. Otras informaciones complementarias aparecen en su ficha en los archivos federales alemanes. Bundesarchiv, Berlín, Gedenkbuch, Opfer der Verfolgung der Juden unter der nationalsozialistischen Gewaltherrschaft in Deutschland 1933-1945. Por otra parte, una *stolperstein*, es decir, una piedra memorial de los deportados, recuerda su paso por Gurs y Auschwitz frente a la que era su casa, en la ciudad de Friburgo de Brisgovia.

[35] Examen de 1 de junio de 1907. AHPFL, leg. 16179, exp. 10.

[36] Art. 40 del Real Decreto de 25 de octubre de 1901. GM, 30 de octubre de 1901, p. 497.

[37] Art. 37, *ibid.*

[38] Resolución de 12 de septiembre de 1932. GM, 21 de septiembre de 1932, p. 2106.

[39] Carta del Ministro de Instrucción Pública y Bellas Artes a Unamuno, en copia al director del Instituto. Salamanca, 30 de octubre de 1912. AHPFL, leg. 17287, exp. «Correspondencia recibida del Rectorado y Ministerio, 1912».

[40] Manuel Azaña firmó el Decreto de 22 de agosto de 1936. GM, 23 de agosto de 1936, p. 1427. Francisco Franco, por su parte, rubricó el Decreto de 22 de octubre de 1936. BOE, 28 de octubre de 1936, p. 54.

[41] Orden de 19 de agosto de 1936. *Boletín Oficial de la Junta de Defensa Nacional de España*, 21 de agosto de 1936, pp. [3]-[4].

[42] Circular sin fecha, *ibid.*, 19 de septiembre de 1936, pp. [3]-[4].

[43] Libro de Registro de entrada de correspondencia en el Rectorado, 24 de agosto de 1936. Archivo Universidad de Salamanca (en lo sucesivo, AUSA), LR493, s. f., registro 2144.

[44] AHPFL, leg. 16010, exp. 12.

[45] AGA, Fondo Ministerio de Educación Nacional, Serie Expedientes de depuración de maestros nacionales, exp. 32/12894.

[46] Por llamativa, puede verse la circular de la Inspección Provincial de Primera Enseñanza de Cáceres, de 20 de octubre de 1936. Los puestos de, nada menos, 29 maestros y 10 maestras son cubiertos en un solo día por personas leales a los franquistas. *Boletín Oficial de la Provincia de Cáceres*, 24 de octubre de 1936, pp. 2-3. Un ejemplar en la Biblioteca Pública del Estado, Cáceres.

[47] Los cinco varones que se formaron en el Instituto de Salamanca, su periodo de estudio y las referencias de los expedientes académicos son: Fernando de Unamuno Lizárraga (1903-1909), AHPFL, leg. 16719, exp. 17; Pablo (1905-1911), *ibid.*, exp. 14; José (1911-1916), *ibid.*, exp. 12; Raimundo Rafael (1916-1924), *ibid.*, exp. 13; Ramón (1920-1925), *ibid.*, leg. 16718, exp. 11.

[48] El expediente de María Unamuno (matriculada entre 1931 y 1933), en *ibid.*, leg. 16718, exp. 12.

[49] A pesar de que en la lápida que comparte con su padre en el cementerio de Salamanca figura la fecha del 12, Salomé falleció en realidad el día 11 de julio, como figura, por ejemplo, en la esquela publicada en *El Adelanto*, Salamanca, 12 de julio de 1934, p. 5.

[50] Libro de Registro de salida de correspondencia del Rectorado, 31 de diciembre de 1934. AUSA, LR192. f. 180 vto., registro 1562.

[51] Cuando se menciona «tarjetas» se hace referencia a tarjetas de presentación; cuando se menciona «postales» se alude a «tarjetas postales».

[52] Libro de Registro de entrada de correspondencia en el Rectorado, 1900-1905. AUSA, LR155, f. 16 vto., registro 18.

[53] Carta de Fermina Santos, fechada el 29 de junio de 1901.

[54] Carta de Manuela Martínez Mendizábal, fechada el 18 de diciembre de 1900.

[55] Carta de Manuela Martínez Mendizábal, fechada el 25 de mayo de 1901.

⁵⁶ Carta de Eustaquia Larrainzar, fechada el 14 de febrero de 1900.

⁵⁷ Disposición de la Subsecretaría del Ministerio de Instrucción Pública y Bellas Artes, 3 de abril de 1901. Libro copiador de Órdenes de la Dirección General. AUSA, LR163, f. 80 vto., registro 61.

⁵⁸ Petición de la Subsecretaría del Ministerio de Instrucción Pública y Bellas Artes, 22 de junio de 1901. *Ibid.*, f. 92 vto., registro 130.

⁵⁹ Informe del rector Unamuno, 4 de julio de 1901. Libro copiador de salida de correspondencia a la superioridad. AUSA, LR214, ff. 222-223, registro 174.

⁶⁰ Disposición de la Subsecretaría del Ministerio de Instrucción Pública y Bellas Artes, 9 de julio de 1901. Libro copiador de Órdenes de la Dirección General. AUSA, LR163, ff. 91 vto.-92, registro 125.

⁶¹ «Tribunales para escuelas». *La Correspondencia de España*, Madrid, 22 de noviembre de 1902, p. 3.

⁶² Real Orden comunicada, 8 de octubre de 1904. GM, 15 de octubre de 1904, p. 192.

⁶³ Real Orden, 20 de febrero de 1909. *La Educación*, Madrid, núm. 24, 30 (sic) de febrero de 1909, p. [1].

⁶⁴ Los detalles de su expediente, de su fallecimiento y de la reclamación de los herederos aparecen en varias fuentes. Por su detalle, v. Real Orden comunicada, 26 de agosto de 1910. *Gaceta de Instrucción Pública y Bellas Artes*, Madrid, 20 de septiembre de 1910, p. 396.

⁶⁵ Carta de Florinda Gutiérrez, fechada el 24 de noviembre de 1931.

⁶⁶ Carta de María Carbón, fechada el 6 de mayo de 1931.

⁶⁷ Carta de Concepción Barco y Lozano, fechada el 26 de septiembre de 1931.

⁶⁸ Carta de Consuelo Moras, fechada el 20 de octubre de 1922.

⁶⁹ Carta de Carolina Marcial Dorado, fechada el 13 de marzo de 1935.

⁷⁰ Carta de Carolina Marcial Dorado, fechada el 20 de marzo de 1935.

⁷¹ Carta de María de Maeztu, fechada el 10 de octubre de 1933.

⁷² Carta de Concepción Sáiz, fechada el 30 de octubre de 1913.

⁷³ Carta de Teresa Raveca, fechada el 8 de mayo de 1930.

⁷⁴ Carta de Guadalupe Delgado, fechada el 8 de febrero de 1933.

⁷⁵ Carta de Elizabeth Hadley Hunt, fechada el 20 de julio de 1932.

⁷⁶ Carta de Aurora Mena, fechada el 10 de septiembre de 1916.

⁷⁷ Carta de Prudencia Daza, fechada el 4 de julio de 1902.

⁷⁸ Carta de Julita Alonso Casado, fechada el 24 de enero de 1901.

⁷⁹ Carta de Angelina García Ladevese, fechada el 24 de mayo de 1931.

⁸⁰ Carta de Leonor Serrano, sin fechar.

⁸¹ Carta de Eduvigis Simón García, fechada el 23 de julio de 1930.

⁸² Carta de Juana Marrero, fechada el 5 de marzo de 1923. Se ha mantenido en la transcripción el formato de escritura, alineado a la derecha, que presentaba la epístola.

⁸³ Carta de Claire Lautiere, sin fechar.

⁸⁴ Carta de Mary Stephenson, fechada el 19 de mayo de 1928.

⁸⁵ Carta de Clotilde Maurin de Korlowski Figarola, fechada el 14 de octubre de 1929.

⁸⁶ Carta de Ria Schmidt-Koch, fechada el 28 de febrero de 1935.

⁸⁷ Carta de Leonor Rocttig, fechada el 11 de octubre de 1931.

⁸⁸ Carta de Madame A. Duprat, fechada el 18 de noviembre de 1936.

⁸⁹ Carta de Gabriela Mistral, sin fechar.

⁹⁰ Carta de María Luisa García-Dorado Seirullo, fechada el 7 de marzo de 1924.

⁹¹ Carta de Fidela Díaz Yanes, fechada el 2 de junio de 1931.

⁹² Carta de Inés Gay, fechada el 12 de mayo de 1914.

⁹³ Carta de María González Almendral, fechada el 31 de agosto de 1914.

⁹⁴ Carta de Julia Pérez del Olmo, fechada el 20 de mayo de 1934.

RESUMEN: Esta investigación centra su objeto de estudio en la correspondencia enviada a Miguel de Unamuno por mujeres de principios del siglo XX vinculadas al mundo de la educación. Para ello, se ha optado por una metodología mixta con aportaciones cuantitativas y, principalmente, cualitativas, a través de un análisis de contenido de 136 cartas, 7 tarjetas de presentación y 7 postales enviadas entre 1900 y 1936 por 85 mujeres. Dicho análisis permite realizar un doble acercamiento: por una parte, al contexto educativo femenino, reflejado en las cartas de maestras, directoras, estudiantes y opositoras, lo que a su vez describe el contexto social, cultural y político de la época; y, por otra, a Unamuno bajo la perspectiva particular que ofrecen las confidencias recogidas en el ámbito privado de las epístolas de estas mujeres.

Palabras clave: correspondencia; cartas; Unamuno; educación; género.

ABSTRACT: This research focuses its object of study on the correspondence sent to Miguel de Unamuno by women from the early twentieth century linked to the world of education. For this purpose, a mixed methodology has been chosen, with quantitative and, mainly, qualitative contributions, through a content analysis of 136 letters, 7 business cards and 7 postcards sent between 1900 and 1936 by 85 women. This analysis allows a double approach: on the one hand, to the female educational context, reflected in the letters of female teachers, headmistresses, students, and applicants for public school, which in turn describes the social, cultural and political context of the time; and, on the other hand, the messages reveal Unamuno under the particular perspective offered by the confidences collected in the private sphere of the letters of these women.

Key words: correspondence; letters; Unamuno; education; gender.

DOI: https://doi.org/10.14201/ccmu.

UNAMUNO Y ANITA BRENNER

Eduardo SAN JOSÉ VÁZQUEZ
Universidad de Oviedo
joseeduardo@uniovi.es

La relación entre Miguel de Unamuno y la escritora mexicana Anita Brenner, quien lo admiró, lo trató por carta, lo visitó en Salamanca y lo divulgó, sobre todo en Estados Unidos, merece rescatarse como un episodio singular de la recepción americana del autor español. El estudio de la cuestión ofrece, por lo pronto, aportaciones novedosas, comenzando por la aparición de esta figura en la lista de los admiradores y apologistas de Unamuno, y siguiendo por las poco conocidas cartas que ambos se cruzaron. A causa de este carácter de primicia, no extraña que haya habido cierta confusión entre algunos estudiosos unamunianos que, al tropezarse con el nombre de Anita Brenner, lo tomaron por el seudónimo de un autor mexicano (Gordo Piñar, 2013: 311). En este orden de novedades destaca el hallazgo textual de un largo reportaje inédito sobre la figura de Unamuno a cargo de la autora mexicana, escrito presumiblemente en 1931 para *Scribner's Magazine* y sobre el que aquí se arroja luz por primera vez.

Otro punto de interés de esta investigación es revisar la cronología del giro reaccionario de Unamuno durante la Segunda República Española, antes de las declaraciones explícitas del escritor en los años previos a la Guerra Civil. Como piedra de toque de las fechas de esa transformación podrán utilizarse a partir de ahora los testimonios de las crónicas periodísticas de la autora en 1933. Interesa también su reacción ante la muerte de Unamuno, que no fue otra que la omisión y el aparente desinterés. Una mirada superficial podría suponer que estamos ante una no-recepción digna de estudio, un silencio elocuente ante la muerte del autor por parte de alguien que, como Anita Brenner, había escrito de él con alguna frecuencia en años anteriores. Podría aventurarse entonces que la causa de ese silencio fue esa penúltima deriva reaccionaria de Unamuno; pero lo cierto es que, como se verá, Anita Brenner, simpatizante del POUM en España y agitadora de la causa trotskista en México y Estados Unidos, ya se refería a ese giro «fascista» de Unamuno al menos desde 1933, cuando más escribía sobre el autor vasco y sin que ese hecho sirviera para discutirle la admiración. Así que en ese aparente desinterés quizá operaron otras preocupaciones más urgentes en los artículos y crónicas españoles de Anita Brenner de comienzos de 1937.

1. ANITA BRENNER Y LA ESCRITURA DE LA INTRAHISTORIA MEXICANA

Ante todo, es necesario presentar a Anita Brenner, explicar sus estancias discontinuas en España, que fueron tres, entre 1930 y 1936, y el significado que aportó Unamuno, su modelo intelectual y su crítica intrahistórica del ser español, tanto en la interpretación del México histórico y contemporáneo de la escritora como en su visión de España.

Anita Brenner fue una antropóloga, crítica de arte, periodista y activista política de doble raíz mexicana y estadounidense nacida en Aguascalientes en 1905, hija de emigrantes letones judíos radicados primero en Chicago, Estados Unidos, y por fin en México. Durante la Revolución Mexicana, la familia, que había alcanzado cierta prosperidad en Aguascalientes, se vio forzada a abandonar el país e instalarse en San Antonio, Tejas. A partir de entonces, la vida de Anita Brenner trascurrió a ambos lados de la frontera entre México y Estados Unidos y llegaría a convertirse en una destacada mediadora de las dos grandes culturas de la América del Norte. Baste un dato: en 1937 fue la persona designada como enlace para conseguir el asilo político de Trotsky en México, que ella facilitó al mediar entre el Gobierno de los Estados Unidos y el de su país, en una misión secreta limitada a media docena de personas (Gall, 2002). Pero en México, al cual siempre reivindicó como su país pese a una extensa obra literaria y periodística escrita casi siempre en lengua inglesa, es conocida por ser una personalidad decisiva en el llamado Renacimiento Mexicano, un movimiento esencialmente artístico que vinculamos a nombres como Diego Rivera, David Alfaro Siqueiros, José Clemente Orozco, Carmen Mondragón (Nahui Olin), Miguel Covarrubias, Francisco Goitia, Rufino Tamayo o la presencia algo posterior de Frida Kahlo, entre muchos otros. Brenner le proporcionó a este movimiento el nombre (en un artículo doble de 1928 escrito con el pintor Jean Charlot, «The Mexican Renaissance», «Une Renaissance Mexicaine»), y dio forma a su primer relato histórico, a su nómina y a su conceptualización crítica, además de servir de puente ocasional entre sus artistas y los galeristas y coleccionistas estadounidenses y neoyorquinos.

Sus dos libros más influyentes son el ensayo *Idols Behind Altars* (1929), donde culminó la caracterización del Renacimiento Mexicano, y que no se tradujo al español hasta algún tiempo después de su muerte, sucedida en 1974 (*Ídolos tras los altares*, 1983); y *The Wind That Swept Mexico* (1942), que fue la primera historia general de la Revolución Mexicana y el primer gran aporte documental para la misma, por su importante colección fotográfica; un libro que en su caso fue traducido enseguida, como *El viento que barrió México* o *La Revolución en blanco y negro*, en las dos ediciones de un libro que aún hoy es manual de referencia para los bachilleres y universitarios mexicanos.

Su labor como crítica de arte e historiadora trasluce su visión de México, alineada con el pensamiento crítico de la Revolución Mexicana que viene a representar el propio Renacimiento Mexicano, en su rechazo a la institucionalización revolucionaria y la oposición al diseño cultural de la nueva república. Este estaba fundamentado en el mestizaje criollizante delineado esencialmente por José Vasconcelos, frente al que los artistas del Renacimiento Mexicano oponen una coexistencia multicultural no exenta de conflicto. Entre 1927 y 1930, Anita Brenner estudia bajo el magisterio de los padres de la antropología moderna y del relativismo antropológico: Franz Boas, en Columbia University, y Manuel Gamio, con quien terminó por formarse como antropóloga, en la entonces Universidad Nacional de México. A través de ellos, también se muestra influida por las observaciones sociológicas de Ortega y Gasset (reseñaría la traducción inglesa de *España invertebrada* en agosto de 1937) y, sobre todo, de Unamuno, cuya noción de intrahistoria recorre tanto sus ensayos mexicanos como las crónicas españolas que escribió entre 1933 y 1937 para la prensa neoyorquina, que hemos recuperado recientemente en forma de libro, traducidas con el título *Hoy las barricadas. Crónicas de la Revolución Española, 1933-1937* (Brenner, 2021). Es la suya una escritura que recoge la aspiración, menos romántica que unamuniana, a expresar el *volkgeist* o, en términos más contemporáneos, el inconsciente colectivo de un pueblo.

¿Cómo se muestra esa concreta influencia en la visión cultural de México de Anita Brenner? Tal como puede leerse en *Ídolos tras los altares*, la intrahistoria mexicana interrumpe recursivamente un relato cultural de asimilación y endoculturación emanado verticalmente desde el poder (virreinal o republicano), como una red subterránea de insurgencias. Este espíritu popular (indígena, mestizo o criollo) comparte, también, continuidades esenciales: su rechazo del tiempo histórico lineal; por ello, su profundo escepticismo; su visión, de ahí, fatalista y hasta gozosa de la muerte; y, sin embargo, su vivencia agonística, su perpetua aspiración mística. Fatalismo y renuncia temporal aunados al anhelo metafísico. Esto, desde el *tzompantli* mexica al *ecce homo* barroco o la *vacilada* criolla de la muerte; desde la circularidad panteísta del tiempo histórico maya a la negación del progreso histórico lineal en los frescos de los muralistas, artistas que tan mal encaje acabaron encontrando en los límites oficiales y reductores de la propia Revolución (San José Vázquez, 2010). Nada que no hubieran anticipado para el espíritu popular español ensayos unamunianos como *En torno al casticismo* (1895) o *Del sentimiento trágico de la vida* (1912).

Sabemos por sus diarios personales, editados por su hija y biógrafa Susannah J. Glusker (Brenner, 2010), que la devoción unamuniana de Anita Brenner era temprana. Al hacer la entrevista de acceso para el doctorado de la Universidad de Columbia, en septiembre de 1927, lo revelaba expresivamente:

> Tuve un examen informal en el Departamento de Español. Es decir, una conversación con Onís [Federico de Onís, alumno y discípulo de Unamuno en Salamanca], a petición escrita de Boas, y Onís declaró que tengo los conocimientos de licenciatura y todo lo que enseñan en Literatura Española y Pan-americana. Fue muy sencillo; solo le di mis opiniones sobre los poetas y lánguidamente mis juicios sobre Prieto (Pradillo), Gutiérrez Nájera, etc., etc. También le dije que prefiero a Unamuno y a Ortega y Gasset que a los poetas españoles modernos... y *voilá*, terminó el examen[1]. (trad. en López Arellano, 2017, 338).

2. UNAMUNO Y ANITA BRENNER: CRONOLOGÍA DE UNA RELACIÓN

Para comprender el alcance de la influencia unamuniana y analizar la historia de la relación entre Anita Brenner y Unamuno es fundamental conocer los tres viajes de la mexicana a España. El primero, en 1930, en el curso de un *grand tour* europeo que el joven matrimonio que entonces eran Anita y el médico judío de

Brooklyn David Glusker emprendía como parte de su viaje de bodas. La otra media luna de miel consistió en un viaje por el estado de Guerrero para investigar el arte popular de aquella zona mal conocida del país. Ambas estancias las sufragaron gracias a los fondos de la beca Guggenheim que acababan de conceder a Anita. En su periplo europeo, la pareja recorrió los enclaves obligados y pintorescos del Viejo Continente. Anita aprovechó para visitar en Berlín a su todavía amiga Tina Modotti, de quien en poco tiempo la separarían fuertes desavenencias políticas y que entonces había sido expulsada de México tras la confusa muerte de su pareja Julio Antonio Mella, líder en el exilio del Partido Comunista de Cuba, de la que había sido acusada. Pero, lo que interesa ahora, aquel viaje de 1930 propició también, después de un breve intercambio epistolar, el encuentro de Anita y Unamuno en España, como vamos a ver.

El contacto entre ambos se remonta a un año antes, 1929, cuando Unamuno lee, evidentemente en inglés, el primer libro de Anita Brenner, el citado ensayo *Idols Behind Altars*, que más tarde comentará en uno de sus artículos. Esto inicia una relación epistolar que se verá ampliada con la visita de la mexicana a Unamuno.

Así, pues, de septiembre y noviembre de 1929 se conservan en la Casa Museo de Unamuno, en Salamanca, dos cartas del director de publicidad de la editorial neoyorquina Payson & Clarke al escritor, a fin de tantear su interés en recibir el libro (Figuras 1 y 2). En la segunda de esas cartas los editores le anuncian ya el envío, quizá una vez manifestado el asentimiento de Unamuno en carta que no conservamos. Con toda probabilidad, el envío postal de los editores se debió al impulso personal de la autora, si bien Unamuno tampoco sería un destinatario antinatural de ese libro, pues Payson & Clarke era la responsable de la edición americana de *La agonía del cristianismo*, que, traducida por el crítico y dramaturgo Pierre Loving, había visto la luz en 1928.

¿Cuál pudo ser el itinerario de estos contactos iniciales? Creo que, además de la afición unamuniana de Anita Brenner, operan otros canales plausibles para que se le hubiera ocurrido enviarle al autor español el fruto de su debut literario: la propia editorial, como se ha visto; Federico de Onís, en Columbia University; o, con mayor verosimilitud, varias de las compañías de Unamuno en su actual exilio francés. Estaba por entonces en Hendaya pero había residido hasta hacía poco tiempo en París, donde frecuentaba la Brasserie de la Rotonde de Montparnasse, a la que en su libro *Cómo se hace una novela* se refería como la Rotonde de Trotsky[2], pues este había sido un *habitué*. Allí, junto a otros exiliados españoles del mismo círculo, como Julián Gorkin, que en 1935 estaría entre los fundadores del POUM, figuraba el dramaturgo y crítico teatral catalán, muy amigo de Anita Brenner, Francisco Madrid, heterónimo de Carlos Madrigal, republicano liberal que partiría al exilio argentino en los primeros meses de la Guerra Civil (San José Vázquez, 2021: 21).

Unamuno accede, pues, al ofrecimiento editorial y, más aún, corresponde al envío con una carta gratulatoria dirigida a Anita Brenner a través de los mismos editores. Está fechada en Hendaya el 5 de diciembre de [1929]. En realidad, el año

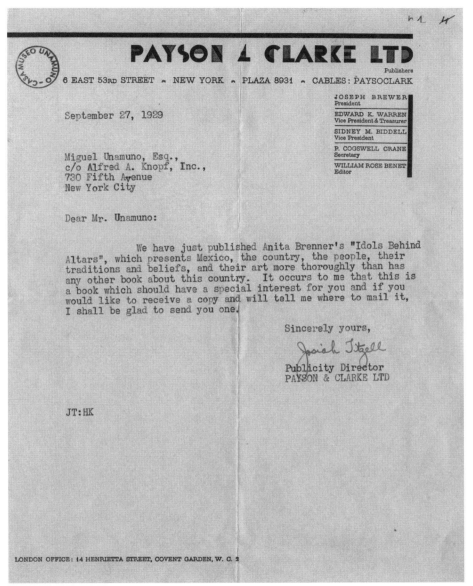

Figura 1: Carta del director de publicidad de Payson & Clarke a Unamuno, Nueva York, 27-IX-1929 (Casa Museo Unamuno).

que figura en la data de la carta es 1920. Gordo Piñar, quien recupera este olvidado documento en unas páginas del periódico mexicano *Excélsior* dedicadas a Anita Brenner al poco de su muerte, en diciembre de 1974, supone que la fecha real sería diciembre de 1930 (Gordo Piñar: 315)[3]; pero esto no puede ser por varias razones. Recuérdese que Unamuno estaba exiliado en Francia desde que en 1925 se evadiera de su destierro en Fuerteventura, y desde agosto de ese año en Hendaya, donde permanecería hasta febrero de 1930, por lo que la carta no podía haber salido de allí en diciembre de ese año. Más aún, como está a punto de verse, esa datación chocaría con la cronología del intercambio epistolar posterior.

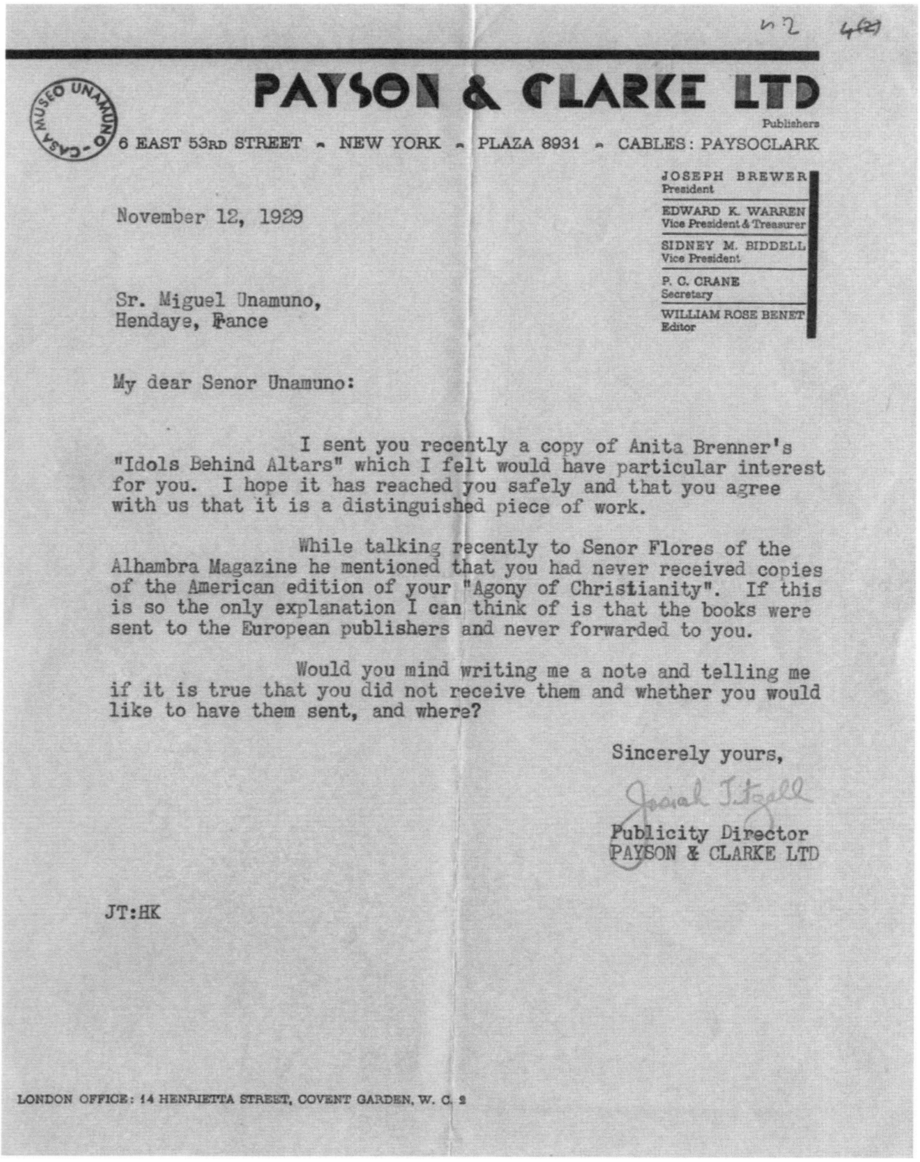

PAYSON & CLARKE LTD
Publishers

6 EAST 53RD STREET ⁓ NEW YORK ⁓ PLAZA 8931 ⁓ CABLES: PAYSOCLARK

JOSEPH BREWER
President

EDWARD K. WARREN
Vice President & Treasurer

SIDNEY M. BIDDELL
Vice President

P. C. CRANE
Secretary

WILLIAM ROSE BENET
Editor

November 12, 1929

Sr. Miguel Unamuno,
Hendaye, France

My dear Senor Unamuno:

I sent you recently a copy of Anita Brenner's
"Idols Behind Altars" which I felt would have particular interest
for you. I hope it has reached you safely and that you agree
with us that it is a distinguished piece of work.

While talking recently to Senor Flores of the
Alhambra Magazine he mentioned that you had never received copies
of the American edition of your "Agony of Christianity". If this
is so the only explanation I can think of is that the books were
sent to the European publishers and never forwarded to you.

Would you mind writing me a note and telling me
if it is true that you did not receive them and whether you would
like to have them sent, and where?

Sincerely yours,

Josiah Titzell

Publicity Director
PAYSON & CLARKE LTD

JT:HK

LONDON OFFICE: 14 HENRIETTA STREET, COVENT GARDEN, W. C. 2

Figura 2: Carta del director de publicidad de Payson & Clarke a Unamuno, Nueva York, 12-XI-1929 (Casa Museo Unamuno).

En la entrada de su diario personal correspondiente al miércoles 19 de febrero de 1930, Anita Brenner acusaba emocionado recibo de la misiva de Unamuno: «*Ídolos* ha sido lo bastante exitoso como para granjearme cartas de personas ilustres; aprecio dos de ellas en particular: Unamuno y Richard Hughes» (Brenner, 2010: 759; la traducción es nuestra)[4].

La carta, como era costumbre en Unamuno y comprueba quien se asoma a su desbordante correspondencia, o a lo que el propio Unamuno llamaba su «epistolomanía» (Rabaté, 2009: 461), excede la simple cumplimentación de orden social o profesional y se adentra con generosidad en la autobiografía y la confidencia.

El sentido de la misiva es agradecer a la autora «el placer y la instrucción» (Gordo Piñar, 2013: 315) que ha experimentado con la lectura del libro, lo que enseguida le da pie a la reflexión.

Para comprender esa respuesta generosa, debemos aclarar el interés de Unamuno por América y en concreto por México. Su padre, Félix de Unamuno y Larraza, había sido indiano en México, a donde emprendió viaje joven y regresó «ya maduro, hacia 1860», según la carta. Escribía, pues, a Anita Brenner, para justificar su particular interés mexicano:

> Mi padre, vasco como yo, salió de su villa natal, Vergara, muy joven [...] y se fue a Méjico, a tierra caliente, a Tepic y Mazatlán, donde pasó su juventud y algo más. Ya maduro, hacia 1860, volvió, indiano, casó con una sobrina carnal, mi madre, murió teniendo yo seis años, pero en mi casa se ha conservado la tradición del gachupín. Entre los primeros libros que leí, varios de ellos traídos por mi padre de Nueva España, estaba la historia del antiguo Méjico del P. Clavigero y a mis doce años conocía el calendario azteca y contemplaba jeroglíficos aztecas. Más de una vez leí esos libros sobre una mesa cubierta con un magnífico zarape cuyos colores se mantienen aún tan frescos y vivos como mis recuerdos. En el álbum de familia de mi casa figuraban, únicos extraños a ella, dos retratos, uno de Benito Juárez, otro de Abraham Lincoln. Y este mi conocimiento, aunque sea por libros, con Méjico desde mi niñez, me ha hecho ver con cuánto acierto se le llamó Nueva España. (Gordo Piñar: 65).

Parte de estas reflexiones epistolares sobre la huella biográfica de México remedan párrafos de su artículo «Mi visión primera de México» (1907), pero otras añaden datos biográficos que no tenemos sino por vía de la carta a Anita Brenner:

> Mi padre dejó una modesta biblioteca, en la que apacenté mi espíritu infantil. Y dejó no pocos objetos que recordaban a aquel Méjico lejano donde pasó su juventud, y de que oía yo hablar a menudo en casa.
>
> Durante mucho tiempo ha servido de sobremesa en mi casa paterna un precioso poncho mejicano, de fino estambre y finos colores, recio y flexible.
>
> Hay dos fisonomías que me son familiares desde que empezaron a grabarse en mi mente las caras de los hombres, y son el rostro barbudo de Abraham Lincoln, con su aspecto cabruno, y el rostro lampiño del indio Juárez, de quien oí decir no poco. (Gordo Piñar: 63).

La curiosidad indiana de Unamuno, su deseo de permanecer informado de la actualidad política y cultural de los países hispanoamericanos, es constante y ha sido muy estudiada (Chaves, 1964; García Blanco, 1964). El número crecido de los corresponsales americanos de Unamuno se revela nítidamente en el *Epistolario americano* del escritor, editado por Laureano Robles (Unamuno, 1996). Sin embargo, este breve ciclo de cartas con Anita Brenner no aparece recogido en este ni en el resto de volúmenes con la correspondencia del escritor publicados hasta la fecha (Unamuno, 1965; 1991; 1996; 2012; 2017). El estudio de ese epistolario americano revela que ambos tenían conocidos en común de Estados Unidos y de

México, como Waldo Frank, Alfonso Reyes o Martín Luis Guzmán, a quien Unamuno menciona en su carta a Anita Brenner: «Hace pocos días se detuvo aquí unas horas de paso a París para pasarlas conmigo mi buen amigo Martín Luis Guzmán, que no conocía su libro. Me habló de usted y quiso saber su paradero. Le dije que formaba usted parte de *The Nation*» (Gordo Piñar: 285).

Resulta llamativo que fuera Unamuno quien informara a Martín Luis Guzmán del libro de Anita Brenner, que el novelista mexicano aún no conocía, y que lo pusiera al corriente de su vinculación en curso con *The Nation*. En esa carta, además de los elogios al libro, Unamuno se extiende en algunas puntualizaciones y desacuerdos sobre el Renacimiento Mexicano que, de todas formas, Anita Brenner quizá estaba próxima a compartir. La más destacada, su crítica al «comunismo estético» o de pose del Sindicato de Obreros Técnicos, Pintores y Escultores liderado por Siqueiros.

En cuanto a la visión unamuniana de México, expresada con ocasión de elogiar la interpretación histórica del libro de Brenner, el escritor enfatiza la identificación esencial entre el carácter y la cultura de los «indios» y el ser intemporal de España, a partir de lo que el ensayo de Brenner identifica como el «misticismo agonístico» indígena y su continuidad ontológica en el barroco español. No necesita escribirlo así, pero Unamuno está leyendo una demostración amerindia del «sentimiento trágico de la vida», y se complace en ello.

Además de esta carta de Unamuno, se conservan dos de Anita Brenner al escritor, ambas custodiadas en la Casa Museo del autor. La primera, datada en Nueva York el 20 febrero de 1930 (Figura 3), es para agradecerle el envío de la generosa misiva de Hendaya al «ilustre maestro» –que es como lo apela de entrada quien luego se despide de él como su «discípula y servidora» (Brenner, 20-II-1930, 1, 3)–, además de para felicitarlo por su reciente regreso a España y mostrarse dispuesta a visitarlo si viaja al país. Unamuno, en efecto, acaba de retornar a España tras la dimisión de Primo de Rivera el 28 de enero, y el 9 de febrero cruza el puente internacional sobre el Bidasoa para alcanzar por fin Irún. Le escribe, pues, Anita:

> El tiempo que me traba me proporciona también un gran placer, pues acabo de saber por la prensa, algo de su regreso triunfal; y todo joven sensible de habla española siente un deleite íntimo y personal como el mío, por el simbólico desenlace de su grandiosa actitud. Su gesto heroico nos llena de humildad y de asombro; surge de cosas idiomáticas, y es monumento de nobleza humana. [...]
>
> Mi timidez se transforma antitéticamente al concluir, pues pido [...] que cuando vaya yo a España me permita Ud. pasar por Salamanca o por donde Ud. esté, y de aprendiz saber algo del pueblo místico y riente y conquistador de tanto amor; y para repetirle, tartamudeando, mis azoradas gracias por su atención. (Brenner, 20-II-1930, 3)

La segunda misiva, con membrete del Gran Hotel de Salamanca, del 19 de octubre de 1930 (Figura 4), corresponde a la mencionada primera estancia española

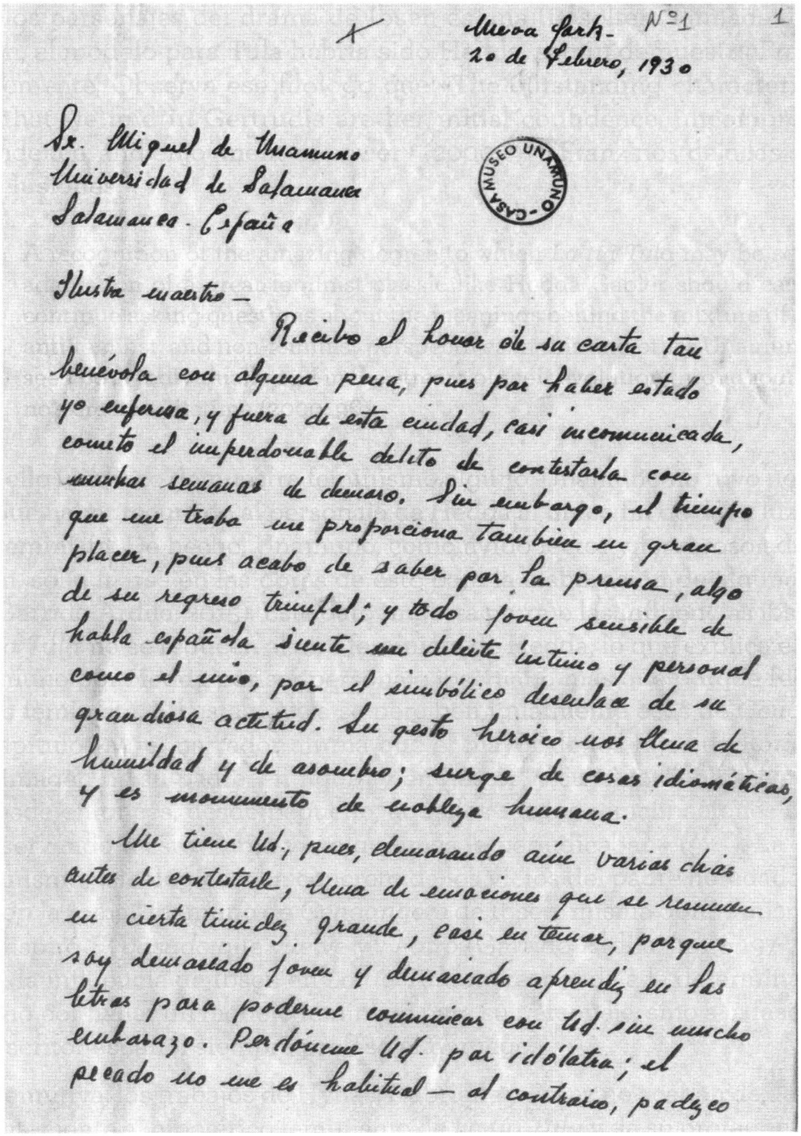

Figura 3: Primera página de la carta de Anita Brenner a Unamuno, Nueva York, 20-II-1930 (Casa Museo Unamuno).

del *grand tour* europeo de recién casados y es poco más que un billete para anunciarle, en efecto, su presencia en la ciudad y su deseo de visitar a su «ilustre maestro», como vuelve a llamarlo, cuando él disponga: «Traigo la ilusión de una charla siquiera, para poder darle las gracias de nuevo por sus benévolas palabras acerca de mi libro, y sobre todo para poder decirle cuánto admiro y cuánto siento su obra» (Brenner, 19-X-1930).

Parece que el encuentro sucedió ese mismo día, pues con idéntica fecha se conserva una breve carta de presentación de Anita Brenner dirigida por Unamuno a José Ortega y Gasset.

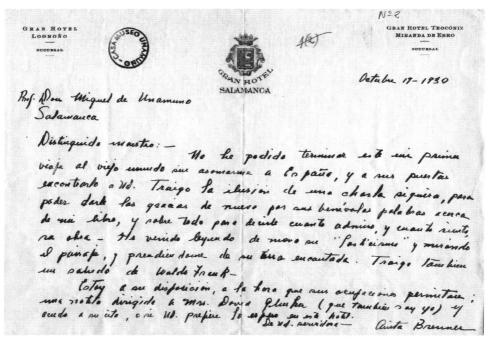

Figura 4: Carta de Anita Brenner a Unamuno, Salamanca, 19-X-1930 (Casa Museo Unamuno).

Mi querido amigo y compañero: Usted debió de recibir un libro, en inglés, sobre Méjico, sobre todo de su arte popular, de una mejicana, Anita Brenner. Ahora viene en viaje a España y quisiera conocerle y hablar con usted. Es la que le presenta esta carta. Y no creo que hace falta más. (Ortega y Gasset, 1987: 148)

La visita ofrece el testimonio adicional de un retrato dedicado de Unamuno, con la leyenda manuscrita «A Anita Brenner, recuerdo de Salamanca, XI 1930». Gordo Piñar supone que acompañaba la carta de Unamuno a Anita Brenner, lo que por analogía la induce a datar esta, equivocadamente, en 1930; pero todo hace que pensar que debe de corresponder, en su lugar, a un obsequio personal en recuerdo de la visita al escritor.

Por lo mismo, es preciso reasignar a esta visita y datar correctamente en ese momento las fotografías de su encuentro con Unamuno (Figuras 6 y 7) que hasta ahora se habían ubicado erróneamente hacia 1932 o 1933 (Brenner, 2010, 759: San José Vázquez, 2021: apéndice).

3. UNAMUNO EN LAS CRÓNICAS PERIODÍSTICAS DE ANITA BRENNER

Anita Brenner vuelve a España como periodista *freelance* para varias publicaciones neoyorquinas en 1933, en la que será su estancia más larga en el país, de más de medio año, y la más fructífera en lo que a escritos suyos se refiere. No tenemos pruebas de la continuidad de la relación entre Anita y Unamuno en ese intermedio entre 1930 y 1933 o durante la citada segunda visita a España. Sí solo que de ese año de 1933 es el primer comentario público de Unamuno a

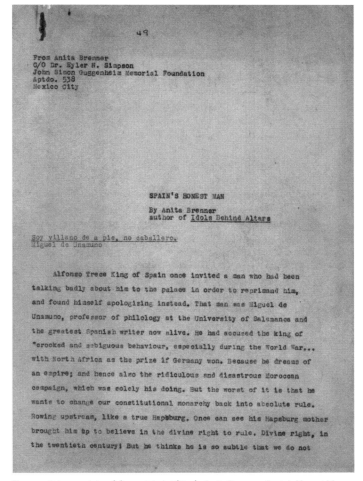

Figura 5: Primera página del reportaje inédito de Anita Brenner «Spain's Honest Man» (Harry Ransom Center, University of Texas, Anita Brenner's Archive).

Idols Behind Altars, en el artículo «De nuevo la raza», publicado el 12 de octubre de 1933 en el diario salmantino *El Adelanto* y en otros periódicos de provincias (*El Pueblo Gallego*, *Heraldo de Aragón*, etc.), en coincidencia, por lo tanto, con la segunda visita de Anita Brenner a España, lo que no hace difícil suponer que ambos pudieran haber reeditado su encuentro de 1930:

> [...] Nuestra Señora de Guadalupe [...] fue la que arraigó en tierras mejicanas y se hizo un ídolo de los indígenas mejicanos [...], se indianizó, se mejicanizó y entró a formar parte del panteón mitológico de aquellos pueblos. Lo que no quiere decir, ¡claro está!, que los más de sus pobres indios mejicanos que rinden culto idolátrico a la Virgen de Guadalupe tengan conciencia católica, ni menos cristiana. *Ídolos detrás de los altares (sic)* es como ha titulado Anita Brenner a un libro sobre la... llamémosla religiosidad de los mejicanos. Sin que sea solo en Méjico y entre los indios donde detrás de los altares o sobre ellos se erigen ídolos. Y a las veces, ídolos de raza material, cuando no de ídolos políticos (Unamuno, 1933, 649).

Figura 6: Unamuno y Anita Brenner,
Salamanca, octubre de 1930 (¿?) (Archivo
familiar. University of Texas Press).

Figura 7: Unamuno y Anita Brenner, Salamanca, octubre de 1930 (¿?).
(Archivo familiar. University of Texas Press).

Además, en las crónicas españolas que durante ese año y el siguiente remitió a varias publicaciones de la prensa neoyorquina, como *The New York Times*, *The Nation* o *The Brooklyn Eagle*, entre otras, abundaron las referencias elogiosas a Unamuno, como intelectual español más destacado y maestro de la juventud, por delante de Ortega.

En este periodo Anita Brenner viaja a España para contar a los lectores estadounidenses el milagro revolucionario español que significaba la Segunda República: en un contexto de crisis de las democracias europeas y violentas revoluciones desde abajo –Rusia, Italia, Alemania, Austria–, era la primera revolución desde arriba, pacífica, moderada y burguesa, que encontraba en Manuel Azaña al «Hombre de la República» y en Unamuno al faro cívico de la juventud republicana. Dos individualistas insobornables, que arrojan varios de los mejores retratos escritos de sus crónicas del momento.

Pero el optimismo inicial había ido dejando paso, ya desde sus artículos de 1933, a la percepción de que el reformismo gradualista de Azaña era en realidad lo más utópico que podía desear la política española del momento, polarizada entre las dos únicas soluciones posibles de revolución o fascismo. Para entonces su filiación ideológica con la izquierda crítica estadounidense, con el trotskismo y, en España, con el POUM era explícita y le creaba los primeros enfrentamientos con las líneas editoriales del *New York Times* y de *The Nation*.

Con más desencanto que alarma, y sin ninguna opinión condenatoria o censura moral al respecto, el Unamuno que retrata ahora, en 1933, Anita Brenner es el que, mucho antes que otros de su generación, como Baroja, veía llegada la «hora de la espada». Quizá, con todo, la cronología de la conversión reaccionaria que revela Brenner sorprenda por su antelación, porque se trata de fechas previas a ser designado ciudadano de honor de la República (1935) o rector vitalicio de la Universidad de Salamanca (1934), e incluso anteriores a los primeros testimonios privados (las adhesiones públicas tardarán más en aparecer) del giro unamuniano. Pero las citas son irrefutables (otra cosa puede ser comprobar su relación con la estricta realidad). Escribía Brenner, en despacho inédito dirigido al *New York Times* el 19 de septiembre de 1933:

> El movimiento de Acción Popular [esto era, Gil-Robles] goza de la simpatía de prominentes intelectuales republicanos, como Miguel de Unamuno, quien aseguró a esta corresponsal que «el fascismo es la única solución. Este sinsentido proletario debe cesar, porque lo que importa no es esta clase o aquella, sino una España fuerte y unida». (Brenner, 2021: 92)

Y en otro despacho igualmente inédito al mismo periódico de mismo mes y año:

> [...] en los niveles más altos de la sociedad se oyen fragmentos de conversación sobre los tiempos felices de España bajo la dictadura de Primo de Rivera. Prosperidad... orden... nada de este sinsentido de la lucha de clase... ¡Ay de nosotros! El Ejército ha sido tan completamente transformado por Azaña que un golpe de estado es inimaginable ahora. ¿Quién nos salvará? Unamuno truena: «¡El fascismo es la única respuesta!». (Brenner, 2021: 110)

¿Quedaron inéditos los dos largos despachos por estas polémicas referencias unamunianas? Es poco probable; eran dos menciones al pasar en textos extensos y de otro calado. Y el 8 de octubre de ese año aparecía, ahora sí publicado, un artículo suyo en el *New York Times Sunday Magazine*, «Spain's Stage Set for the Second Act» («La escena española, lista para el segundo acto») donde se leía:

> Por todas partes circula el rumor brutal y clarividente y el tácito sobreentendido de que la cuestión del poder se disputará mayormente por la fuerza. Don Miguel de Unamuno, el ilustrado filósofo que antes de la República estuvo desterrado por rebelión durante seis años, aconseja ahora al presidente que el fascismo es la única esperanza de España. (Brenner, 2021: 132)

¿Cómo explicar y datar el giro reaccionario de Unamuno? La principal dificultad para ello estriba en que, en los momentos de las primeras señales, sus manifestaciones públicas disienten con frecuencia de las efusiones privadas. Viene después la dificultad secundaria de discernir qué significaba el fascismo o «fajismo», como él prefería, para Unamuno. Esto último se responde más fácilmente: el giro de Unamuno nace del desengaño con el jacobinismo de la Segunda República y fue militarista y franquista, pero nunca fascista como tal. Sus pocas muestras favorables conocidas hacia José Antonio o las JONS fueron privadas y dudosas, entre el aborrecimiento que declaraba en público, por lo que es complicado saber a qué se referían y de qué eran traducción las referencias al «fascismo» de Unamuno en las crónicas de Brenner, pero apunta al militarismo tradicional o, como más, a su desencanto nihilista hacia la política parlamentaria.

Respecto a su cronología, en noviembre de 1931 se datan las incipientes decepciones de Unamuno con la República, y de ese año son también los intentos de acercamiento de Ramiro Ledesma al escritor vasco, lo que no obsta para que el 5 de mayo de 1932 publique en *El Sol* «Fajismo incipiente», artículo demoledor de las pretensiones fascistas; o que en agosto escriba contra el reaccionarismo monárquico de la Sanjurjada. Su primera gran decepción republicana llega en diciembre de 1932, ante Casas Viejas, lo que, con todo, no lo hace abrazar «ni la infalibilidad del Papa ni la de la masa», esto era, ni fascismo ni comunismo, sino su viejo liberalismo de juventud (Rabaté, 2009: 606).

En las vísperas de las elecciones generales de noviembre de 1933, se suceden, como mencionan las crónicas de Benner, las llamadas a consultas del presidente Alcalá-Zamora a Unamuno; y del 6 de noviembre consta, en cartas con su yerno José María y por el testimonio de Francisco Bravo, redactor jefe de *La Gaceta Regional*, un enérgico «¡Bravo!» a José Antonio exclamado por el escritor ante la aparición en el paisaje político de Falange Española (Rabaté, 2009: 611). Pero estos desahogos privados no le impiden publicar, el día 1 de ese mismo noviembre, un artículo contra el matonismo fascista, falsa ideología o «deportismo de chiquillos que juegan a la violencia» (Rabaté, 2009: 611).

De modo que la nueva cronología del giro reaccionario de Unamuno que asientan las crónicas españolas de Anita Brenner adelanta en unos meses, hasta el verano de 1933, esa transformación política. Al mismo tiempo, la identificación de ese giro con la amplia y fácil etiqueta de «fascismo» merece un cuestionamiento más pausado o, al menos, una duda razonable.

En 1936, Anita Brenner retorna en su estancia postrera en España. Llega al país hacia marzo, suponemos que, en esta ocasión, para contar al público estadounidense la vuelta al poder del republicanismo progresista, tras las elecciones que en febrero había ganado el Frente Popular y que dejaban atrás el bienio conservador.

El golpe de estado del 18 de julio la sorprende quizá en el país, con toda probabilidad a punto de regresar a Estados Unidos, pues se encontraba en un estado muy avanzado de su primer embarazo, a pesar de lo cual es muy posible que eligiera quedarse algunas semanas más, como mucho hasta agosto, pues a principios de septiembre de ese año da a luz en Nueva York a su primer hijo, Peter. Nunca regresará a España.

No consta ninguna relación, contacto o encuentro con Unamuno en esta última ocasión. No obstante, su primera crónica española tras el regreso a Nueva York, una de las más brillantes, la que hemos traducido como «El orgulloso y turbulento pueblo español», publicado en el *New York Times Sunday Magazine* del 16 de agosto de 1936, dedica un espacio importante a Unamuno:

> Los rasgos repetidos de forma más habitual y marcada en la gente, en la literatura y en los hechos históricos pertenecen a una personalidad de irritabilidad exaltada y de profundos contrastes.
>
> Miguel de Unamuno, el escritor español más reconocido, pone ante el espejo esta mentalidad beligerante en cada uno de sus libros (al igual que hace en la vida), pero especialmente en su obra más sobresaliente, *Del sentimiento trágico de la vida*, una exposición de la filosofía personal y nacional del autor. A sus setenta años ha hablado y escrito con casi todos los alientos: anarquista, republicano, fascista, místico, lírico, cómico. Ha interpretado los papeles de silencioso pedagogo y de inflamado orador. En el curso de unos pocos meses fue invitado a «conversar» con la Corona y fue condenado al exilio penal por el propio dictador de la Corona[5]. Ha sabido lo que se siente al ser un héroe –un héroe popular llevado a hombros por masas desgañitadas– y ha ido viendo su popularidad encogerse hasta que los jóvenes que lo idolatraban hace cinco años se han levantado abruptamente de su mesa, abandonándolo en su monólogo.
>
> Su filosofía, su forma literaria, incluso el estilo de sus palabras, son expresiones abstractas del conflicto. Él mismo es un hombre atormentado por la duda incesante, y en todo observa dos extremos, irreconciliables, colisionando eternamente. (Brenner, 2021: 296)

Andando el año 1936, no existen referencias a Unamuno en los artículos de Anita Brenner, ni en todo 1937 hará alusiones a su muerte, sucedida el 31 de diciembre anterior; pero, como se habrá visto, esto es independiente de cualquier deriva o giro reaccionario de Unamuno, pues este era ya de larga data, y antes bien, la vida del escritor aún podía haber dado pie para un postrero episodio ejemplar en sentido adverso, con el célebre lance del 12 de octubre con Millán Astray en el paraninfo salmantino, al que, por desconocido o por omitido, tampoco hace referencia la mexicana.

Pero la omisión debe explicarse porque la labor informativa del conflicto español de Brenner a partir de entonces tendrá que ver más con la persecución a poumistas y anarquistas en el bando republicano y con la agitación y la movilización de comités internacionales para la investigación de casos de perseguidos o desaparecidos víctimas de la represión interna, como Russel Blackwell, José Robles o la dirigencia del POUM encausada tras las Jornadas de Mayo de 1937, entre ellos, Andreu Nin. También, con la defensa de la causa de Trotsky, en la que, como está dicho, fue muy activa. No es probable, pues, que su silencio sobre la muerte de Unamuno sea especialmente expresivo.

4. «SPAIN'S HONEST MAN»

Nuestra investigación para el libro *Hoy las barricadas*, centrada en el archivo personal de la autora, donado por su hija al Harry Ransom Center de la Universidad de Tejas en Austin, ha deparado una pieza casi con toda seguridad inédita y desconocida (Figura 5). Se trata de un original mecanoscrito de 19 páginas con el título «Spain's Honest Man», con encabezado donde consta la autoría de Anita Brenner y su filiación (C/O, «Care of») vinculada a la John Simon Guggenheim Memorial Foundation de Ciudad de México (recuérdese que en 1930 había recibido una beca Guggenheim).

Para datar y contextualizar el escrito sirve una entrevista poco conocida de la autora de 1931, el «Diálogo» con el historiador mexicano Rafael Heliodoro Valle publicado *Revista de Revistas* en enero de 1931, donde afirma que en ese momento está haciendo un «ensayo sobre Unamuno» para *Scribner's Magazine*, que muy verosímilmente puede ser el texto que hoy desvelamos (Brenner, 1931).

El título parecería tomado del molde de *The Republic of Honest Men* que John Dos Passos, gran amigo de la autora, dedicó a la España republicana, si no fuera porque la obra del estadounidense es de 1933. Se trata, el inédito de Brenner, de una exposición o elogio de la figura de Miguel de Unamuno dirigido a un público extranjero que podrá conocerlo de renombre, pero no por su obra o por su semblanza más personal. Tras presentarlo como el héroe del librepensamiento en España, hace un recuento biográfico al que sigue una explicación somera pero exigente de su obra magna *Del sentimiento trágico de la vida*, y, como pórtico a su obra narrativa y a la descripción física y moral del autor, hace una larga paráfrasis de su relato o *nouvelle Cómo se hace una novela* (1927).

Los párrafos más intensos del artículo son los que dedica a exponer sus méritos cívicos frente a la dictadura de Primo de Rivera y a la doblez política de Alfonso XIII. Recoge sus valientes sarcasmos al «Ganso Real» y sus críticas al rey, su visita invitado al Palacio Real, su arresto y su destierro, su fuga y exilio, y su regreso a España: entonces, su discurso famoso en la estación de Madrid («¡Dios, Patria y Ley!») y su protagonismo profundo, y quizá todavía no aquilatado en toda su importancia, en la ruptura de ciclo histórico que comenzaba a vivir España, aún sin nombre en esos primeros meses de 1931, anteriores, pues, al 14 de abril:

> Los historiadores que llamen al presente rey de España Alfonso el Infortunado deberían calificar también a Miguel de Unamuno como el autor de la revolución española a la que por ahora no se puede poner fecha. Deberían relatar cómo, a lo largo de los seis años de su exilio, el nombre de Unamuno se unió en la mentalidad española con el de su amado Don Quijote campeador; cómo se convirtió en una enorme y enhiesta figura que sostenía un duelo titánico con Primo de Rivera por el alma de España; cómo el dictador finalmente entró en declive y murió; y cómo Unamuno, entonces, regresó y fue recibido en la estación de Madrid por el clamor de miles de personas. [...]
>
> Este relato vívido explicará lo que pasó en España a causa del exilio de Unamuno y cómo un hombre que no predicaba doctrina política alguna ni formaba

parte de ningún partido hizo que las masas hicieran tambalearse el arcaico trono de España, por el único medio de convertirse en un símbolo[6]. (Unamuno, [1931b], 6; la traducción es nuestra)

El principal atractivo que este largo texto mantiene con la distancia del tiempo no es otro que el intrahistórico, el retrato del natural y en detalle del Unamuno cotidiano: la caminata socrática por Salamanca que da pie a una descripción entreverada de los ecos de la conversación. La gran retratista verbal que era Anita Brenner asoma aquí: la *vera effigies* de Miguel de Unamuno en su terno azul marino cerrado hasta el cuello de la camisa, sin corbata ni sombrero, llevando el bastón como quien porta un arma; su forma de caminar a grandes trancos, avanzando con cabezadas de ave grande, «como quien se dirige hacia el pelotón de fusilamiento ante la mirada de una multitud»; sus manías reales –«el drama íntimo de Unamuno contra Unamuno que solo se resuelve hacia afuera en forma de novela»– y las manías tan solo aparentes –como cuando su vecino de Salamanca lo veía saltar en el patio desde una silla durante horas, una y otra vez, sin saber que lo hacía para entretener a su hijo hidrocefálico, que solo atendía a ese estímulo–. Y detrás de todos los Unamunos posibles, no el mito quijotesco, el loco bueno de Alonso Quijano, sino un hombre realmente «loco» por su mujer y sus hijos, ante el que la autora siente el privilegio de haber estado junto a un «héroe».

Tengo pocas dudas de que el texto es una evocación de su encuentro de octubre de 1930 en Salamanca. El resto de este inédito, testimonio de aquella visita, se dará a conocer en próxima publicación.

Bibliografía

Álvarez P., E. (1974). Anita Brenner, otra luz que se apaga. *Los Jueves de Excélsior*. 12-XII-1974, p. 29.

Brenner, A. (20-II-1930). Carta a Miguel de Unamuno. Salamanca: Casa Museo Unamuno, sign. AUSA_CMU,8/129.

Brenner, A. (19-X-1930). Carta a Miguel de Unamuno. Salamanca: Casa Museo Unamuno, sign. Ausa_cmu,8/129.

Brenner, A. (1931a). Anita Brenner pide sus albricias. Diálogo con Rafael Heliodoro Valle. *Revista de Revistas*. En Fondo Rafael Heliodoro Valle (Hemeroteca Nacional de México), en línea. https://heliodorovalle.iib.unam.mx/dialogos/d-80

Brenner, A. [1931b]. Spain's Honest Man. (Original mecanoscrito inédito). Anita Brenner's Archive. Austin: Harry Ransom Humanities Research Center.

Brenner, A. (2010). *Avant-Garde Art & Artists in Mexico. Anita Brenner's Journals of the Roaring Twenties*. 2 vols. (Susannah Joel Glusker, ed.). Austin: University of Texas Press.

Brenner, A. (2021). *Hoy las barricadas. Crónicas de la Revolución Española, 1933-1937* (Eduardo San José Vázquez, trad. y ed.). Sevilla: Renacimiento.

Chaves, J. C. (1964). *Unamuno y América*. Madrid: Ediciones Cultura Hispánica.

Gall, O. (2002). Un solo visado en el planeta para León Trotsky (pp. 63-90). En P. Yankelevich (coord.), *México, país refugio. La experiencia de los exilios en el siglo XX*. México: Plaza y Valdés/Conaculta-Inah.

García Blanco, M. (1964). *América y Unamuno*. Madrid: Gredos.

GLUSKER, S. J. (1998). *Anita Brenner. A mind of her own* (foreword by Carlos Monsiváis). Austin: University of Texas Press [trad. (2006) *Anita Brenner. Una mujer extraordinaria*, Aguascalientes, Instituto Cultural de Aguascalientes].

GORDO PIÑAR, G. (2013). *Miguel de Unamuno y México. Relación y recepción* (tesis doctoral). Madrid: Universidad Autónoma de Madrid.

LÓPEZ ARELLANO, M. (2017). *Anita Brenner: una escritora judía con México en el corazón*. Aguascalientes: Universidad Autónoma de Aguascalientes/Centro de Documentación e Investigación Judío de México.

ORTEGA Y GASSET, José (1987). *Epistolario completo Ortega-Unamuno* (Laureano Robles, ed.). Madrid: Ediciones El Arquero.

PAYSON & CLARKE LTD. (27-IX-1929). Carta del director de publicidad de la editorial Payson & Clarke a Miguel de Unamuno. Salamanca: Casa Museo Unamuno, sign. ausa_cmu,25/123.

PAYSON & CLARKE LTD. (12-XI-1929). Carta del director de publicidad de la editorial Payson & Clarke a Miguel de Unamuno. Salamanca: Casa Museo Unamuno, sign. ausa_cmu,25/123.

RABATÉ, C. y J.-C. (2009). *Miguel de Unamuno. Biografía*. Madrid: Taurus.

SAN JOSÉ VÁZQUEZ, E. (2010). Ídolos tras los altares: la recuperación del México prehispánico y colonial en la obra de Anita Brenner. *Tema y Variaciones de Literatura* (Universidad Autónoma de México), 32, pp. 69-94.

SAN JOSÉ VÁZQUEZ, E. (2021). Introducción: las crónicas españolas de Anita Brenner. En Brenner, A., *Hoy las barricadas. Crónicas de la Revolución Española, 1933-1937* (Eduardo San José Vázquez, trad. y ed.) (pp. 9-44). Sevilla: Renacimiento.

UNAMUNO, M. de (1965). *Cartas inéditas de Miguel de Unamuno* (Sergio Fernández Larrain, ed.). Santiago de Chile: Editorial Zig-Zag.

UNAMUNO, M. de (1968) [1933]. De nuevo la raza. En *Obras completas, IV. La raza y la lengua* (Manuel García Blanco, ed.) (pp. 648-650). Madrid: Escelicer.

UNAMUNO, M. de (1977). *Cómo se hace una novela* (Paul R. Olson, ed.). Madrid: Guadarrama.

UNAMUNO, M. de (1991). *Epistolario inédito* (Laureano Robles, ed.). 2 vols. Madrid: Espasa-Calpe.

UNAMUNO, M. de (1996). *Epistolario americano (1890-1936)* (Laureano Robles, ed.). Salamanca: Ediciones Universidad de Salamanca.

UNAMUNO, M. de (2012). *Cartas del destierro. Entre el odio y el amor (1924-1930)* (Colette y Jean-Claude Rabaté, eds.). Salamanca: Ediciones Universidad de Salamanca.

UNAMUNO, M. de (2017). *Epistolario, t. 1 (1880-1899)* (Colette y Jean-Claude Rabaté, eds.). Salamanca: Ediciones Universidad de Salamanca.

Notas

[1] «I had an informal exam from the Spanish Department. That is, a talk with Onís, at the written request of Boas, and Onís pronounced me as knowing the undergraduate work and whatever they teach of Spanish and Pan-American literature. It was very simple; I just gave him my opinions of the poets and passed judgement lackadaisically on Prieto [Pradillo], Gutiérrez Nájera, etc., etc. Also said I preferred Unamuno and Ortega y Gasset to Spanish modern poets... and voilà, the exam was over» (Brenner, 2010, vol. 2: 520).

La entrada del diario correspondiente al domingo 7 de julio de 1929, en Nueva York, parece avalar ese desinterés por la joven poesía española: «Anoche di una exitosa fiesta para un grupo de españoles, que en cierta forma fue una reunión de varios viejos amigos. Mildred Adams y García Lorca, que cantaron romances en Barcelona; Ella Wolfe y León Felipe, y Jean. Estaban De Onís, Maroto, Ángel Flores (que tiene una risa muy desagradable), un amigo inglés de Lorca y H. de la Torre, Owen, su pequeña asistente, Pancho Ajea, David, su madre, las chicas Herrera y su guitarrista, el tenor Morales y su guitarra. Creo que eso es todo. Parecían estar todos muy complacidos y a gusto, las Herrera cantaron y también Lorca. Es un joven andaluz muy encantador, y creo que me gusta más que la mayoría de españoles. No conozco su poesía pero di a entender que sí, pues lo contrario habría sido una descortesía. Me dicen, no obstante, que es uno de los mejores» [«Gave a successful party to a gang of Spaniards the other night, which was in a way a meeting of several old friends. Mildred Adams and García Lorca, who sang romances in Barcelona; Ella Wolfe and León Felipe, and Jean. There were De Onís, Maroto, Ángel Flores (who has a very ugly laugh), an English friend of Lorca's and H. de la Torre's, Owen, his little waitress, Pancho Ajea, David, his mother, the Herrera girls and their guitarist, the tenor Morales, and his guitar; I believe that's all. They all seemed very pleased and comfortable, the Herreras sang and also Lorca. He is a very charming Andalusian youth, and I think I like him better than most Spaniards. I don't know his poetry but I had to assume I did, because it would otherwise have been so impolite. I am told, however, that he is one of the best»] (Brenner, 2010, vol. 2: 698-699; nuestra traducción).

[2] «Después del almuerzo me voy a la Rotonda de Montparnasse, esquina del bulevar Raspail, donde tenemos una pequeña reunión de españoles, jóvenes estudiantes la mayoría, y comentamos las raras noticias que nos llegan de España, de la nuestra y de la de los otros, y recomenzamos cada día a repetir las mismas cosas, levantando, como aquí se dice, castillos en España. A esa Rotonda se le sigue llamando acá por algunos la de Trotzki, pues parece que allí acudía, cuando desterrado en París, ese caudillo ruso bolchevique» (Unamuno, 1977: 59-60).

[3] Identificamos y citamos el documento a través de Gordo Piñar, pues no hemos conseguido encontrarlo donde, de forma un tanto confusa, esta lo ubica: ni en *Excélsior* de 4 de diciembre de 1974, ni en *Los Jueves de Excélsior* de 12 de diciembre del mismo año, donde únicamente aparece una necrológica que en nada interesa aquí (Álvarez P., 1974: 29).

[4] «*Idols* has been successfull enough to bring me letters from illustrious people; I particularly prize two: Unamuno and Richard Hughes».

[5] Se refiere, respectivamente, a la invitación que el literato recibió de Alfonso XIII para visitarlo en Palacio, en abril de 1922, así como a su destierro en la isla de Fuerteventura, ordenado por el Directorio Militar de Primo Rivera en febrero de 1924.

[6] «The historians who will call the present king of Spain Alfonso the Unlucky are also likely to name Miguel de Unamuno as the maker of the Spanish revolution which as yet cannot be dated. They may relate how, in the six years of his exile, Unamuno's name became merged in Spanish minds with that of their beloved and champion Don Quixote; how he became a vast, upright figure fighting a titanic duel with Primo de Rivera for the soul of Spain; how the dictator finally fell into a decline and died; and how Unamuno then returned, and was met at the station in Madrid by frantic thousands. [...] This vivid tale will explain what happened in Spain because of Unamuno's exile, and how a man who preached no political doctrine and founded no political party wedged the Spanish masses under their archaic throne, merely by becoming a symbol».

RESUMEN: El artículo estudia la relación entre Miguel de Unamuno y la escritora mexicana Anita Brenner, ocupándose de su intercambio epistolar entre 1929 y 1930 y de la visita que la escritora le hizo en España en 1930. El análisis comprueba la influencia del concepto unamuniano de «intrahistoria» en la obra de la autora mexicana. Al mismo tiempo, el estudio de la presencia de Unamuno en las crónicas españolas de Brenner de 1933 a 1937 permite revisar la cronología del giro reaccionario del autor durante la Segunda República. El artículo se completa con un anexo fotográfico.

Palabras clave: Miguel de Unamuno; Anita Brenner; correspondencia; Segunda República Española; Guerra Civil Española

ABSTRACT: The article studies the relationship between Miguel de Unamuno and Mexican writer Anita Brenner, focusing on their correspondence between 1929 and 1930 and on the visit she paid him in Spain, on 1930. The analysis examines the influence of the Unamunian concept of «intrahistory» on Brenner's works. At the same time, the study of Unamunos's presence in the Spanish chronicles written by Brenner from 1933 to 1937 allows to revise the chronology of the author's reactionary turn during Spanish Second Republic. The article is completed with a photographic annex.

Keywords: Miguel de Unamuno; Anita Brenner; correspondence; Spanish Second Republic; Spanish Civil War

DOI: https://doi.org/10.14201/ccmu.

CREACIÓN Y REFLEXIÓN

"Ribetes unamunescos": la figura de Miguel de Unamuno en la correspondencia femenina

Menciones a la respuestas de Unamuno

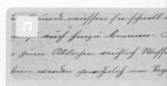

Unamuno como escritor

Unamuno como persona influyente

Unamuno como padre, esposo y abuelo

Unamuno como consultor

Unamuno como amigo

Unamuno como confidente

Unamuno como persona

"RIBETES UNAMUNESCOS": LA FIGURA DE MIGUEL DE UNAMUNO EN LA CORRESPONDENCIA FEMENINA*

M.ª Isabel Rodríguez Fidalgo

Adriana Paíno Ambrosio

En este artículo te ofrecemos a ti, lector, una *experiencia epistolar unamuniana*, donde las cartas escritas a Miguel de Unamuno por mujeres del primer tercio del siglo XX se vuelven protagonistas. A lo largo del texto encontrarás diferentes códigos QR a través de los cuales esta correspondencia cobra una nueva vida en formato sonoro. Solo tienes que coger tu móvil, escanearlos, o si estás en tu ordenador clikar en ellos. Conecta tus auriculares y disfruta de este singular epistolario sonoro femenino de Miguel de Unamuno.

Accede a la plataforma digital Bajo pluma de mujer a través de este QR donde podrás consultar una gran variedad de contenidos audiovisuales, interactivos e inmersivos vinculados a la correspondencia femenina escrita a Unamuno

* Este artículo rinde homenaje a la catedrática Josefina Cuesta Bustillo, maestra, guía e impulsora del estudio de la correspondencia femenina a Miguel de Unamuno.

Abriendo la correspondencia femenina a Miguel de Unamuno

«Epistolomanía» fue el término utilizado por Miguel de Unamuno para referirse a su afición por la escritura de cartas y, en palabras de Emilia Pardo Bazán, en su carta escrita el 20 de marzo de 1916 al famoso escritor, encontramos la siguiente afirmación: «Lo mejor de cuanto Vd. hace, es lo epistolar». A lo largo de toda su vida, cultivó este género y prueba de ello es el gran legado que se conserva en la Casa-Museo Unamuno, perteneciente a la Universidad de Salamanca. En la actualidad, los investigadores pueden acceder a más de 25 000 cartas recibidas por el escritor, tanto procedentes de España como del extranjero, la mayor parte de ellas enviadas por hombres que tuvieron una gran influencia en la época (escritores, políticos, científicos, etc.). Precisamente, esta correspondencia es la que ha suscitado un mayor interés dentro de los estudios epistolares, dejando durante mucho tiempo en un segundo plano la parte de este fondo que estaba escrita por mujeres. De esta correspondencia, las únicas cartas estudiadas habían sido las relacionadas con los lazos familiares y con alguna mujer de forma aislada, lo que supone un análisis relativamente escaso del fondo femenino. Partiendo de estos estudios preliminares y teniendo como referencia las importantes contribuciones pioneras en este campo realizadas por la catedrática Josefina Cuesta Bustillo, la cual descubre que, además de dicha correspondencia familiar, existen otras mujeres que también escribieron a Unamuno, comenzamos con ella la apasionante investigación que denominamos *Bajo pluma de mujer*, que aborda el análisis de la correspondencia femenina a Miguel de Unamuno en el primer tercio del siglo xx. A día de hoy, sabemos que este corpus de corresponsales lo constituyen unas 600 mujeres, pero no se conoce con exactitud el número total de cartas enviadas por ellas, aspecto que se irá concretando a medida que las vayamos estudiando.

La primera etapa de este estudio se ha centrado en las mujeres que adquirieron a lo largo de los años relevancia por sus aportaciones al mundo literario, cultural, social y político de la época; mujeres avanzadas a su tiempo que tuvieron que enfrentarse a las limitaciones imperantes por razones de género en la sociedad del momento. De esta forma, este trabajo profundiza en la correspondencia enviada por 21 mujeres: Ángela Barco (10 cartas y 1 postal), Matilde Brandau (26 cartas y 1 telegrama), Carmen de Burgos (5 cartas), Enriqueta Carbonel (1 carta), Sofía Casanova (3 cartas y 1 tarjeta de visita), Carmen Conde (2 cartas), Magda Donato (1 carta), Concha Espina (12 cartas), Margarita Ferreras (8 cartas), M.ª Luisa García-Dorado Seirullo (1 carta), Enriqueta García Infanzón (seudónimo: Eugenia Astur) (6 cartas), Renée Lafont (1 carta), Regina Lamo (2 cartas), María de Maeztu (10 cartas), Lola Membrives (7 cartas), Gabriela Mistral (1 carta), Emilia Pardo Bazán (6 cartas y 1 postal),

Mathilde Pomès (13 cartas), Mariblanca Sabas Alomá (2 cartas), Concepción del Valle-Inclán (1 carta) y Margarita Xirgu (1 carta y 1 telegrama). Esto supone un total de 119 cartas, 2 postales, 1 tarjeta y 2 telegramas enviados por estas mujeres y, aunque desgraciadamente no se conservan en el fondo epistolar las respuestas de Unamuno, en muchas de esas cartas se puede apreciar el interés que el famoso escritor mostraba tanto por las emisarias de la correspondencia como, sobre todo, por el contenido de sus misivas. Para poder apreciar dichos aspectos es necesario contar con las cartas de aquellas mujeres que no le enviaron una sola, sino con las que mantuvo una relación epistolar más fluida y prolongada en el tiempo. Este hecho nos ha permitido identificar menciones que dejan clara la fecha y recepción de la carta que les escribió Unamuno, fórmula que se puede apreciar en las de Matilde Brandau, María de Maeztu, Margarita Xirgu o Mathilde Pomès.

Su carta del 12 de Febrero, la recibí hace poco; i me ha producido una dulce satisfaccion; me parece que el espíritu de mi Luis sonríe al contemplar cómo los seres a quienes él quiso mas en España, se preocupan i recuerdan al sér que quiso mas en la vida.

Figuras 1a y 1b. Carta enviada por Matilde Brandau, el 21 de marzo de 1909.

Su carta del 12 de Febrero, la recibí hace poco; i me ha producido una dulce satisfaccion; me parece que el espíritu de mi Luis sonríe al contemplar cómo los seres a quienes él quiso mas en España, se preocupan i recuerdan al sér que quiso mas en la vida.

En otras ocasiones, no se mencionan las fechas, pero sí podemos identificar claramente que han recibido una carta de Unamuno, como por ejemplo en las de Ángela Barco, Carmen de Burgos, Concha Espina, Enriqueta García Infanzón, María de Maeztu, Emilia Pardo Bazán, Mariblanca Sabas o Mathilde Pomès, e incluso es de destacar aquí las alusiones directas que ellas hacen en relación a la satisfacción que les produce dicha recepción.

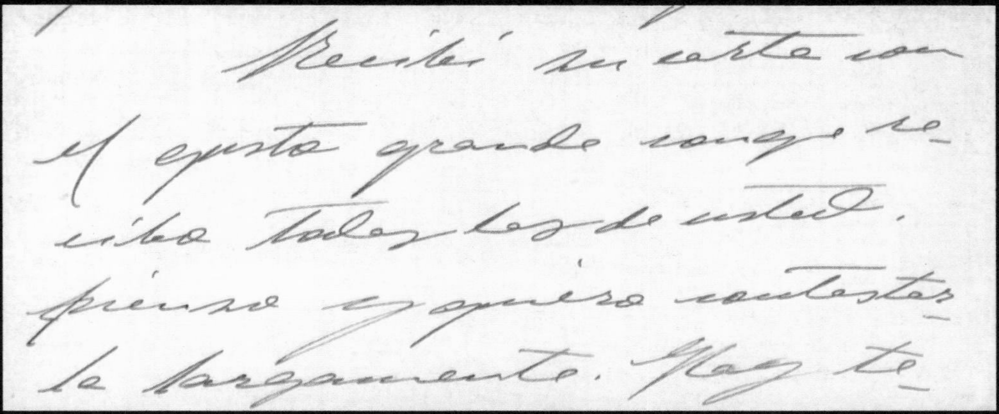

Recibí su carta con
el gusto grande conque recibo todas las de usted.
Pienso y quiero contestarla largamente. Hay te-

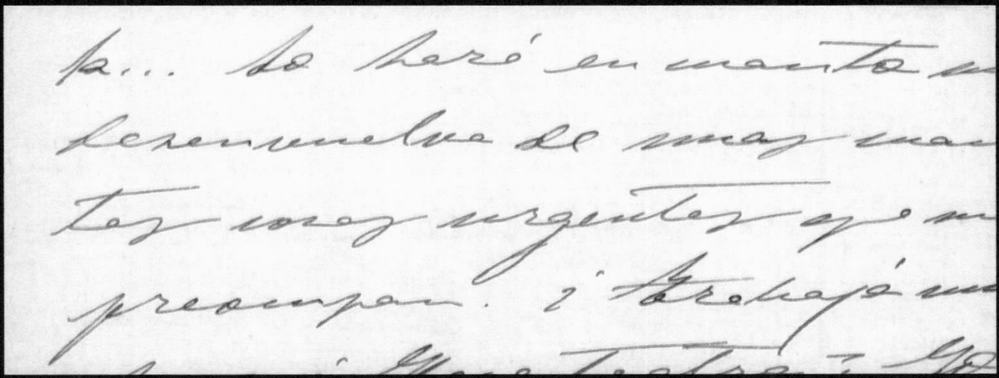

la... lo haré en cuanto me
desenvuelva de unas cuan-
tas cosas urgentes que me
preocupan.

Figuras 2a y 2b. Carta enviada por Ángela Barco, el 26 de septiembre de 1910.

Recibí su carta con el gusto grande conque recibo todas las de usted. Pienso y quiero contestarla largamente. Hay tela... lo haré en cuanto me desenvuelva de unas cuantas cosas urgentes que me preocupan.

Gracias a estas cartas descubrimos algunos adjetivos utilizados por estas mujeres para definir el tipo de lenguaje que Unamuno utilizaba cuando les contestaba; términos que podrían extrapolarse, por lo tanto, al carácter del escritor. Ellas describen esta correspondencia unamuniana como: «[...] su carta generosa y noble como V. [...]»; «[...] bondadosa carta [...]»; «[...] atenta respuesta [...]»; «[...] cariñosa carta [...]»; «[...] cartas tan bonitas [...]»; «[...] la amabilidad de escribir [...]».

[...] gran placer me ha dado su carta con la promesa de una colaboracion de tanta valía para mi Almanaque y ademas la forma tan amable y lisongera en que V. la ofrece que la hace doblemente grata.

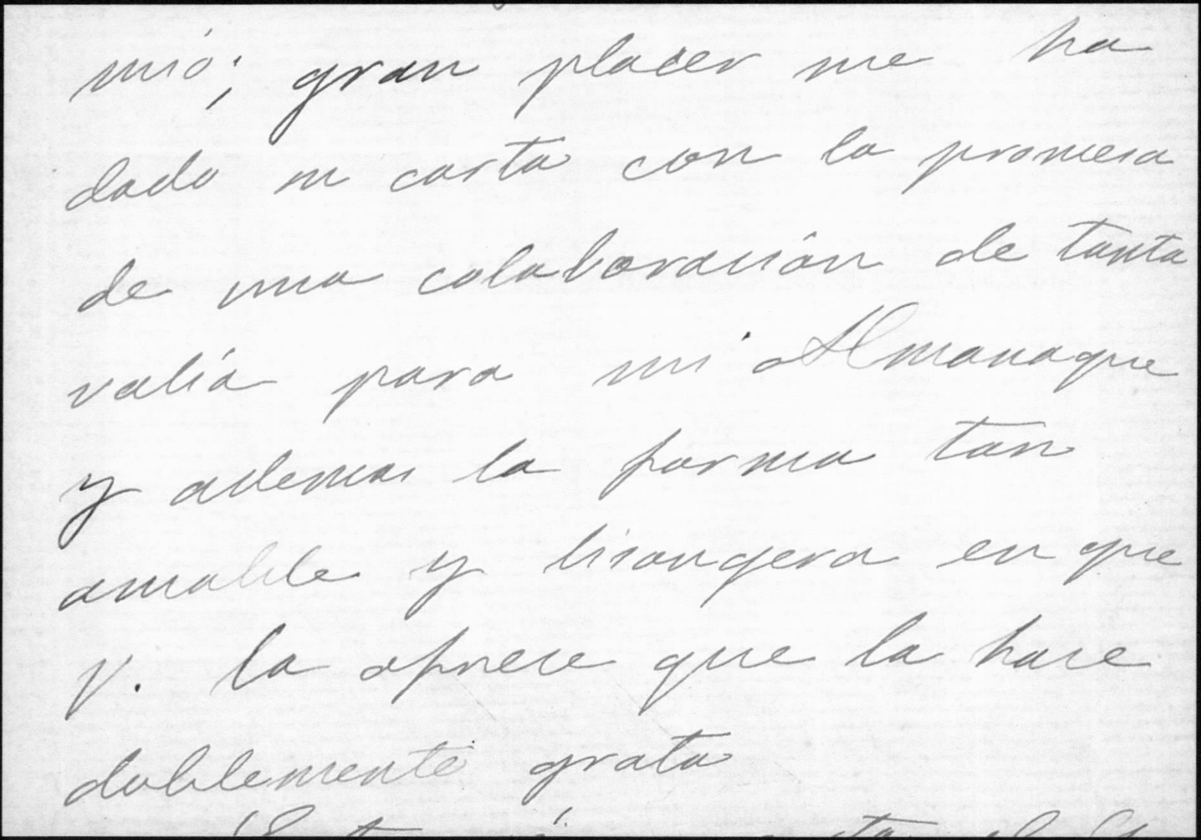
mió; gran placer me ha
dado su carta con la promesa
de una colaboración de tanta
valía para mi Almanaque
y ademas la forma tan
amable y lisongera en que
V. la ofrece que la hace
doblemente grata

Figura 3. Carta enviada por Carmen de Burgos, el 29 de julio de 1903.

En otras ocasiones la respuesta por parte de Unamuno no queda reflejada de manera tan explícita como en casos anteriores, pero de igual modo, a través de su lectura, podemos intuir el contenido de esas misivas. Se pueden señalar aquí expresiones que referencian la recepción de cartas procedentes del escritor, como: «[...] usted me dice [...]», «[...] me preguntó [...]», «[...] como usted dice [...]», «[...] dice usted [...]», «[...] cuanto usted me dice [...]», «[...] todo lo que me dice [...]», «Usted se ha explicado muy bien [...]», «Tiene V. razón; he decidido escribir a V. [...]», «Usted se mostraba entonces incrédulo [...]»,

que aparecen en las cartas de Ángela Barco, Sofía Casanova, Concha Espina o María de Maeztu. Ahora bien, lo que resulta muy interesante es poder extraer qué decía Unamuno en esa correspondencia que enviaba a estas mujeres. De este modo, podemos conocer desde las recomendaciones de lecturas de otros autores, hasta correcciones, consejos o comentarios sobre todo tipo de temáticas, como así apreciamos en el siguiente fragmento de una de las cartas de María de Maeztu, donde además queda marcado un fuerte carácter de género:

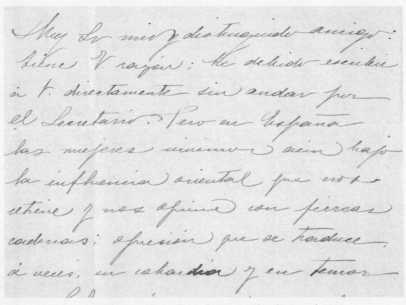

Figura 4. Carta enviada por María de Maeztu, el 10 de mayo de 1908.

Muy Sr mio y distinguido amigo:

tiene V. razón; he debido escribir a V. directamente sin andar por el Secretario. Pero en España las mujeres vivimos aún bajo la influencia oriental que nos retiene y nos oprime con férreas cadenas: opresión que se traduce á veces, en cobardía y en temor.

También les contestaba en relación a aspectos literarios en general o la lectura de obras de las que ellas son autoras, como así aparece en las epístolas de Ángela Barco. En alguna de las cartas de Sofía Casanova encontramos alusiones a aspectos personales, ya que Unamuno le preguntó si ella era feliz en una carta anterior, y también don Miguel comparte con ellas temas personales de él en relación al contexto biográfico de su destierro en Francia y la mención que aparece relacionada con su posible candidatura al Premio Nobel, que encontramos en las cartas de Concha Espina. Dentro de este contexto merece la pena rescatar el siguiente fragmento de la carta de Mathilde Pomès, donde, además de que podemos intuir que Unamuno le contestó, apreciamos también la manera en que lo hizo. Estos aspectos siguen reforzando el carácter humano, atento o bondadoso con que estas mujeres veían a Unamuno, como hemos explicado en líneas anteriores.

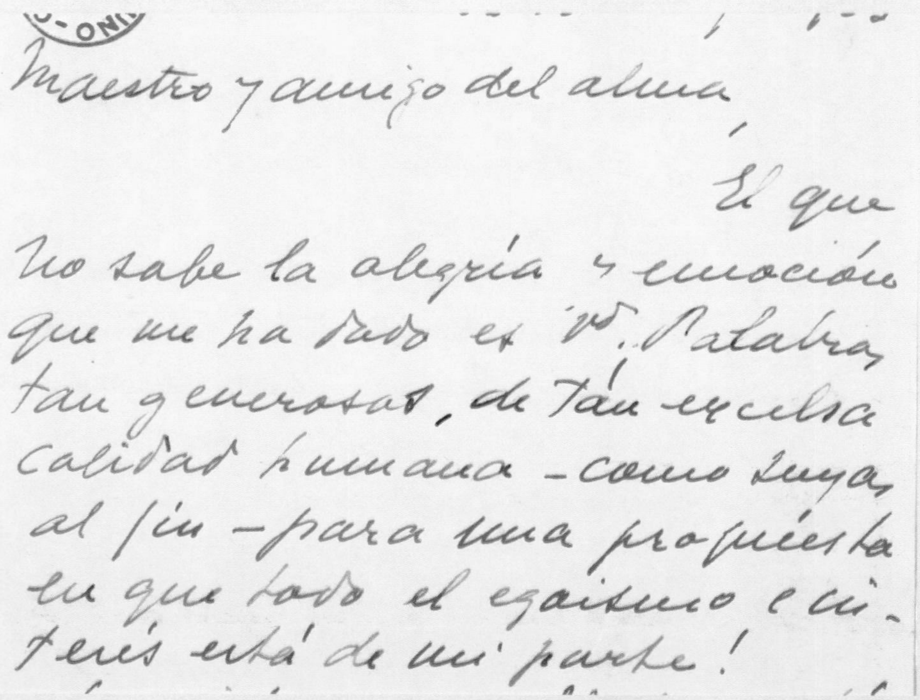

Figura 5. Carta enviada por Mathilde Pomès, el 26 de mayo de 1933.

Maestro y amigo del alma,

El que no sabe la alegría y emoción que me ha dado es Vd. Palabras tan generosas, de tán excelsa calidad humana —como suyas al fin— para una propuesta en que todo el egoismo e interés está de mi parte!

Por último, las mujeres hacen referencia en sus cartas a la ausencia de respuesta por parte de Unamuno. Algunas de ellas no dudan en reclamar con impaciencia al escritor unas letras que pongan fin a su espera. Esto lo vemos en el caso de Ángela Barco, que le dice: «Aunque impaciente, esperaré con paciencia su carta prometida [...]», o aún más significativa es la siguiente mención donde además de reflejar la falta de respuesta por parte de Unamuno alude a la maravillosa correspondencia que habían mantenido anteriormente:

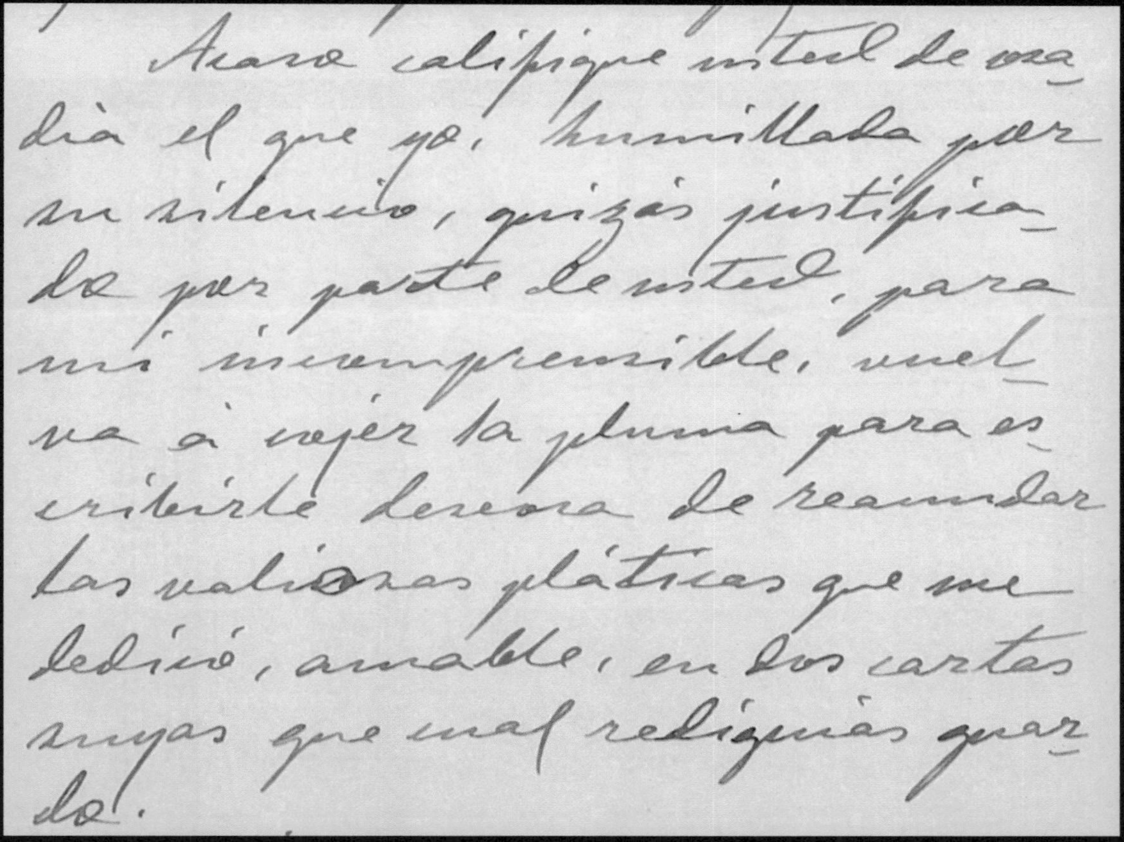
Acaso califique usted de osadía el que yo, humillada por su silencio, quizás justificada por parte de usted, para mi incomprensible, vuelva á cojer la pluma para escribirle deseosa de reanudar las valiosas pláticas que me dedicó, amable, en las cartas suyas que cual reliquias guardo.

Figura 6. Carta enviada por Ángela Barco, el 26 de febrero de 1907.

Acaso califique usted de osadía el que yo, humillada por su silencio, quizás justificado por parte de usted, para mi incomprensible, vuelva á cojer la pluma para escribirle deseosa de reanudar las valiosas pláticas que me dedicó, amable, en las cartas suyas que cual reliquias guardo.

«Hace mucho tiempo que deseo alguna noticia directa de V. [...]*», «Esta vez no tiene V más remedio de contestarme* [...]*»* o *«Hace años que no logro comunicarme directamente con Vd.* [...]*»* son las referencias que localizamos en la correspondencia de Carmen Conde a este respecto. Pero es imprescindible citar aquí las menciones encontradas en las cartas de Matilde Brandau, porque, además de apreciar los periodos de silencio epistolar, *«¿Por qué no me ha escrito?* [...]*»* o *«No me prive de sus noticias* [...]*»*, si nos atenemos a las fechas de sus últimas cartas, 1935 y sobre todo la escrita el 11 de junio de 1936, constatamos también que, aunque no recibía respuesta de él, Brandau siguió escribiéndole. Hay que recordar que Miguel de Unamuno muere el 31 de diciembre de 1936, es decir, meses después de su última carta.

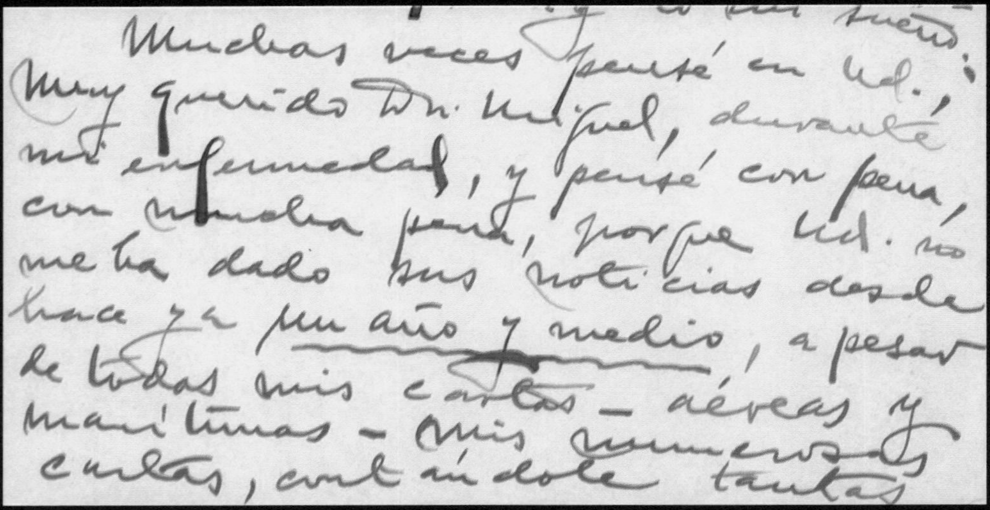
Muchas veces pensé en Ud. Muy querido Dn. Miguel, durante mi enfermedad, y pensé con pena, con mucha pena, porque Ud. no me ha dado sus noticias desde hace ya un año y medio, a pesar de todas mis cartas – aéreas y marítimas – mis numerosas cartas, contándole tantas

Figura 7. Carta enviada por Matilde Brandau, el 11 de junio de 1936.

Muchas veces pensé en Ud., Muy querido Dn. Miguel, durante mi enfermedad, y pensé con pena, con mucha pena, porque Ud. no me ha dado sus noticias desde hace ya un año y medio, a pesar de todas mis cartas –aéreas y marítimas– mis numerosas cartas, contándole tantas [...]

Una vez abordado el intercambio de correspondencia entre Unamuno y las citadas mujeres, la siguiente cuestión en la que vamos a profundizar es en la imagen que se trasluce del escritor en las cartas analizadas. Con este foco de interés hemos identificado una imagen de Unamuno unida a siete de sus facetas: como escritor; como persona influyente; como esposo, padre y abuelo; como consultor; como amigo; como confidente, y, por último, en lo relacionado con su carácter humano.

Unamuno como escritor

En relación a la figura de Unamuno como escritor, hay que decir que es un referente que encontramos en multitud de cartas, puesto que uno de los motivos por el cual se ponen en contacto con él es para comentarle cuestiones relacionadas con sus obras, de las cuales se consideran fervientes seguidoras, o bien para compartirle ejemplares de sus obras, con el fin de pedirle consejo o referencia sobre las mismas. De estos dos hechos podemos sustraer una imagen muy particular del famoso escritor y que ilustramos, a continuación, con algunos extractos de sus cartas donde se puede observar una imagen que gira en torno a la admiración que tienen de él como referente absoluto dentro del panorama literario de la época. Esto se confirma en las alusiones que hacen estas mujeres a muchas de sus obras como *Vida de Don Quijote y Sancho*, *El otro*, *Niebla*, *Del sentimiento trágico de la vida*, *Raquel encadenada*, *Fedra*, etc., y por las que, por ejemplo, Matilde Brandau se refiere al escritor como «¡enorme como una montaña!». A esto se unen los escritos que Unamuno hace tanto en la prensa nacional como la internacional, destacando la de Latinoamérica. En este sentido, Ángela Barco recoge en su carta: «Únicamente añadiré á la lista el de mi Maestro á quien empiezo á conocer [...]» (enviada el 27 de abril de 1907) y «por lo que recuerdo del aspecto físico de usted, y por el alma suya que palpita en todo lo que escribe [...]» (enviada el 11 de julio de 1907), o la referencia de Matilde Bradau que le dice: «En los diarios de aqui se dijo algo de su Conferencia de Valladolid, en términos mui halagüeños: empiezan por reconocer en algo lo que Ud. vale [...]» (enviada el 21 de marzo de 1909), es decir, el seguimiento que hacen de Unamuno les sirve para configurar quién es para ellas don Miguel.

No, no le conocen, ni
le han comprendido nunca,
los que hablan de la sequedad de su corazón, (¡qué

herejía!); los que sonríen con
lástima si... yo, mil veces, dice que es usted un artis-
ta delicadísimo y grandioso a su tiempo.

Además, manejó usted,
en otros artículos soberbios,
virilmente el látigo, que buena falta hace entre esta legión
de macacos envidiosos y
vanos. ¡Muy bien!

No, no lo conocen, ni le han comprendido nunca, hoy que hablan de la sequedad de su corazón, (¡qué heregía!); los que sonrien con lástima si..., yo, mil veces, digo que es usted un artista delicadisimo y grandioso á un tiempo.

Además, maneja usted, en otros artículos soberbios, virilmente el látigo, que buena falta hace entre esta legión de macacos envidiosos y vanos. ¡Muy bien!

Paralelamente a esta admiración de Unamuno como escritor que se refleja en fragmentos como «Acabo de leer su novela para la cual quise tener un día de reposo. Me ha dejado un sabor de pureza y de bondad, un gusto verdaderamente quijotesco y teresiano, como V apunta en el hermoso prólogo [...]» (carta enviada por Concha Espina, el 20 de octubre de 1920); «Desde que la leí soy amiga de V incondicional, su admiradora por lo tanto, su aliada siempre. *Abel Sanchez* me gustó mucho y ahora me interesa sobremanera *La tía Tula* [...]» (carta enviada por Concha Espina, sin fechar) o «He leido con arrobamiento su libro y he quedado encantada: todos los suyos me gustan mucho, pero este me parece el más sentido [...]» (carta enviada por María de Maeztu, el 19 de mayo de 1908), encontramos también la cercanía con él plasmada en el hecho de que, incluso, algunas se atreven a mostrarle sus ideas en relación a, por ejemplo, su desacuerdo con la construcción de alguno de los personajes, el título o el final de alguna de sus obras. Esto nos lleva a pensar que, aunque lo consideran como un escritor de muy alta estima, se muestra con ellas lo suficientemente cercano como para que se atrevan a cuestionar dichas cosas y él lo tenga en cuenta. Resulta muy llamativo el caso específico de Mathilde Pomès, quien en una de sus cartas afirma rotundamente a Unamuno que está siendo timado por una editorial, hasta el punto de hacer ella misma los cálculos de sus honorarios editoriales.

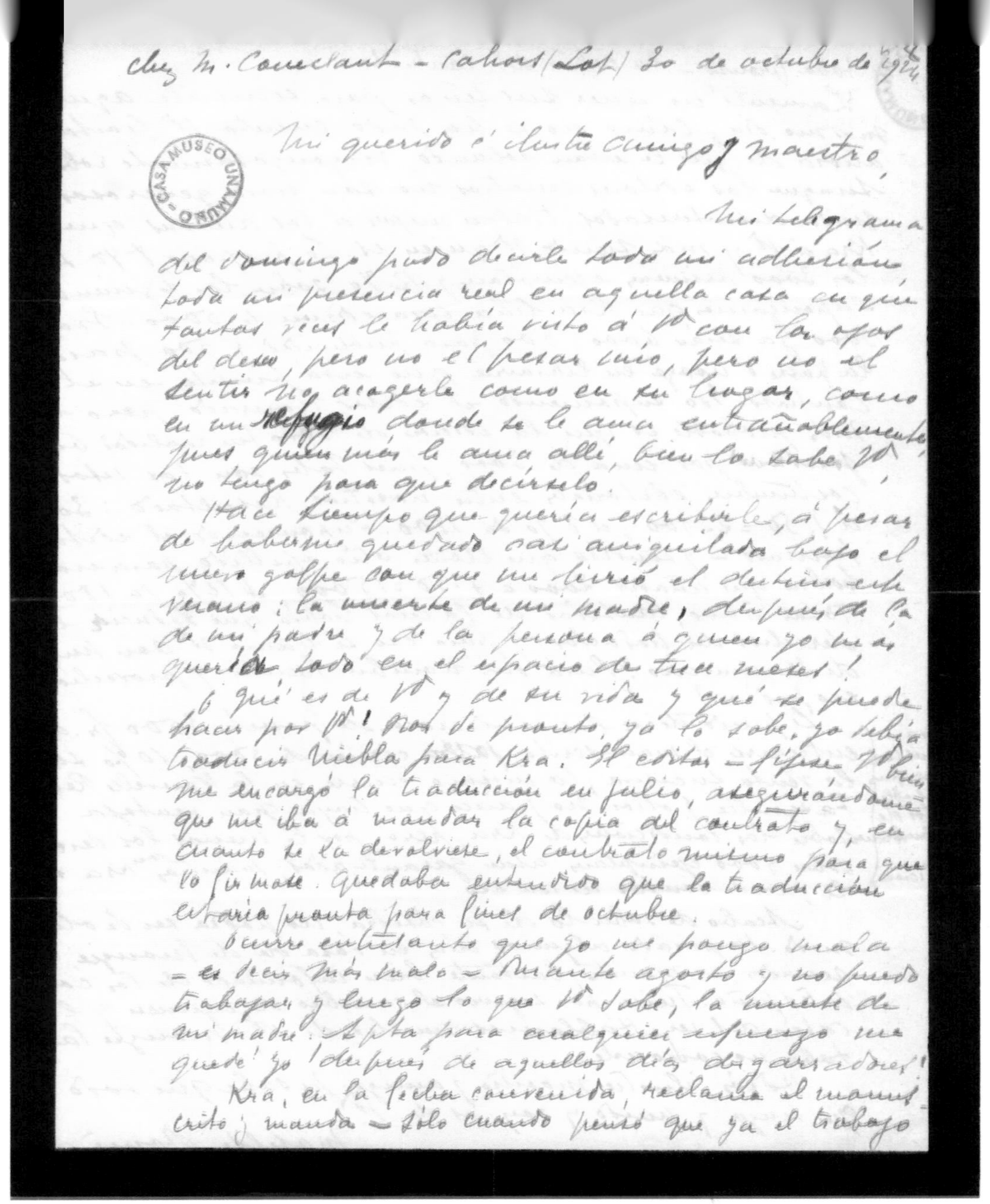

chez M. Constant – Cahors (Lot) 30 de octubre de 1924

Mi querido é ilustre amigo y maestro,

Mi telegrama del domingo pudo decirle toda mi adhesión toda mi presencia real en aquella casa en que tantas veces le había visto á Vd con los ojos del deseo, pero no el pesar mío, pero no el sentir hoy acogerle como en su hogar, como en un refugio donde se le ama entrañablemente, pues quien más le ama allí, bien lo sabe Vd, no tengo para que decírselo.

Hace tiempo que quería escribirle, á pesar de haberme quedado casi aniquilada bajo el nuevo golpe con que me hirió el destino este verano: la muerte de mi madre, después de la de mi padre y de la persona á quien yo más quería todo en el espacio de tres meses!

¿Qué es de Vd y de su vida y qué se puede hacer por Vd? Nos de pronto, ya lo sabe, yo debía traducir Niebla para Kra. El editor – fíjese Vd bien – me encargó la traducción en julio, asegurándome que me iba á mandar la copia del contrato y, en cuanto se la devolviese, el contrato mismo para que lo firmase. Quedaba entendido que la traducción estaría pronta para fines de octubre.

Ocurre entretanto que yo me pongo mala – es decir más mala – durante agosto y no puedo trabajar y luego lo que Vd sabe, la muerte de mi madre. Apta para cualquier esfuerzo me quedé yo ¡después de aquellos días desgarradores!

Kra, en la fecha convenida, reclama el manuscrito y manda – sólo cuando pensó que ya el trabajo

Figura 9a. Anverso de la carta completa enviada por Mathilde Pomès, el 30 de octubre de 1924.

[...] ¿qué es de Vd y de su vida y qué se puede hacer por Vd? Nos de pronto, ya lo sabe, yo debía traducir *Niebla* para Kra. El editor –fíjese Vd bien– me encargó la traducción en julio, asegurándome que me iba á mandar la copia del contrato y, en cuanto se la devolviese, el contrato mismo para que lo firmase. Quedaba entendido que la traducción estaría pronta para fines de octubre.

[...] ¿Cómo no se ha dado cuenta Vd hasta ahora de que le están robando, vergonzosamente robando? Aunque los editores nuestros no son nada generosos, nada desinteresados, tratan mejor á los autores que Kra á Vd y más siendo Vd quien es. Le propone

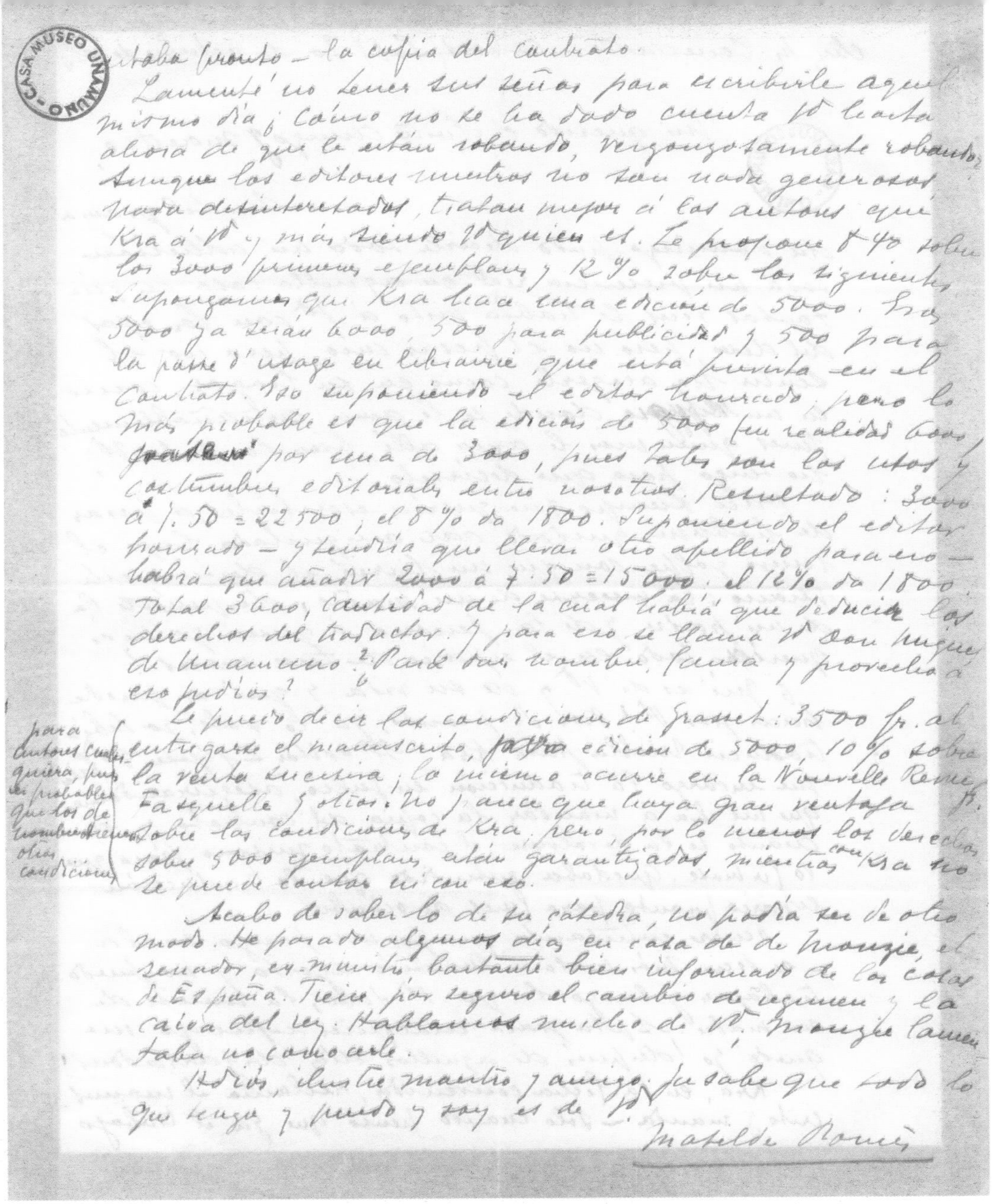

Figura 9b. Reverso de la carta completa enviada por Mathilde Pomès, el 30 de octubre de 1924.

840 sobre los 3000 primeros ejemplares y 12% sobre los siguientes. Supongamos que Kra hace una edición de 5000. Esos 5000 ya serán 6000, 500 para publicidad y 500 para la passe d'usage en librairie, que está prevista en el contrato. Eso suponiendo el editor honrado; pero lo más probable es que la edición de 5000 (en realidad 6000) pase por una de 3000, pues tales son los usos y costumbres editoriales entre nosotros. Resultado: 3000 a 1.50 =22500; el 8% da 1800. Suponiendo el editor honrado —y tendría que llevar otro apellido para eso— habrá que añadir 2000 á 7.50 =15000; el 12% da 1800. Total 3600, cantidad de la cual había que deducir los derechos del traductor. Y para eso se llama Vd Don Miguel de Unamuno? ¿Para dar nombre, fama y provecho á eso judios?

2022 / N50 / EIII / **CCMU - 177** [163-217]

Y relacionado con las sugerencias que le ofrecen sobre los títulos de las obras y de los personajes, mencionamos las siguientes alusiones:

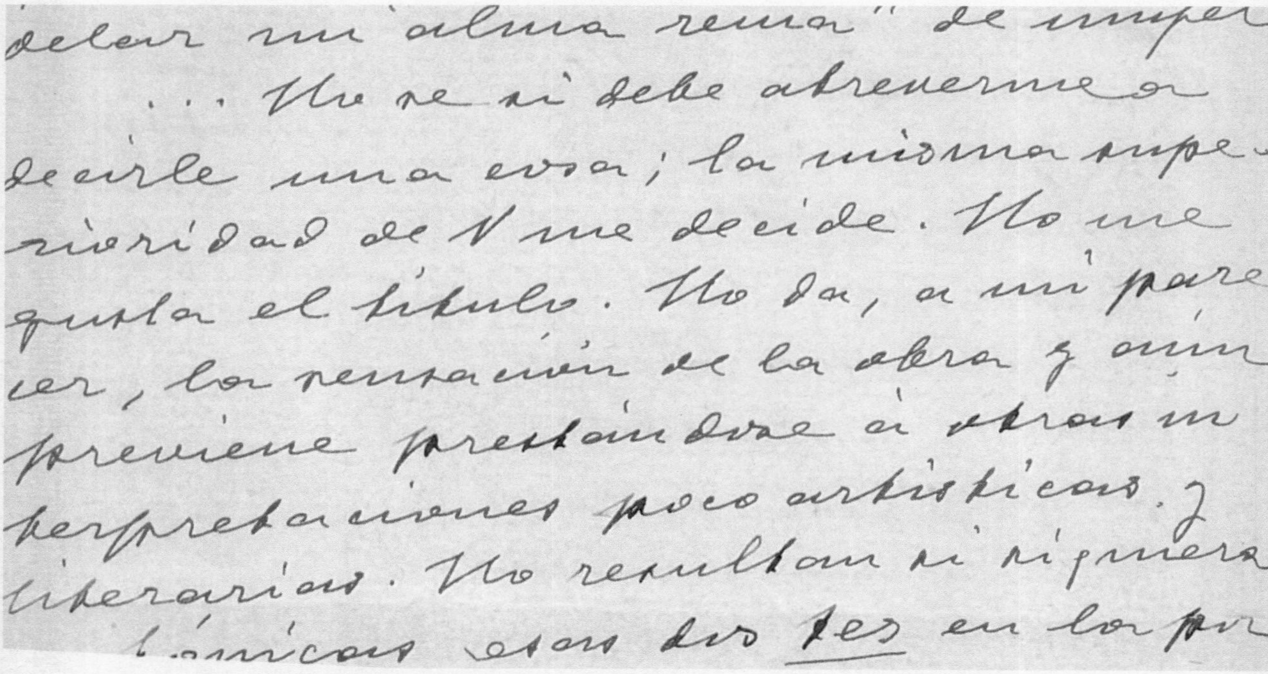
delar mi "alma reina" de imper
... No se si debo atreverme a
decirle una cosa; la misma superioridad de V me decide. No me
gusta el titulo. No da, a mi pare
cer, la sensación de la obra y aun
previene prestándose á otras in
terpretaciones poco artísticas y
literarias. No resultan ni siquiera
lámicas esas dos tes en la por

Figura 10. Carta enviada por Concha Espina, el 20 de octubre de 1920.

... No se si debo atreverme a decirle una cosa; la misma superioridad de V me decide. No me gusta el titulo. No da, a mi parecer, la sensación de la obra y aun previene prestándose á otras interpretaciones poco artísticas y literarias [...] .

«Unamuno tiene que ir a un gran teatro y a grandes actores» Se me figura que, sean cuales fueren ese teatro y esos actores, se había de hacerles alguna concesión en el tercer acto. Es algo duro para un público no hecho a ver la mujer reducida a líneas tan descarnadas, lo que no supone que se haya de arropar, que haya que añadir, sino al contrario quitar: sí, quitar algunos gritos de aquellas dos harpías y hacerla a Damiana hablar algo más veladamente de su luna de miel, porque eso, con ser de tan anchas tragaderas, no creo que nuestro público lo trague.

Figura 12. Carta enviada por Lola Membrives, el 4 marzo, sin año.

Recibi su magnifica <u>Raquel desencadenada</u> –¿ó encadenada?– pues desearia me acla-
rara el titulo, yá que, quiza por la letra yo lea <u>encadenada</u> – y crea por la lectura que es
<u>desencadenada</u> = Tan magnifica és y tan bella. la obra que, yo, pobre de mi, que elogio
puedo hacer á Vd- ¡Solo le diré la emocion tan enorme que me produjo y, el placer que
para mi sera representarla.

Unamuno como persona influyente de la época

En relación a la figura de Miguel de Unamuno unida a su faceta como persona influyente de la época, la correspondencia de estas mujeres del primer tercio del siglo XX sirve para sustraer aquí datos biográficos de Unamuno y del contexto social y político de aquel momento. Esto se debe a que muchos de los acontecimientos de la vida de Unamuno resultaban de interés para estas emisarias y así lo reflejan en sus cartas. Tal es así, que son varias las alusiones que se hacen sobre los acontecimientos que hicieron de este escritor una figura influyente no solo en el ámbito académico como rector de la Universidad de Salamanca (1901-1914 y 1931-1936), sino también en el ámbito político y social tras ejercer el cargo de diputado en las Cortes Republicanas por Salamanca (1931-1933), entre otros. Unido nuevamente a los mencionados signos de admiración y cariño «[...] no sé si habré acertado á expresar el testimonio de admiración y respeto que causan en mí las hondas genialidades de uno de los más grandes españoles que hoy deben enorgullecernos [...]» (carta enviada por Ángela Barco, el 11 de abril de 1907) se muestran aquí las manifestaciones que estas mujeres comparten con él y que nos

sirven para configurar la imagen de Unamuno que ellas construyen envuelto en ese halo de influencia. En este sentido, y con motivo de su destierro a Fuerteventura y su posterior huida a Francia, identificamos en la carta de Mathilde Pomés lo siguiente: «[...] pero de la cual hubiese hablado con más amor aún si el más grande de sus hijos no tuviera que vivir en la mía. ¡Ojalá ésta le fuera materna! Pero me temo que el Paris en que vive le recuerda más la Foire sur la Place de Romain Rolland que no La Maison [...]» (carta enviada por Mathilde Pomés, el 26 de julio de 1925). Destacan también las conexiones al homenaje que recibió Unamuno al jubilarse en 1934, y que se muestran en las cartas de enhorabuena de Ángela Barco, Matilde Brandau y Concha Espina, pero lo que verdaderamente destaca son los epítetos que estas mujeres hacen de Unamuno como: «¡La mentalidad más interesante y portentosa de nuestro país −y quizás de otros−» (carta enviada por Ángela Barco, el 7 de enero de 1935), «[...] la más formidable de las cabezas que hoy piensan en aquella tierra [...]» (carta enviada por Matilde Brandau, el 26 de febrero de 1935), o el que le dedica Concha Espina:

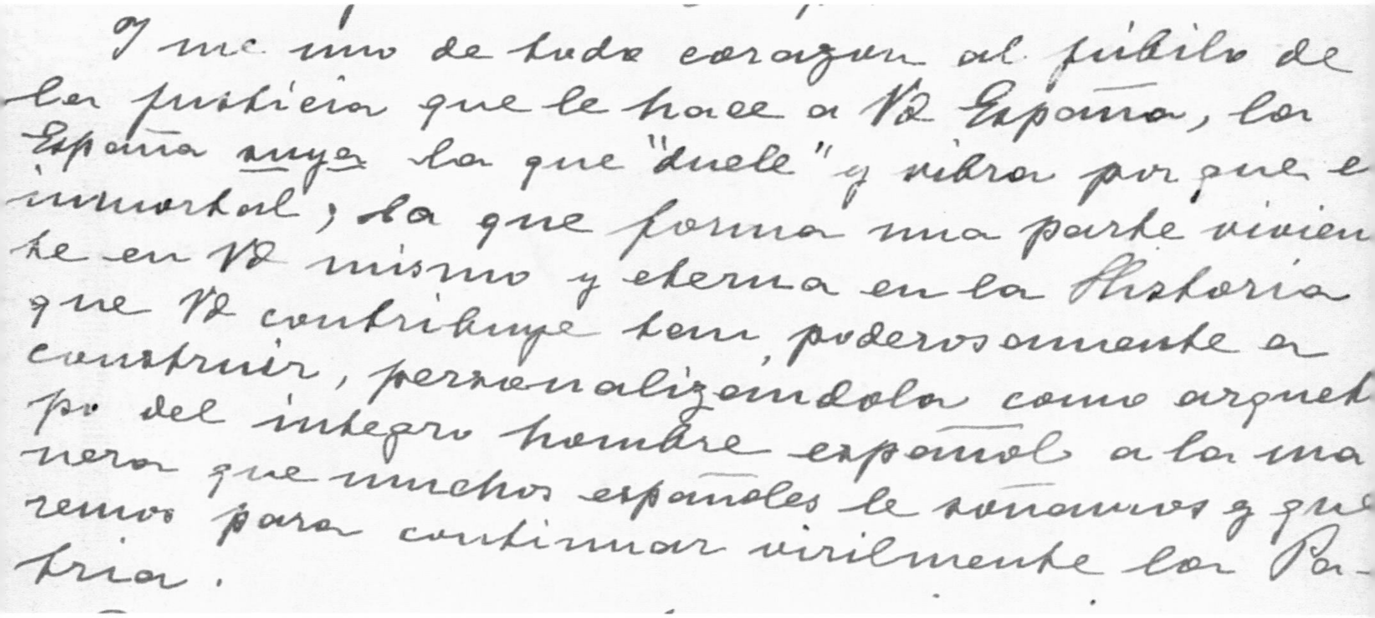
Y me uno de todo corazon al júbilo de
la justicia que le hace a Vd España, la
España suya la que "duele" y vibra por que e
inmortal; la que forma una parte vivien
te en Vd mismo y eterna en la Historia
que Vd contribuye tan poderosamente a
construir, personalizándola como arquet
po del integro hombre español a la ma
nera que muchos españoles le soñamos y que
remos para continuar virilmente la Patria.

Figura 13. Carta enviada por Concha Espina, el 21 de noviembre. Aunque no indica el año se deduce que es de 1935.

> Y me uno de todo corazon al júbilo de la justicia que le hace a Vd España, la España suya la que «duele» y vibra por que es inmortal; la que forma una parte viviente en Vd mismo y eterna en la Historia que Vd contribuye tan poderosamente a construir, personalizándola como arquetipo del íntegro hombre español a la manera que muchos españoles le soñamos y queremos para continuar virilmente la Patria.

Otro aspecto que las mujeres destacan en las cartas es la influencia de Unamuno en Latinoamérica y, por este motivo, le escribían bien para hacerle una invitación o para resaltar el impacto que tendría la figura de Unamuno por esas tierras, las cuales sabemos que finalmente nunca pudo visitar, como así cita Matilde Brandau: «Ud. ha de venir i su venida hará época en esta tierra i en las que pise Ud. [...]» (carta enviada el 15 de noviembre de 1909). En las letras de Ángela Barco podemos apreciar la idea de que incluso su influencia podría perdurar en el tiempo:

Hasta he llegado á pensar que si a través del tiempo fue haciéndose tan interesante por su historia y su escuela, tan grande por los grandes hombres que la habitaron, tan dorada y adorada por su venerable magnificencia, que llegó á ser mirada por el mundo todo como una reliquia inapreciable, esto no fué más que prepararle á usted un pedestal donde había de resplandecer con fecundos reflejos su soberana inteligencia. Tan grande le veo yo á usted, mi Maestro. ¡Salamanca!.. ¡Palestina!.. ¡La Meca!..

¿No cree usted como yo que al correr del tiempo pudieran llegar á hacerse peregrinaciones á esa nuestra Salamanca donde usted pasa su vida?..

La imagen que venimos desarrollando se completa con otra vertiente que en este caso tiene que ver con el concepto de peticiones que se concretan en dos tipos: las que tienen que ver con los aspectos desde el punto de vista político y social y las relacionadas con el punto de vista intelectual. En relación a las primeras, como así menciona Concepción del Valle-Inclán en su carta se debe a su «[...] enorme prestijio e influencia [...]» (carta sin fechar), y por esta razón, por ejemplo, Enriqueta Carbonel le pide ayuda para liberar a su marido, Atilano Coco; y Gabriela Mistral y Concepción del Valle-Inclán para que interceda políticamente por José Vasconcelos; y para sacar de la cárcel a su hermano, Carlos del Valle-Inclán y a su marido, Jerónimo Toledano, respectivamente. Y, por supuesto, la solicitud de opinión de temas diversos como el divorcio (Carmen de Burgos) o la guerra (Renée Lafont, en alusión a la Primera Guerra Mundial), por ser considerado por ellas como «[...] uno de nuestros más ilustres pensadores [...]» (carta enviada por Carmen de Burgos, el 21 de julio de 1903).

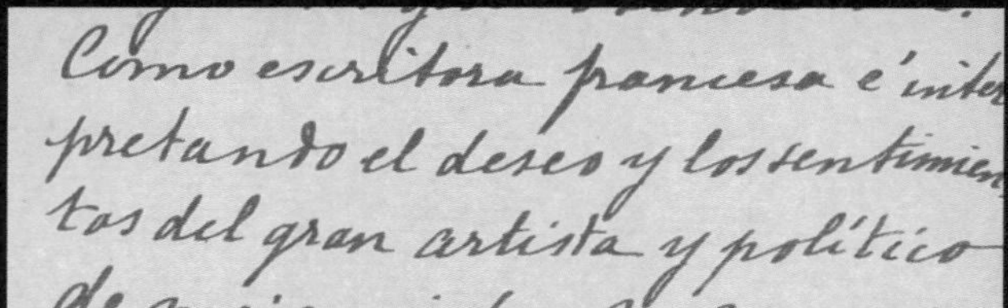

Figura 15. Carta enviada por Renée Lafont, el 9 de diciembre de 1914

Como escritora francesa é interpretando el deseo y los sentimientos del gran artista y político de mi nación, M. Maurice Barrès, debo solicitar de los más preclaros intelectuales españoles una opinion sobre la guerra, un juicio, breve ó estenso, contrario ó favorable á la causa de Francia. M. Maurice Barrès desearía conocer la opinion de la <u>élite</u> española, y se hará eco de la misma en la prensa de su país.

Estos ejemplos contribuyen a configurar esa imagen para ellas de Unamuno como un gran intelectual de la época, cuyo «[...] nombre solo es bastante para llenar el teatro [...]» (carta enviada por Lola Membrives, el 1 de agosto).

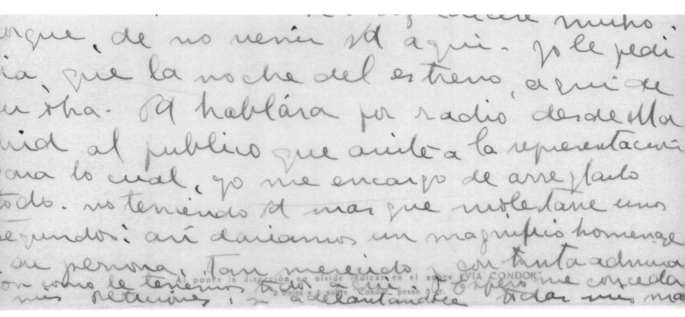

Figura 16. Carta enviada por Lola Membrives, en noviembre de 1936.

[...] porque de no venir Vd aqui, yo le pediria que la noche del estreno aqui de su obra, Vd hablara por radio desde Madrid al publico que asiste a la representación para lo cual, yo me encargo de arreglarlo todo. no teniendo Vd mas que molestarse unos segundos: asi dariamos un magnifico homenage a su persona, tan merecido y con tanta admiracion como le tenemos todos aqui.

Unamuno como padre, esposo y abuelo

Para seguir configurando esta imagen femenina de Unamuno nos adentramos ahora en términos más íntimos y personales, tanto de él como de las corresponsales, que a continuación vamos a desarrollar. Como ya hemos indicado anteriormente, las cartas nos permiten extraer una radiografía del contexto social de la época en la que fueron escritas, y esto lo apreciamos claramente en las referencias explícitas a la figura de Unamuno en su faceta de esposo, padre y abuelo encontradas en la correspondencia analizada. De este modo, son constantes las vinculaciones a la idea de familia tradicional española, la cual venía caracterizada por el matrimonio eclesiástico, donde el sistema patriarcal establecía que el varón era el cabeza de familia y, por lo tanto, el responsable de la economía familiar, y en la mujer recaían las funciones domésticas en cuanto al cuidado de las labores de la casa y el de los hijos que, en la mayoría de los casos, eran numerosos. Esto lleva a identificar al hombre en todas aquellas cuestiones relacionadas con la vida pública y a la mujer con la vida privada.

El modelo tradicional argumenta la exclusión de la mujer del ámbito público en aptitudes naturales para la vida doméstica, como la afectividad, el sentimentalismo o la abnegación y la carencia de atributos supuestamente masculinos como la racionalidad, la inteligencia, la capacidad de juicio o la competitividad. Por ello, el régimen jurídico reguló la autoridad patriarcal y la subordinación de la mujer y, en especial, de la mujer casada con respecto al marido. El Código civil de 1889 concreta esa subordinación en el ámbito laboral. La mujer dependía del permiso del marido para establecer un negocio, practicar el comercio o firmar un contrato y, además, estaba obligada por ley a poner su salario a disposición del mismo. La noción de que el varón era el único sujeto legal se plasmó también en el Código penal de 1870 y en el de Comercio de 1885[1].

Curiosamente, en el caso de don Miguel ocurre algo «poco habitual» y es el hecho de encontrar en él esas aptitudes mencionadas por Vázquez[2] habitualmente consideradas como propiamente femeninas. Esto se puede observar en la siguiente carta que envió a Pedro de Múgica en 1890 donde expresaba sus sentimientos hacia Concha del siguiente modo:

Ella es lo primero, ante todo y sobre todo, y si me exigiera el sacrificio de mis estudios favoritos, lo haría: si para alcanzarla pronto tuviera que quemar mis apuntes de todas clases, mis notas, mi tesoro, la labor de tantos años de reclusión y meditación terca, los quemaría. Ella representa para mí doce años de vida, doce hace que la conozco, los sueños y los anhelos de doce años, día tras día: en fin es toda mi vida y lo mejor de ella[3].

Miguel de Unamuno se casó con Concha Lizárraga, a la que llamaba cariñosamente su «costumbre», el 31 de enero de 1891 y con la cual formó una familia numerosa compuesta por nueve hijos[4]. Un matrimonio que duró 43 años, hasta el fallecimiento de ella en 1934[5].

Figura 17. Y tras el texto: Casa-Museo Unamuno. Universidad de Salamanca. Retrato de estudio. Unamuno y familia. Casa-Museo Unamuno. Universidad de Salamanca.

Dentro de este contexto, muchas de estas mujeres utilizan sus cartas para interesarse por los miembros de su familia y, especialmente, por su mujer, hijos y nietos: «¿Y Concha y sus hijos?» (carta enviada por Ángela Barco, el 23 de noviembre de 1918); «[...] quiero saber por Ud. mismo, de Ud., de su compañera de toda la vida i de sus hijos [...]» (carta enviada por Matilde Brandau, el 7 de noviembre de 1917); «¿Qué es de Salomé, i de Fernando?» (carta enviada por Matilde Brandau, el 12 de julio de 1925); «¿Cómo están sus hijos? ¿Cuántos nietos tiene? ¿Salomé está casada? ¿Y las otras chicas? ¿Y el menor, que hace? ¿Hay alguno de los niños q. podría ser mañana su prolongación?» (carta enviada por Matilde Brandau, el 16 de diciembre de 1934), o «¡Cuánto tiempo que no le veo! Me gustaría verle con esa ternura que, quiera o no quiera, da el ser abuelo [...]» (carta enviada por Mathilde Pomès, el 11 de agosto de 1934).

Figura 18. Y tras el texto: Casa-Museo Unamuno. Universidad de Salamanca. Unamuno sentado en el interior de su casa rodeado sus nietos Mercedes, Carmina, Miguel Quiroga y Salomé. Casa-Museo Unamuno. Universidad de Salamanca.

Pero no solo se interesaban por la familia de Unamuno, sino que en aquellas que tenían un vínculo de amistad más cercano, como en el caso de María de Maeztu o Matilde Brandau, amigas de la familia, comprobamos una mayor cercanía. Ejemplo de ello lo encontramos en una de las cartas de De Maeztu, con una frase tan afectuosa como la que sigue: «Mil cariñosos afectos á Concha y María, muchos besos á los nenes sobre todo al encantador Rafaelin y V. mi ilustre amigo ya sabe cuán su amiga y admiradora [...]» (carta enviada el 15 de junio de 1909). Por su parte, Matilde Brandau va, incluso, más allá y aprovecha su felicitación por el nacimiento del octavo descendiente del escritor para pedirle que llame al recién nacido Luis, que es el nombre de su esposo fallecido.

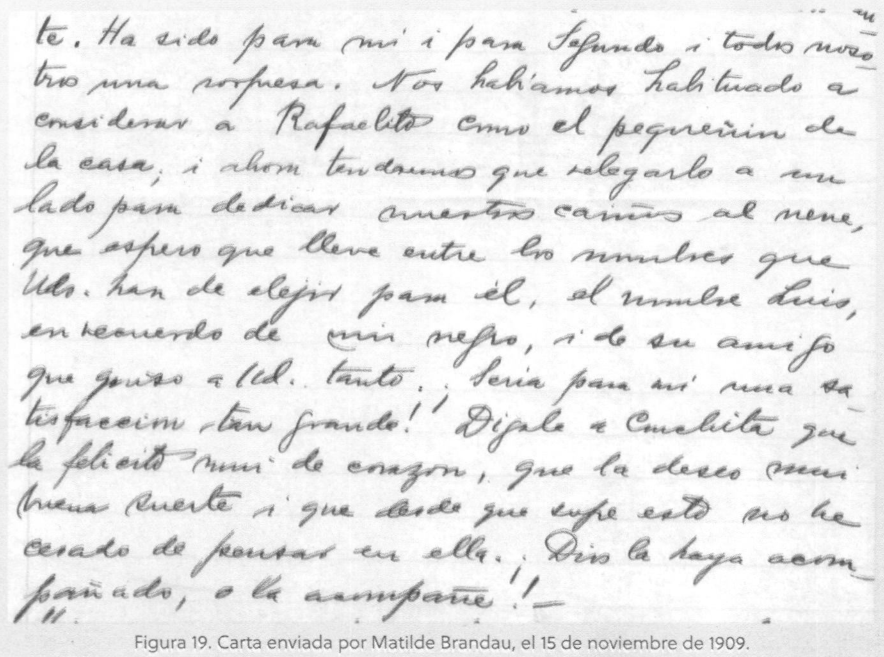

Figura 19. Carta enviada por Matilde Brandau, el 15 de noviembre de 1909.

Ha sido para mi i para Segundo i todos nosotros una sorpresa. Nos habíamos habituado a considerar a Rafaelito como el pequeñin de la casa; i ahora tendremos que relegarlo a un lado para dedicar nuestros cariños al nene, que espero que lleve entre los nombres que Uds. han de elejir para él, el nombre Luis, en recuerdo de mi negro, i de su amigo que quiso a Ud. tanto. ¡Sería para mi una satisfaccion tan grande! Digale a Conchita que la felicito mui de corazon, que la deseo mui buena suerte i que desde que supe esto no he cesado de pensar en ella. ¡Dios la haya acompañado, o la acompañe!-

Las felicitaciones no son el único motivo por el cual escriben, también los momentos tristes o de dificultad que acompañan a la familia de Unamuno sirven de pretexto para nuevas misivas. Especialmente las referencias epistolares aluden a los pésames por los fallecimientos de su esposa Concha y de su hija Salomé, donde mostraban su apoyo en esos duros momentos.

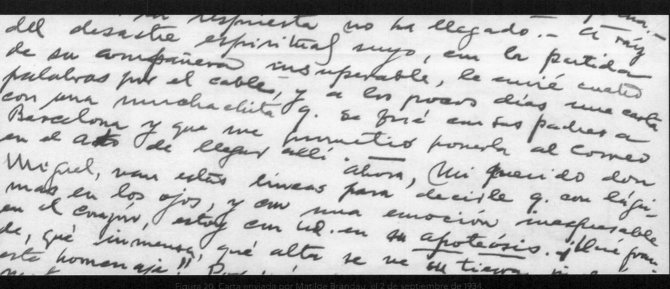

Figura 20. Carta enviada por Matilde Brandau, el 2 de septiembre de 1934.

A raíz del desastre espiritual suyo en la partida de su compañera inseparable, le envié cuatro palabras por el cable, y a los pocos días una carta con una muchachita q. se fué con sus padres a Barcelona y que me prometió ponerla al correo en el acto de llegar allí. Ahora, mi querido don Miguel, van estas líneas para decirle q. con lágrimas en los ojos, y con una emoción inexpresable en el corazón, estoy con Ud. en su apoteósis.

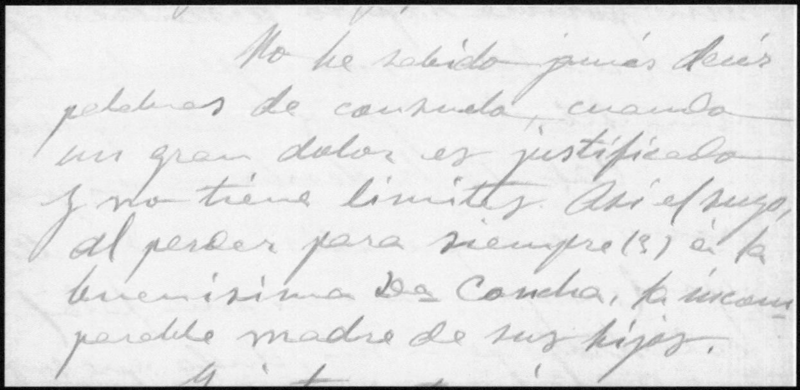

Figura 21. Carta enviada por Ángela Barco, el 18 de mayo de 1934.

No he sabido jamás decir palabras de consuelo, cuando un gran dolor es justificado y no tiene límites. Así el suyo al perder para siempre (?) á la buenísima Dª Concha, la incomparable madre de sus hijos.

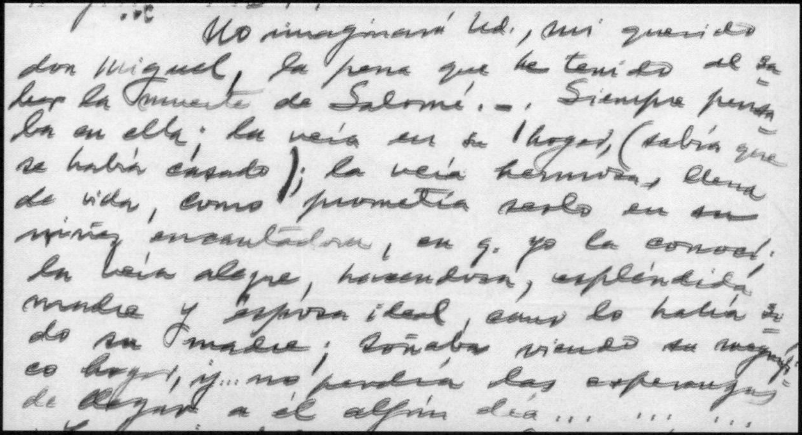

Figura 22. Carta enviada por Matilde Brandau, el 21 de febrero de 1935.

No imaginará Ud., mi querido don Miguel, la pena que he tenido de saber la muerte de Salomé.- Siempre pensaba en ella; la veía en su hogar, (sabía que se había casado); la veía hermosa, llena de vida, como prometía serlo en su niñez, encantadora, en q. yo la conocí; la veía alegre, hacendosa, espléndida madre y esposa ideal, como lo habrá sido su madre; soñaba viendo su magnífico hogar, y... no perdía las esperanzas de llegar a él algún día... ... ...

Estos extractos de la correspondencia nos sirven para identificar una imagen familiar de Unamuno relacionada con las muestras de cariño y afecto que este cultivó a lo largo de toda su vida y el vínculo tan especial que mantuvo con su mujer, aspecto que el propio escritor comparte en una carta dirigida a su amigo el portugués Teixeira de Pascoaes, poco después de la muerte de Concha:

Cayó en cama con una congestión y una hemiplejía, perdió pronto el conocimiento y tras una larga agonía –de días– se me fue con Dios el 15 de este mes. Había hecho los 70 años el 29 de julio *[sic]*, día de Santiago; yo el 29 de septiembre. Nos conocíamos de niños y llevábamos de matrimonio 43 años. Era más que mi amor, mi costumbre... mi todo. La madre de mis ocho hijos –y de mis nietos– y mi madre también. Y ahora retrucando un verso célebre de Bécquer puedo decir: «Dios mío, que solos nos vamos quedando los vivos». (Carta enviada por Miguel de Unamuno, el 24 de mayo de 1934).

Esta particular relación de Unamuno con su familia nos lleva a identificar, como así recoge Sofía Casanova en una de sus cartas, «un ejemplo de familia española»: «Maestro y amigo, gracias mil por su carta que me hace ver á Ud. mas íntimamente y, por consecuencia me acerque mas á Ud. y a ese hogar, en el que adivino un ejemplo de familia española. Saludo á su compañera con efusión de madre á madre y beso las cabecitas rubias de los niños» (carta enviada el 18 de diciembre de 1900).

En un principio, por sus características, la familia de Unamuno podría adaptarse a esos cánones de familia tradicional. Ahora bien, si se tienen en cuenta reflexiones hechas por el propio escritor al respecto como las realizadas en la conferencia de la Sociedad de Ciencias de Málaga en 1906, en las que lanza ideas relacionadas con el papel de la mujer en el hogar, se puede extraer una visión alternativa:

La enseñanza del bordado, por otra parte, es un símbolo de esclavitud de la mujer, esclavizada a eso que con una frase degradante llamamos «labores de su sexo». Se busca, distrayéndolas con esas futesas, mantenerlas en cierta perpetua minoría intelectual. Es ello una vergüenza y una forma de aquello de que a la mujer le basta con saber guisar y remendar los calzones de su marido. En el fondo, parece se trata de impedir el desarrollo de la dignidad humana, de todo lo más elevado y más noble. Y esto no solo en la educación de la mujer, sino también en la del hombre, y muy especial en la del maestro[6].

Estas declaraciones inducen a pensar y a configurar una imagen particular de Unamuno transgresor en cuanto a las ideas que tenían que ver con el ámbito femenino, en su faceta privada, que pueden poner en entredicho dicha configuración de «familia tradicional» y se podría acercar más a lo que luego hemos conocido como «familia moderna».

Unamuno como consultor

Profundizando en la correspondencia no podemos pasar por alto uno de los temas muy recurrentes en la misma, y es el hecho o motivo por el que le escriben estas mujeres y que está relacionado con la faceta de Unamuno como consultor, maestro u orientador. Esto se puede apreciar en la siguiente carta de Ángela Barco: «Muchas, infinitas veces sentí el impulso de escribirle. ¿Para qué? Para nada en concreto; para algo que me hacía estremecer de alegría. Para que usted me escribiera (perdone mi orgullo) hablándome el lenguaje de la verdad, y me guiase en mis desorientaciones... Tengo grandísimos deseos de decirle

muchas cosas; de consultarle sobre ciertas dudas y complejidades más [...]» (enviada el 11 de abril de 1907) o Margarita Ferreras, quien le consulta desde una perspectiva más íntima: «Si a V. le da lástima de mi, yo hablaré con quien V. me mande porque aun en el silencio, mi corazón sigue creyendo en V. [...]» (enviada el 15 de diciembre de 1935).

Detrás de esto encontramos a unas mujeres que acuden a él porque lo consideran como un referente de ayuda para esas posibles dudas o necesidades que les podían surgir en su día a día.

Las palabras que V. me señala como eruditas, archi-cultas etc, las uso por no repetir siempre las otras y por que las encuentro bonitas.

Y con todo esto que contesto á la noble carta de V, no es que yo me permita discutir lo que V me aconseja; V tiene como nadie derecho a que yo le oiga, respete y obedezca; es que me parece más afectuoso y cordial darle a V mis razones y explicarle el por qué de mis pecados que no tienen siquiera la disculpa de ser inconscientes.

Pero no olvidaré cuanto V me dice y procuraré seguir sus consejos de sabio y de artista, que tienen para mi un valor excepcional.

Acabamos de apreciar en la carta de Concha Espina que estas consultas podían vincularse a cuestiones profesionales, es decir, al ámbito literario en su faceta de escritoras, y lo mismo sucede con Mariblanca Sabas:

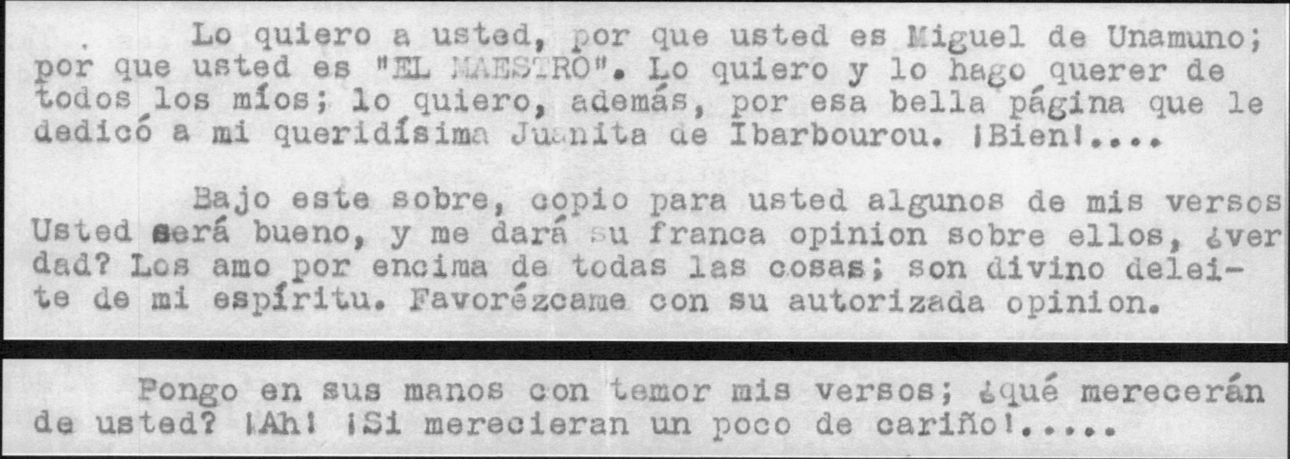

Lo quiero a usted, por que usted es Miguel de Unamuno; por que usted es "EL MAESTRO". Lo quiero y lo hago querer de todos los míos; lo quiero, además, por esa bella página que le dedicó a mi queridísima Juanita de Ibarbourou. ¡Bien!....

Bajo este sobre, copio para usted algunos de mis versos Usted será bueno, y me dará su franca opinion sobre ellos, ¿verdad? Los amo por encima de todas las cosas; son divino deleite de mi espíritu. Favorézcame con su autorizada opinion.

Pongo en sus manos con temor mis versos; ¿qué merecerán de usted? ¡Ah! ¡Si merecieran un poco de cariño!.....

Figuras 24 a y b. Carta enviada por Mariblanca Sabas, el 3 de septiembre de 1922.

Lo quiero a usted, por que usted es Miguel de Unamuno; por que usted es «EL MAESTRO». Lo quiero y lo hago querer de todos los míos; lo quiero, además, por esa bella página que le dedicó a mi queridísima Juanita de Ibarbourou. ¡Bien!....

Bajo este sobre, copio para usted algunos de mis versos. Usted será bueno, y me dará su franca opinion sobre ellos, ¿verdad? Los amo por encima de todas las cosas; son divino deleite de mi espíritu. Favorézcame con su autorizada opinion.

Pongo en sus manos con temor mis versos; ¿qué merecerán de usted? ¡Ah! ¡Si merecieran un poco de cariño!.....

Como el ámbito intelectual en el que se movían estas mujeres era muy variado, también hay peticiones relacionadas con las artistas de la época, que estaban representando obras de Unamuno en el teatro. Destacan aquí las solicitudes, por ejemplo, de Magda Donato: «Y por eso, ya que sus consejos no me han guiado en la parte de interpretación, sería para mi un alivio muy grande, tuviera Vd. la bondad de decirme como ha visto Vd. a su Fedra, es decir de que manera, poco mas o menos la vestiría Vd. [...]» (carta enviada por Magda Donato, el 5 de marzo de 1923) y Lola Membrives:

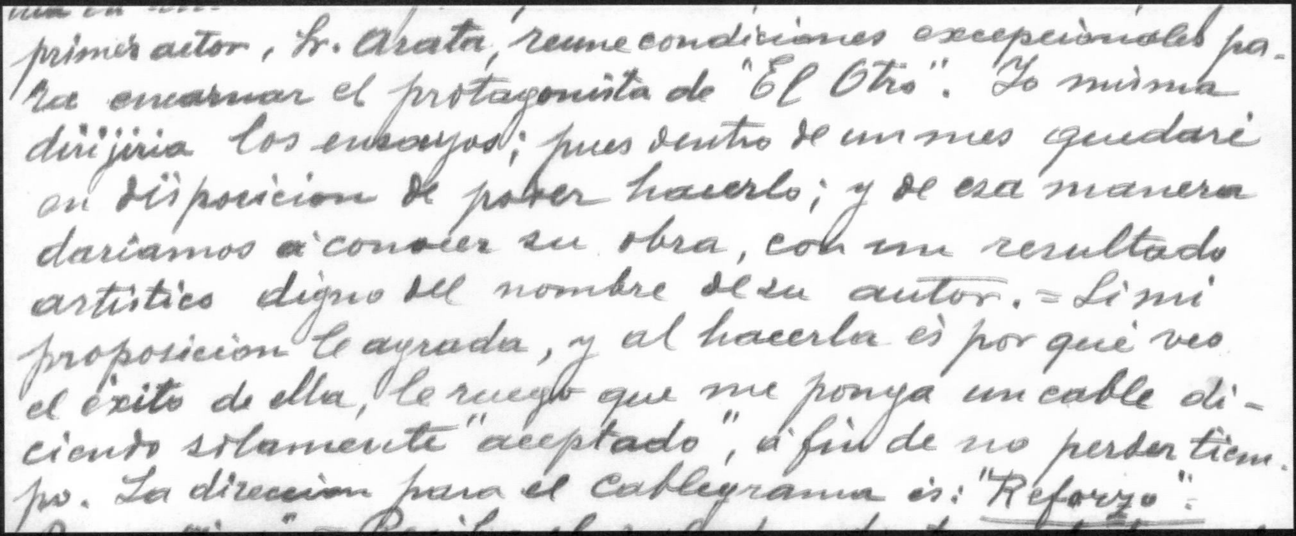

primer actor, Sr. Arata, reune condiciones excepcionales para encarnar el protagonista de "El Otro". Yo misma dirijiria los ensayos; pues dentro de un mes quedaré en disposicion de poder hacerlo; y de esa manera dariamos á conocer su obra, con un resultado artistico digno del nombre de su autor. = Si mi proposicion le agrada, y al hacerla es por qué veo el éxito de ella, le ruego que me ponga un cable diciendo solamente "aceptado", á fin de no perder tiempo. La direccion para el cablegrama es: "Reforzo".

Figura 25. Carta enviada por Lola Membrives, el 14 de abril de 1934.

Sr. Arata, reune condiciones excepcionales para encarnar el protagonista de «El Otro». Yo misma dirijiria los ensayos; pues dentro de un mes quedaré en disposición de poder hacerlo; y de esa manera dariamos á conocer su obra, con un resultado artistico digno del nombre de su autor. = Si mi proposición le agrada, y al hacerla es por que veo el éxito de ella, le ruego que me ponga un cable diciendo solamente «aceptado», á fin de no perder tiempo.

Esta correspondencia refleja la amistad que mantuvo Unamuno con algunas de las mujeres de su época, hecho que nos lleva a profundizar, a continuación, en el singular carácter amigable del escritor.

Unamuno como amigo

Hay que especificar que de las 21 mujeres analizadas no todas mantuvieron el mismo grado de amistad con él, pero un rasgo caracterizador que encontramos en muchas de sus cartas son las alusiones directas al concepto de amistad. Ejemplo de ello lo podemos apreciar en las epístolas de Concha Espina, Margarita Ferreras, María Luisa García-Dorado Seirullo, Enriqueta García Infanzón y Emilia Pardo Bazán, entre otras, que se refieren a Unamuno como su amigo: «Ya sabe V. con qué espontaneidad me ofrecí para lectora. En esto y en todo deseo mostrarle mi sincera amistad [...]» (carta enviada por Emilia Pardo Bazán, sin fechar);

«Gracias por ellos otra vez; por cuanto V me promete y Alienta, y sobre todo por su amistad que ya tenía un culto en mi alma y que recibo con entusiasmo y emocion» (carta enviada por Concha Espina, sin fechar); «No olvide del todo a su triste amiga [...] ¡Sigo muy sola, Don Miguel!» (carta enviada por Margarita Ferreras, el 26 de marzo de 1934), o «Yo temo no poder servirle de nada; pero si de algo pudiera, sabe que siempre puede contar conmigo, como discípula, como amiga, por cuanto sea preciso. Sabe Vd. que mi sinceridad es muy grande» (carta enviada por M.ª Luisa García-Dorado Seirullo, el 7 de marzo de 1924).

Maestro insigne: no pude resistir la tentacion de trazar esas líneas para expresar en letra de molde mis admiraciones y fervores hacia V. Me permito enviárselas con mi adhesion al grandioso homenaje, lamentando no poder asistir a él. Le felicita con entusiasmo su devota amiga y admiradora.

Si bien, en algunos casos, esta amistad se fue fraguando a medida que iban intercambiando esta correspondencia, pues en algunos incluso ni se conocían, en cambio, en otros casos, dichos lazos venían ya de tiempo atrás. Encontramos aquí a María de Maeztu, cuya relación de amistad proviene de los vínculos que tenían las dos familias en la época en la que Unamuno vivía en Bilbao. Más concretamente, la relación se remonta a su madre Juana Whitney, con quien también mantuvo correspondencia, y se consolidó cuando María comenzó sus estudios en Salamanca, puesto que pasó mucho tiempo en la casa familiar de Unamuno. Después ya se unieron los intereses intelectuales comunes entre ambos a lo largo de los años. «He agradecido mucho la carta que dirige V. á mi madre; siempre era para mi violento presentarme sola ante esos catedráticos á quienes tal vez parezca un poco extraño que las mujeres se atrevan a traspasar las aulas de las clásicas Universidades. Por eso el ofrecimiento de su amistad noble y sincera y de su valioso apoyo me conforta y consuela [...]» (carta enviada por María de Maeztu, el 19 de mayo de 1908).

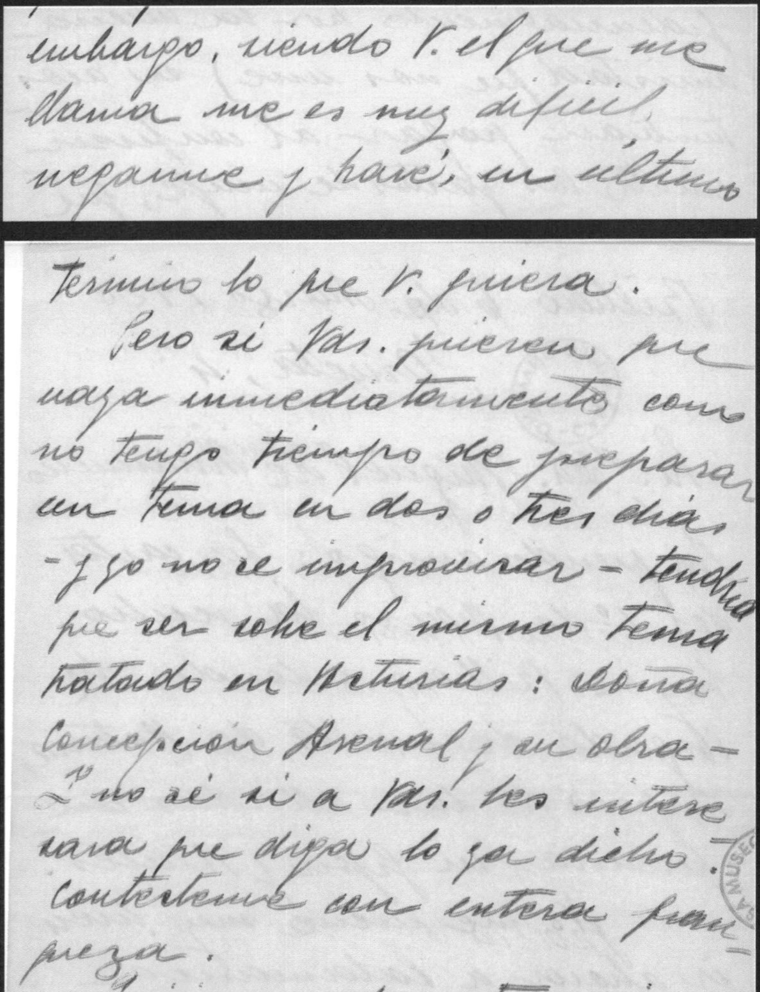

embargo, siendo V. el que me
llama me es muy difícil
negarme y haré, en último

término lo que V. quiera.

Pero si Vds. quieren que
vaya inmediatamente, como
no tengo tiempo de preparar
un tema en dos o tres días
—yo no sé improvisar— tendría
que ser sobre el mismo tema
tratado en Asturias: Doña
Concepción Arenal y su obra —
¿no sé si a Vds. les intere-
saría que diga lo ya dicho?
Contésteme con entera franqueza.

Quisiera saber también
(y esto se lo pregunto a V. confidencialmente por la buena
amistad que nos une) si acaso
tendrían pagar al conferenciante los gastos de viaje, que

serían solamente el tren y
la fonda. Así lo han hecho
en Gijón. Si a V. le parece
que no es discreto preguntar
esto, délo por no escrito.

Figuras 27 a, b y c. Carta enviada por María de Maeztu, el 6 de marzo de 1920.

[...] siendo V. el que me llama me es muy dificil negarme y haré en último término lo que V. quiera.

Pero si Vds. quieren que vaya inmediatamente como no tengo tiempo de preparar un tema en dos o tres dias –y yo no se improvisar– tendría que ser sobre el mismo tema tratado en Asturias: Doña Concepción Arenal y su obra- Y no sé si a Vds. les interesara que diga lo ya dicho. Contesteme con entera franqueza.

Quisiera saber también (y esto se lo pregunto a V. confidencialmente por la buena amistad que nos une) si acostumbran pagar al conferenciante los gastos de viaje, que serían solamente el tren y la fonda. Así lo han hecho en Gijon. Si a V. le parece que no es discreto preguntar ésto, delo por no escrito.

Otra referencia similar es la de Emilia Pardo Bazán a la que también le unían este tipo de relaciones familiares de amistad. Incluso, en otra de las muchas cartas que intercambió con Unamuno, como dato curioso vemos que le ofrecía su número de teléfono y donde queda perfectamente reflejada la citada amistad que les unía:

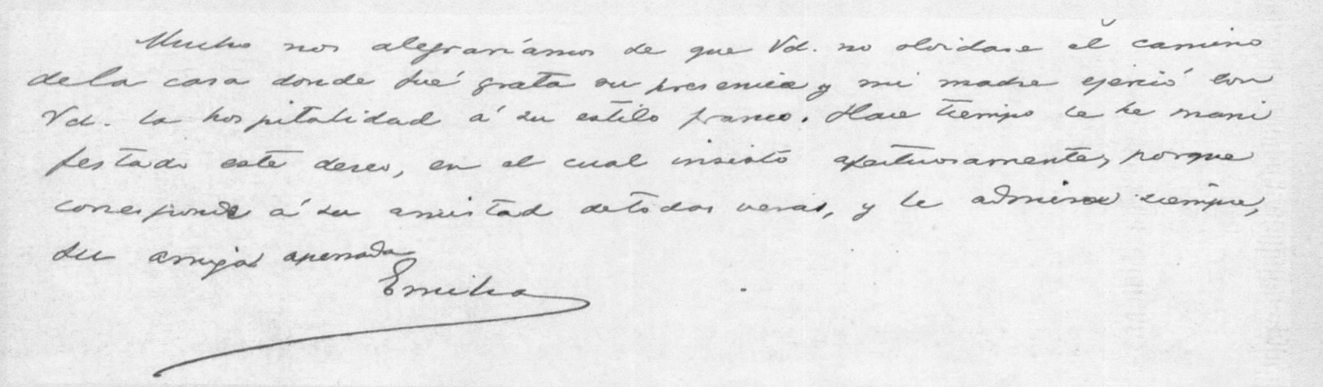
Mucho nos alegraríamos de que Vd. no olvidase el camino dela casa donde fué grata su presencia y mi madre ejerció con Vd. la hospitalidad á su estilo franco. Hace tiempo le he manifestado este deseo, en el cual insisto afectuosamente, porque corresponde á su amistad de todas veras, y le admira siempre, su amiga apenada
Emilia

Figura 28. Carta enviada por Emilia Pardo Bazán, el 8 de marzo de 1915.

Mucho nos alegramos de que Vd. no olvidase el camino dela casa donde fue grata su presencia y mi madre ejerció con Vd. la hospitalidad á su estilo franco. Hace tiempo le he manifestado este deseo, en el cual insisto afectuosamente, porque corresponde á su amistad de todos veraz, y le admiran siempre, su amiga apenada

Mi teléfono es el 1922 de Jordán. Lo digo porque no figuro en lista, pues la lista es ¿de cuando dirá V.? del mes de agosto de 1919!

Tanto ó más que V. deseo una aproximación que permita una charla delas que hemos disfrutado mil veces; y esto, mi querido Miguel, no depende sinó de V. Cuando venga por acá, avíseme por teléfono desde el Ateneo (v g) y yo le daré hora ó le marcaré día para venirse á almorzar en la mayor confianza. No sé si V. sabe que yo soy uno de sus <u>verdaderos amigos</u>.

Por otra parte, un hecho que refleja habitualmente esas relaciones de amistad son las invitaciones a visitar a los amigos en sus casas particulares o también ofrecer las propias y esto precisamente es lo que hacen mujeres como Mathilde Pomès, Matilde Brandau y Concha Espina, las cuales escriben al famoso escritor para realizar tales ofrecimientos. «Yo marcho mañana y le espero a V alli donde si quiere honrarme con su presencia me alegraré muchísimo. Tiene V una modesta habitación preparada. Muy suya amiga incondicional Concha Espina» (carta enviada por Concha Espina, sin fechar) o «Ha sido para mi familia, i para la familia de mi Luis, una gran desilusion, la noticia, que Ud. me da sobre el retardo de su viaje a Sud. América, pues, ya nos estábamos preparando para recibirle; ¡se hubiera reído Ud. si nos hubiera escuchado las discusiones que sosteniamos sobre la mejor manera de instalarle a Ud! Y si hubiera oído cómo las chiquillas hablaban sobre Fernando: cada una se disputaba su compañia para salir, a los diversos puntos de la ciudad [...]» (carta enviada por Matilde Brandau, el 26 de junio de 1904).

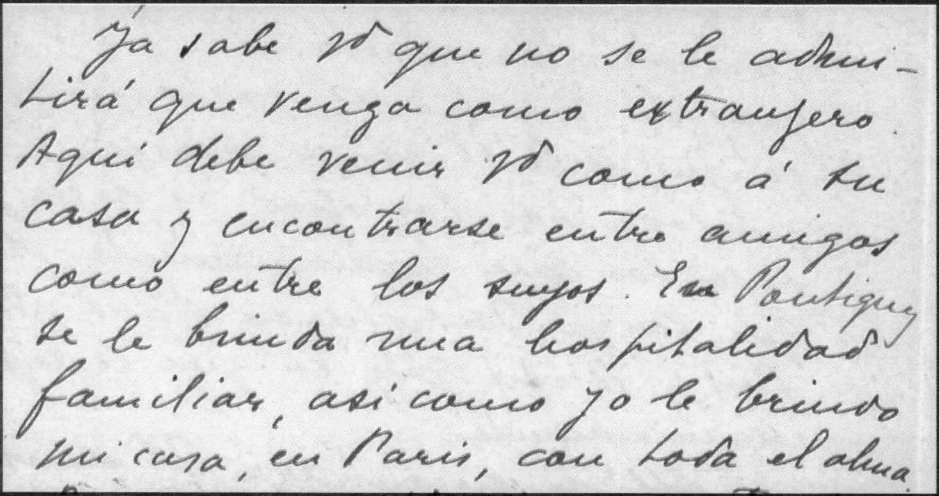

Ya sabe Vd que no se le admitirá que venga como extranjero.
Aqui debe venir Vd como á su
casa y encontrarse entre amigos
como entre los suyos. En Pontigny
se le brinda una hospitalidad
familiar, asi como yo le brindo
mi casa, en Paris, con toda el alma

Figura 30. Carta enviada por Mathilde Pomès, el 18 de junio de 1922.

Ya sabe Vd que no se le admitirá que venga como extranjero. Aqui debe venir Vd como á su casa y encontrarse entre amigos como entre los suyos. En Pontigny se le brinda una hospitalidad familiar, asi como yo le brindo mi casa, en Paris, con toda el alma.

Resultan de interés dichos ofrecimientos, ya que, sobre todo Matilde Brandau, le escribe varias cartas haciendo mucho hincapié en que Unamuno vaya a Latinoamérica, y Pomès le ofrece su casa de Francia, donde tendrá la posibilidad de estar con más amigos comunes.

Dentro de este contexto, y profundizando en esos rasgos del carácter amigable de Unamuno, no puede pasar desapercibida la petición que le hace Matilde Brandau, cuando al quedarse viuda quiere regresar a su país, Chile, y le pide a Unamuno que la acompañe a coger el vapor a Lisboa.

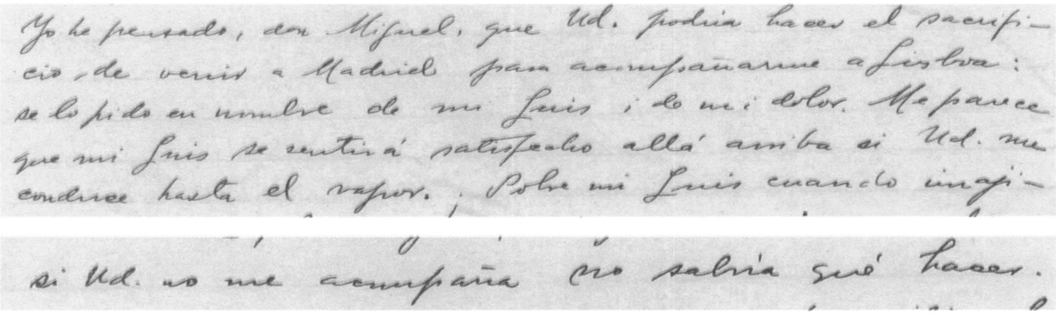

Yo he pensado, don Miguel, que Ud. podria hacer el sacrificio, de venir a Madrid para acompañarme a Lisboa:
se lo pido en nombre de mi Luis i de mi dolor. Me parece
que mi Luis se sentirá satisfecho allá arriba si Ud. me
conduce hasta el vapor. ¡Pobre mi Luis cuando imagi-

si Ud. no me acompaña no sabria qué hacer.

Figuras 31 a, b y c. Carta enviada por Matilde Brandau, el 27 de octubre de 1908.

Yo he pensado, don Miguel, que Ud. podría hacer el sacrificio, de venir a Madrid para acompañarme a Lisboa: se lo pido en nombre de mi Luis i de mi dolor. Me parece que mi Luis se sentirá satisfecho allá arriba si Ud. me conduce hasta el vapor.

[...]

Si Ud. no me acompaña no sabría qué hacer.

Gracias a la correspondencia que se conserva de esta chilena en la Casa-Museo Unamuno (USAL) y que sirve de muestra de la gran amistad que mantuvieron, podemos saber en otra carta enviada por ella, mucho tiempo después, en 1935, que efectivamente Miguel de Unamuno le hizo el favor que le pidió de acompañarla:

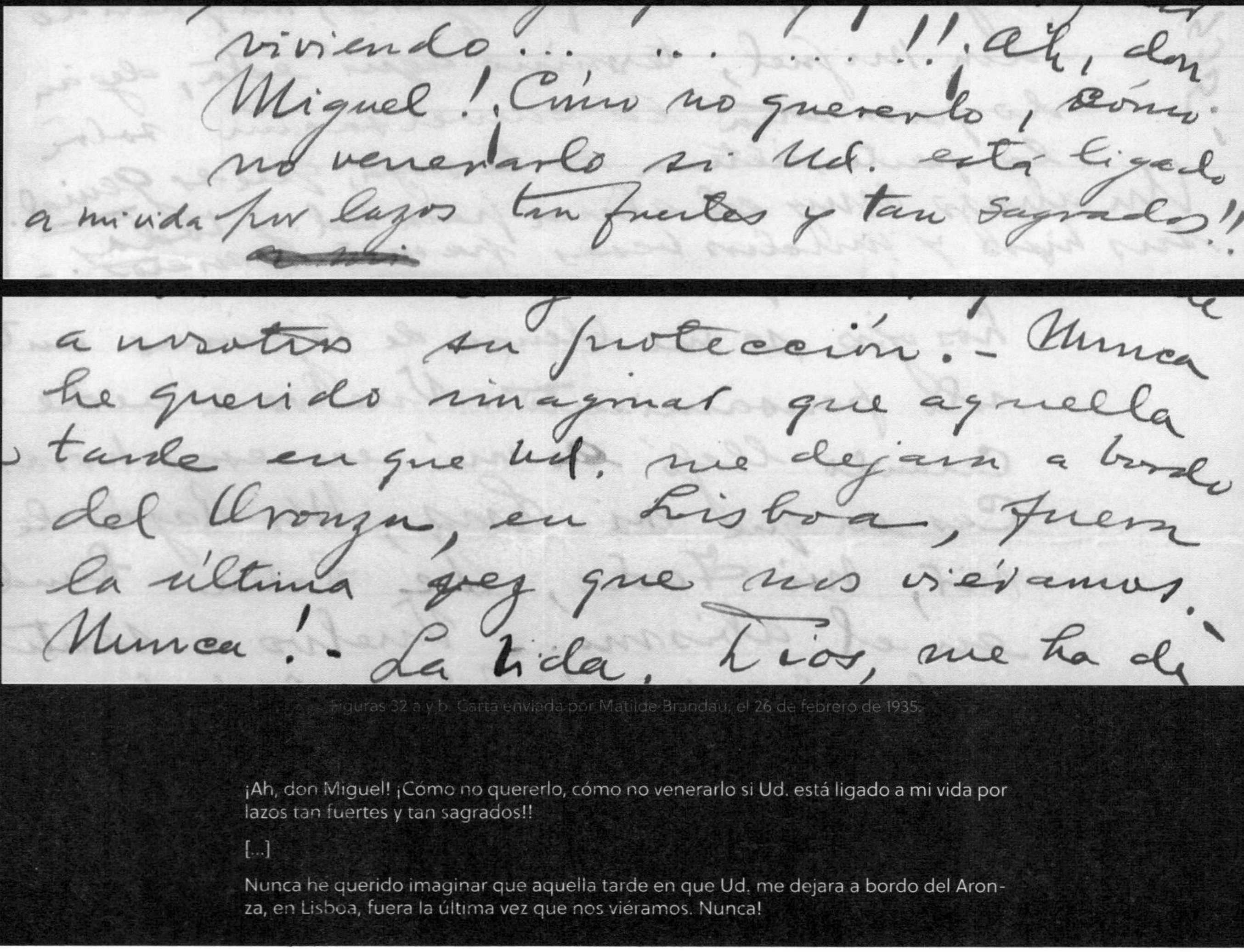
viviendo... ... ... !! ¡Ah, don
Miguel! ¡Cómo no quererlo, cómo
no venerarlo si Ud. está ligado
a mi vida por lazos tan fuertes y tan sagrados!!

a nosotros su protección! - Nunca
he querido imaginar que aquella
tarde en que Ud. me dejara a bordo
del Aronza, en Lisboa, fuera
la última vez que nos viéramos.
Nunca! - La vida, Dios, me ha de

Figuras 32 a y b. Carta enviada por Matilde Brandau, el 26 de febrero de 1935.

¡Ah, don Miguel! ¡Cómo no quererlo, cómo no venerarlo si Ud. está ligado a mi vida por lazos tan fuertes y tan sagrados!!

[...]

Nunca he querido imaginar que aquella tarde en que Ud. me dejara a bordo del Aronza, en Lisboa, fuera la última vez que nos viéramos. Nunca!

Otra muestra de cariño y amistad entre ambas familias se puede apreciar en el siguiente fragmento donde Matilde Brandau alude al retrato del famoso escritor bilbaíno:

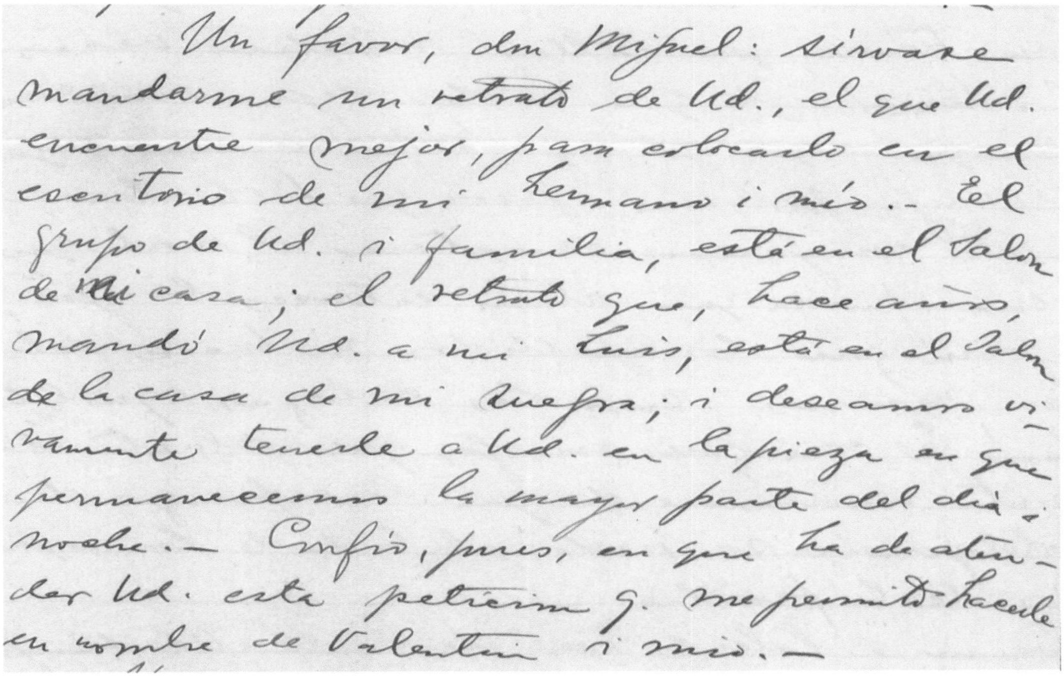
Un favor, don Miguel: sírvase mandarme un retrato de Ud., el que Ud. encuentre mejor, para colocarlo en el escritorio de mi hermano i mío.- El grupo de Ud. i familia, está en el salon de mi casa; el retrato que, hace años, mandó Ud. a mi Luis, está en el salon de la casa de mi suegra; i deseamos vivamente tenerle a Ud. en la pieza en que permanecemos la mayor parte del dia i noche.- Confío, pues, en que ha de atender Ud. esta peticion q. me permito hacerle en nombre de Valentin i mio.-

Figura 33. Carta enviada por Matilde Brandau, el 5 de julio de 1909.

Un favor, don Miguel: sírvase mandarme un retrato de Ud., el que Ud. encuentre mejor, para colocarlo en el escritorio de mi hermano i mío.- El grupo de Ud. i familia, está en el salon de mi casa; el retrato que, hace años, mandó Ud. a mi Luis, está en el salon de la casa de mi suegra; i deseamos vivamente tenerle a Ud. en la pieza en que permanecemos la mayor parte del dia i noche.- Confío, pues, en que ha de atender Ud. esta peticion q. me permito hacerle en nombre de Valentin i mio.-

Y en este otro, donde vuelve a hacer alusión al retrato de Unamuno y, con motivo del día de los Santos, pide que se acerque a la tumba del que fuera su marido, José Luis Ross Mujica (1883-1908) y muy amigo de él.

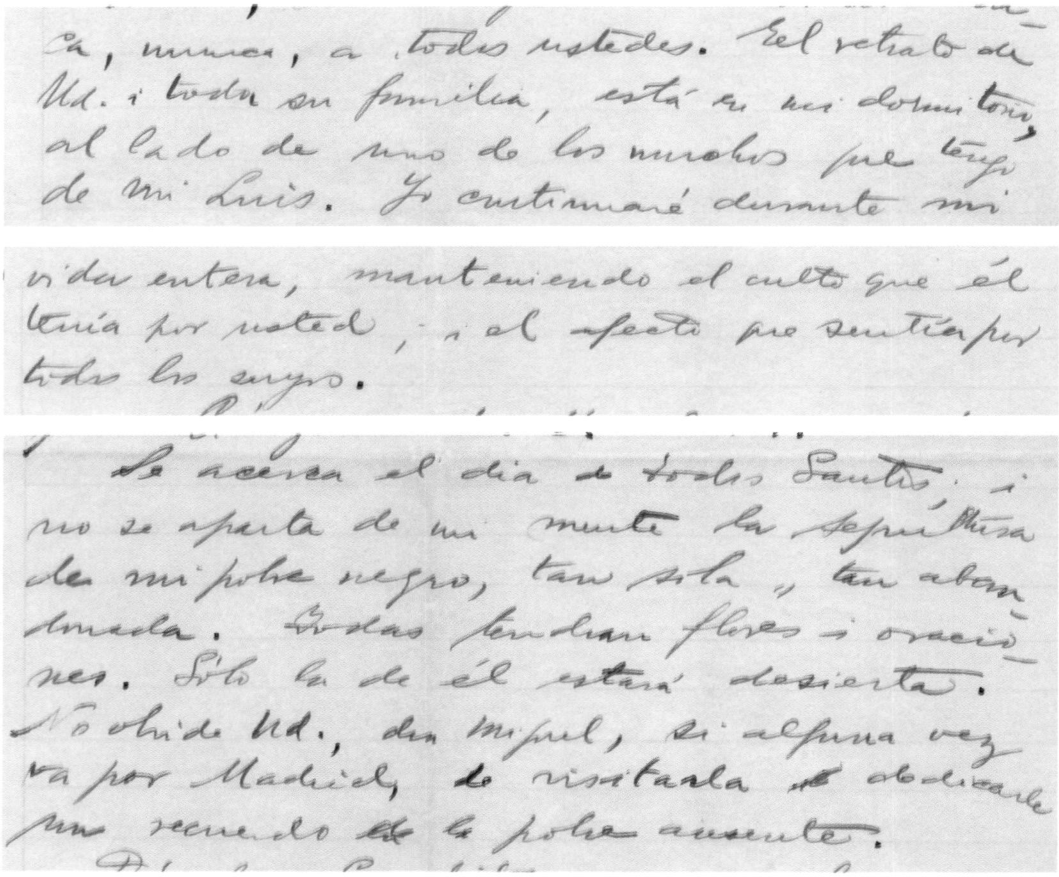

ca, nunca, a todos ustedes. El retrato de
Ud. i toda su familia, está en mi dormitorio,
al lado de uno de los muchos que tengo
de mi Luis. Yo continuaré durante mi

vida entera, manteniendo el culto que él
tenía por usted, i el afecto que sentía por
todos los suyos.

Se acerca el dia de todos Santos, i
no se aparta de mi mente la sepultura
de mi pobre negro, tan sola, tan abandonada. Todas tendran flores i oraciones. Sólo la de él estará desierta.
No olvide Ud., don Miguel, si alguna vez
va por Madrid, de visitarla i dedicarle
un recuerdo de la pobre ausente.

Figuras 34 a, b y c. Carta enviada por Matilde Brandau, el 28 de octubre de 1913.

El retrato de Ud. i toda su familia, está en mi dormitorio, al lado de uno de los muchos que tengo de mi Luis. Yo continuaré durante mi vida entera, manteniendo el culto que él tenía por usted; i el afecto que sentía por todos los suyos.

[...]

Se acerca el dia de todos Santos; i no se aparta de mi mente la sepultura de mi pobre negro, tan sola, tan abandonada. Todas tendran flores i oraciones. Sólo la de él estará desierta. No olvide Ud, don Miguel, si alguna vez va por Madrid, de visitarla i dedicarle un recuerdo de la pobre ausente.

Unamuno como confidente

Unida con el aspecto que acabamos de tratar, es decir, el carácter amigable de Unamuno, se encuentra otra de las facetas que estas mujeres reflejan en su correspondencia que no es otra que la imagen del escritor como confidente, es decir, la confianza que mostraron algunas de ellas al compartir con él temas personales.

Adentrarse en las intimidades que estas mujeres quieren compartir con Unamuno es uno de los ricos legados, sin lugar a dudas, que nos ofrece este peculiar conjunto epistolar por un doble motivo, porque, a la par que conocemos a estas mujeres en su faceta más personal, también permite conocer más a Miguel de Unamuno en este caso, como decíamos, en su papel de confidente. Si a lo largo de todo el texto que venimos desarrollando se hace difícil la selección de ejemplos que ilustren las cuestiones aportadas, ahora todavía se complica más porque son muchas las referencias íntimas reflejadas en las cartas que se podrían aportar.

Es aquí donde las cartas de Margarita Ferreras adquieren una relevancia especial por ser quizás el ejemplo más significativo para mostrar cómo algunas de estas mujeres acuden a Unamuno para contarle aspectos muy íntimos de su vida.

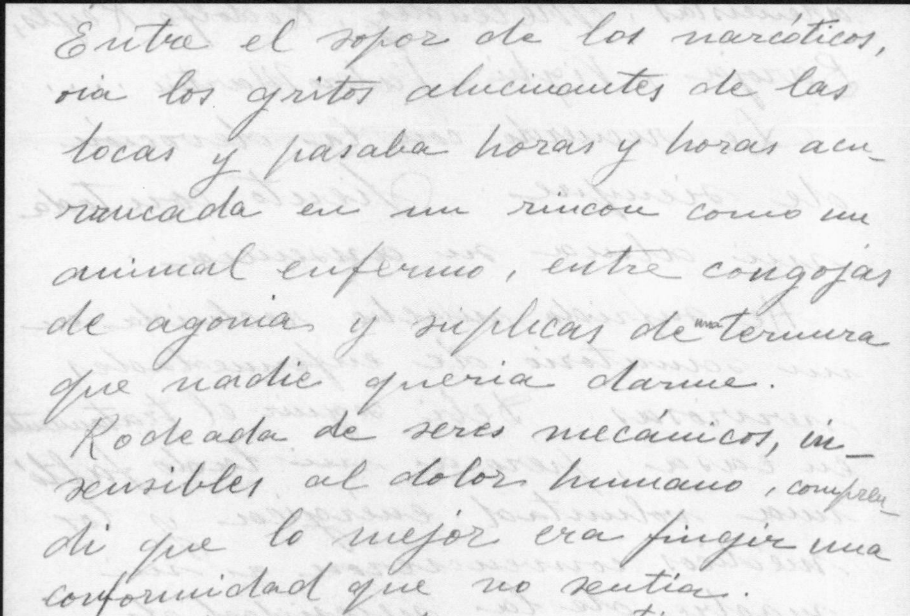

Entre el sopor de los narcóticos, oía los gritos alucinantes de las locas y pasaba horas y horas acurrucada en un rincón como un animal enfermo, entre congojas de agonía y súplicas de ternura que nadie quería darme.

Rodeada de seres mecánicos, insensibles al dolor humano, comprendí que lo mejor era fingir una conformidad que no sentía.

Creí ahogarme de angustia; me cruzaba el pecho un dolor de llaga.

Al fin quedé petrificada, ausente, sin lágrimas, ni voz.

Le he recordado mucho en medio de mi sufrimiento, Don Miguel.

Yo a su lado me siento feliz, como en un amanecer purísimo de la sierra.

Figuras 35 a, b, c y d. Carta enviada por Margarita Ferreras, el 26 de marzo de 1934.

Entre el sopor de los narcóticos, oía los gritos alucinantes de las locas y pasaba horas y horas acurrucada en un rincon como un animal enfermo, entre congojas de agonía y súplicas de una ternura que nadie quería darme.

Rodeada de seres mecánicos, insensibles al dolor humano, comprendí que lo mejor era fingir una conformidad que no sentía.

Creí ahogarme de angustia, me cruzaba el pecho un dolor de llaga. Al fin quedé petrificada, ausente, sin lágrimas ni voz.

[...]

Le he recordado mucho en medio de mi sufrimiento, Don Miguel.

[...]

Yo a su lado me siento feliz, como en un amanecer purísimo de la sierra.

«Despierto siempre con una náusea de todo lo inmediato: "la casa, las cuentas, los gritos y las discusiones con mi madre, el malestar físico, la falta absoluta de ternura" Se están burlando de mi, D. Miguel y poniéndome en situación de humillación y de inferioridad ante gentes que moralmente desprecio y que son inhumanos y crueles. [...] Un intenso pudor me atormenta de tener que ir arrastrando mi intimidad entre gentes inhumanas, que ni me comprenden ni me estiman y un deseo vehemente de huir de todo y comprender que prácticamente es imposible, me hace llorar hasta quedar rendida en un intenso quebranto interno [...]» (carta enviada por Margarita Ferreras, el 15 de diciembre de 1935)

o

«Como un animal maltratado y enfermo me refugio en la soledad y en el silencio. V. no es médico pero se que le da lástima de toda mi vida destrozada Quiero hablar con V. y solo con V. muy íntimamente [...]» (carta enviada por Margarita Ferreras, el 27 de diciembre de 1935).

Como apreciamos, Margarita comparte con Unamuno los padecimientos de su enfermedad mental y no es la única que, aludiendo a las enfermedades, ya no tanto de ellas, sino de sus familiares, recurren a Unamuno quizás con una intención de desahogo, como podemos ver en la carta de Ángela Barco: «Desde hace un año tengo a mi hermano Ramón enfermo, muy enfermo, y yo estoy devastada [...]» (carta enviada el 7 de enero de 1935) y el caso de Sofía Casanova, que le cuenta en términos muy íntimos también los problemas de salud de su marido, el filósofo y escritor polaco Wincenty Lutosławski.

Este hombre de genio que es el mejor de los hombres, no se curará jamás. Padece una psicósose circular que agravan antecedentes de familia y la situación de este pobre país donde las enfermedades nerviosas son lo que le pasa en la India: devastadoras y contentas aplica al trabajo útil...

Amigo, y mientras i a que curar á ud.? Pero por momentos triste, porque estoy en tierra extranjera, sin familia sin consejo, ni apoyo. Pero yo soy ya veterano en las lides

de las penas. Le fare porque atravieso la enfermedad de Luto, es mucho menos tragico para mi y las niñas que la que sobrevino hace cuatro años estando yo en España, y duró dos y medio. Si algún día tuve...

Este hombre de genio que es el mejor de los hombres, no se curará jamás. Padece una psychose circular que agravan antecedentes de familia y la situación de este pobre país donde las enfermedades nerviosas son lo que la peste en la India: devastadoras y constantes.

[...]

Amigo y maestro ¿á que cansar á Ud.? Paso por momentos tristes, porque estoy en tierra extrangera, sin familia sin consejo, ni apoyo. Pero yo soy ya veterana en las lides de los pesares. La fase porque atraviesa la enfermedad de Lutos, es mucho menos tragica para mi y las niñas, que la que sobrevino hace cuatro años estando yó en España, y duró dos y medio.

Teniendo en cuenta el contexto social de la época es también destacable la carta de Ángela Barco, donde comparte con Unamuno cuestiones íntimas de su familia: «Si, adivino la pregunta que usted me haría al leer esta: «¿Pues y su tio Juan?..» Y yo, no sabe usted cuán dolorida, tengo que contestarle que mi tio Juan (que siempre fué una mala persona) se casó á los quince días de muerta mi tia Bárbara con una francesa... de las que tántas se encuentran por las calles de Barcelona. Claro es que por eso... y por otras cosas quizás más enormes, no nos tratamos [...]» (carta enviada el 23 de noviembre de 1918).

Todo este tipo de confidencias, en definitiva, nos llevan a los sentimientos de estas mujeres y llama la atención que no tengan reparo de compartirlos con Unamuno: «Calcule la desesperación en que vivo, mi queridísimo Don Miguel, esperando casi una fatal catástrofe para mi, dado que sus tres niños son aun muy pequeñitos [...]» (carta enviada por Ángela Barco, el 10 de mayo de 1934); «Paso las horas todas de mis dias, dedicada al trabajo de uno i otro jénero; i así llega la noche en que, rendida por las tareas, del dia, encuentro en el sueño una tregua a mi dolor [...]» (carta enviada por Matilde Brandau, el 12 de agosto de 1909); «Sólo cuando me miro al espejo; i veo que la mujer que era jóven hace siete años, es ya casi una vieja, sólo entonces me doi cuenta del tiempo transcurrido - En Diciembre cumplíré 36 años. ¿Qué me queda ya para ser vieja?-» (carta enviada por Matilde Brandau, el 9 de septiembre de 1915); «Si yo pudiera iría a verlo y a abrazarle con la misma alegría que le abrazarán a V. sus hijas [...]» (carta enviada por Carmen Conde, sin fechar), o «Casi todos los humanos dolores me son conocidos... Acaso por eso se ha agrandado en la soledad de mi destierro y en otras soledades, una rara facultad, rara en cuanto es vehemencia y serenidad: la de sentir las felicidades minimas, de diario, de todos los dias [...]» (carta enviada por Sofía Casanova, el 4 de junio).

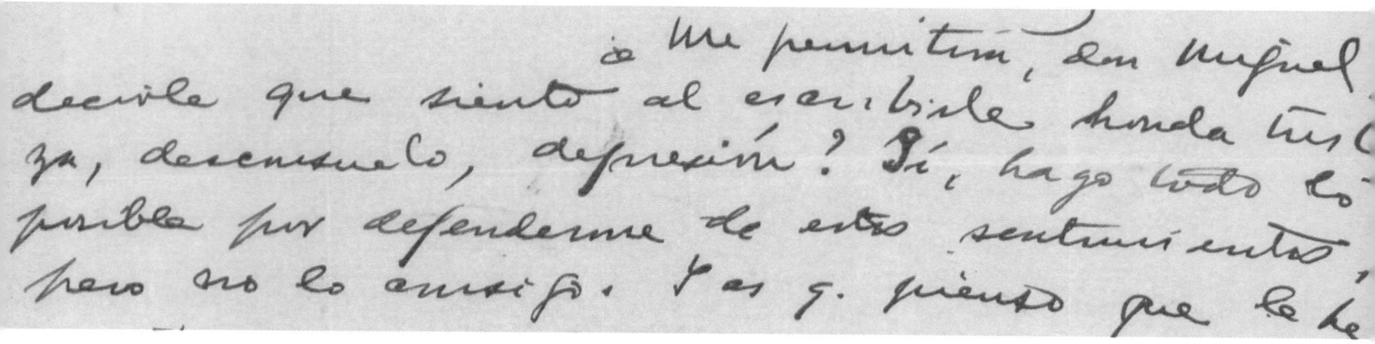

Figura 37. Carta enviada por Matilde Brandau, el 29 de diciembre de 1915.

¿Me permitirá, don Miguel, decirle que siento al escribirle honda tristeza, desconsuelo, depresión? Sí, hago todo lo posible por defenderme de estos sentimientos, pero no lo consigo.

Cierran estas confidencias las alusiones a los temas de género, puesto que algunas de estas mujeres en sus cartas comparten reflexiones del momento en el que viven como mujeres adelantadas a su época, como, por ejemplo, Concha Espina, M.ª Luisa García-Dorado Seirullo o Mariblanca Sabas Alomá:

«Agradezco muchisimo la invitación de ese Ateneo presidido tan dignamente, pero yo no soy feminista en el sentido apostólico moderno, ni si he decir a V la verdad entiendo mucho lo que significa esa palabra tal como la llevan y la creen por ahí. No se me ocurre en ese temor que ser muy mujer y probarlo en mi vida y enseño obras lo mejor que puedo, sin que me hostigue el bélico ardor de la propaganda y la bandera [...]» (carta enviada por Concha Espina, el 27 de enero de 1920),

«Yo, sin falsa modestia, me considero tan merecedora del premio Nobel como las tres mujeres que lo han obtenido, y si fuera de ley solicitarlo personalmente, lo haría sin sentirme por eso cohibida o avergonzada, ni ante mí ni ante los demás. Y nunca he recibido favores; quizá, por que no los pedí. Jamás tuve un apoyo oficial de esos que tan amenudo se reparten [...] No me arrepiento de mi arisca soledad; pero estoy muy cansada, con poca salud y profundamente triste. Al escribir a V, tan abierto de corazón, me desahogo en esta confidencia [...]» (carta enviada por Concha Espina, el 11 de enero de 1929),

o

«Yo por aquí voy pasándolo medianamente. Ni que decir tiene que estoy alejada de todo trabajo puramente intelectual, lo cual no es sino la necesaria adaptación al medio. Y, según están las cosas se puede uno alegrar [...]» (carta enviada por M.ª Luisa García-Dorado Seirullo, el 7 de marzo de 1924).

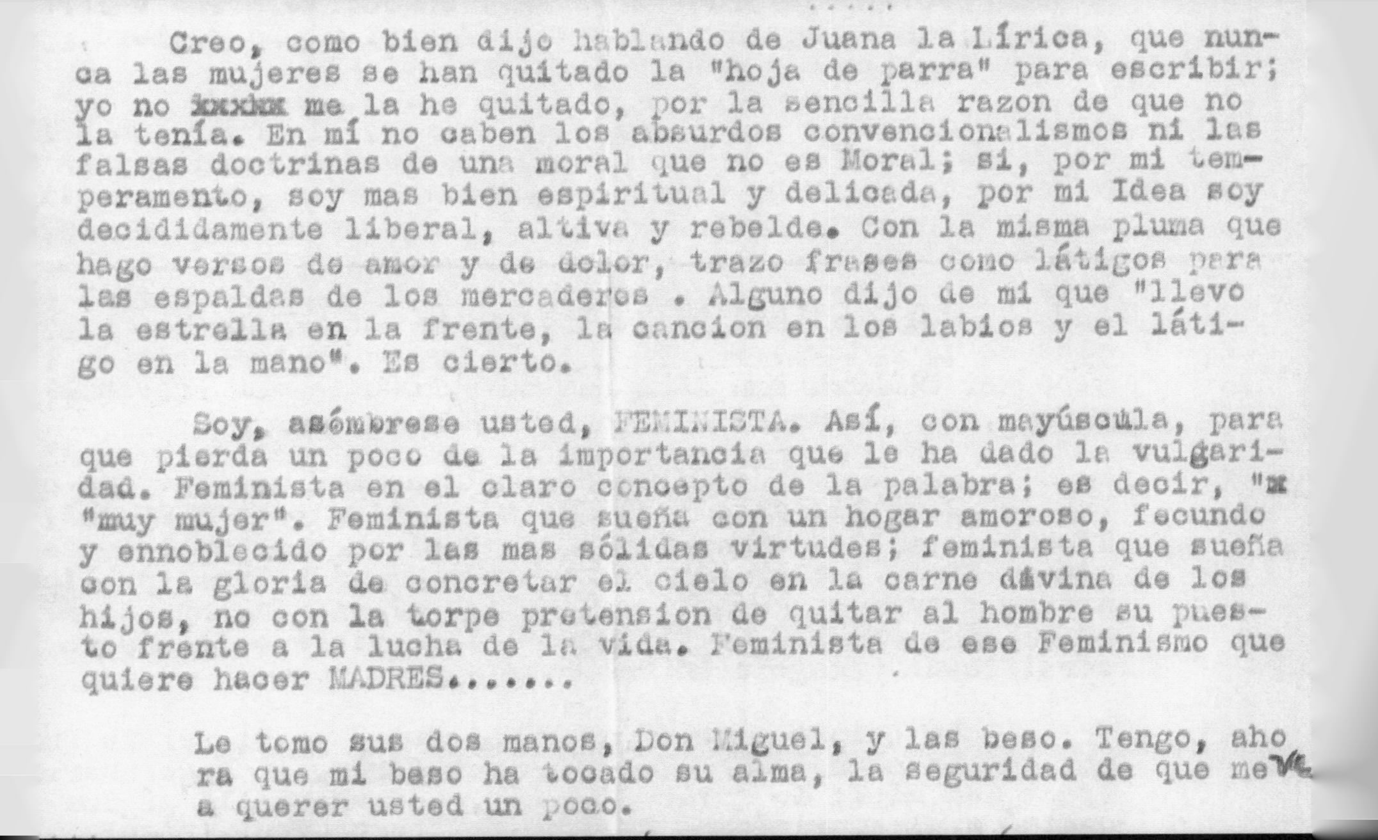

Creo, como bien dijo hablando de Juana la Lírica, que nunca las mujeres se han quitado la "hoja de parra" para escribir; yo no me la he quitado, por la sencilla razon de que no la tenía. En mí no caben los absurdos convencionalismos ni las falsas doctrinas de una moral que no es Moral; si, por mi temperamento, soy mas bien espiritual y delicada, por mi Idea soy decididamente liberal, altiva y rebelde. Con la misma pluma que hago versos de amor y de dolor, trazo frases como látigos para las espaldas de los mercaderes . Alguno dijo de mi que "llevo la estrella en la frente, la cancion en los labios y el látigo en la mano". Es cierto.

Soy, asómbrese usted, FEMINISTA. Así, con mayúscula, para que pierda un poco de la importancia que le ha dado la vulgaridad. Feminista en el claro concepto de la palabra; es decir, "muy mujer". Feminista que sueña con un hogar amoroso, fecundo y ennoblecido por las mas sólidas virtudes; feminista que sueña con la gloria de concretar el cielo en la carne divina de los hijos, no con la torpe pretension de quitar al hombre su puesto frente a la lucha de la vida. Feminista de ese Feminismo que quiere hacer MADRES......

Le tomo sus dos manos, Don Miguel, y las beso. Tengo, ahora que mi beso ha tocado su alma, la seguridad de que me va a querer usted un poco.

Figura 38. Carta enviada por Mariblanca Sabas Alomá, el 3 de septiembre de 1922.

Creo, como bien dijo hablando de Juana la Lírica, que nunca las mujeres se han quitado la «hoja de parra» para escribir; yo no me la he quitado, por la sencilla razon de que no la tenía. En mí no caben los absurdos convencionalismos ni las falsas doctrinas de una moral que no es Moral; si, por mi temperamento, soy mas bien espiritual y delicada, por mi Idea soy decididamente liberal, altiva y rebelde. Con la misma pluma que hago versos de amor y de dolor, trazo frases como látigos para las espaldas de los mercaderes. Alguno dijo de mi que «llevo la estrella en la frente, la cancion en los labios y el látigo en la mano». Es cierto.

Soy, asómbrese usted, FEMINISTA. Así, con mayúscula, para que pierda un poco de la importancia que le ha dado la vulgaridad. Feminista en el claro concepto de la palabra; es decir, «muy mujer». Feminista que sueña con un hogar amoroso, fecundo y ennoblecido por las mas sólidas virtudes; feminista que sueña con la gloria de concretar el cielo en la carne divina de los hijos, no con la torpe pretension de quitar al hombre su puesto frente a la lucha de la vida. Feminista de ese Feminismo que quiere hacer MADRES...

Le tomo sus dos manos, Don Miguel, y las beso. Tengo, ahora que mi beso ha tocado su alma, la seguridad de que me va a querer usted un poco.

La suma de todas estas aportaciones nos permite concluir este artículo con lo que consideramos más original, por lo desconocido hasta ahora, y que tiene que ver con la mirada femenina epistolar que dibuja la siguiente silueta de Miguel de Unamuno.

LAS LETRAS FEMENINAS QUE DEFINEN A Miguel de unamuno

En líneas anteriores esta correspondencia femenina nos ha permitido configurar una figura poliédrica de don Miguel en la que hemos visto sus diferentes caras: como escritor; como persona influyente de la época; como esposo, padre y abuelo; como consultor; como amigo, y como confidente. Pero a dicho poliedro le falta una cara especial, que es la que tiene que ver con Unamuno como persona, es decir, cómo estas mujeres hacen una definición sobre el tipo de hombre que es para ellas.

El hecho de cómo configuran algunas de estas mujeres la imagen de Unamuno vinculada a cualidades que sobrepasan lo humano es posiblemente lo que más llama la atención. Esto se entiende a través de la definición que hacen, del espíritu de Unamuno, Casanova, Conde o Brandau: «[...] mientras mas tiempo transcurre, mas proporciones cobra su figura en mi alma, porque voi conociendo más a las jentes i comprendo cada día mejor que los espiritus como el suyo son una rarísima excepcion en el mundo [...]» (carta enviada por Matilde Brandau, el 12 de julio de 1925); «Me alimento de lo que Uds. los raros espíritus orientados hacia el bien y la verdad piensan y dicen, y en los ecos de toda actualidad y en mis diarias lecturas de lo que fue, ó es, en el alma de nuestros artistas, esfuérzome por conocer, por penetrar el pueblo mío en el que jamás he de vivir ya [...]» (carta enviada por Sofía Casanova, el 6 de octubre de 1900), o «¡Qué amplio espíritu el de Vd.! Todas las llamadas de la inteligencia le sacuden con vigor! es imposible que una cosa que valga, que sea, pase desapercibida ante V. [...]» (carta enviada por Carmen Conde, sin fechar).

El caso de Ángela Barco incluso merece aquí una mención especial porque, como se puede apreciar por el contexto de la carta, los aspectos a los que alude provienen del intercambio de ideas en la correspondencia entre ambos.

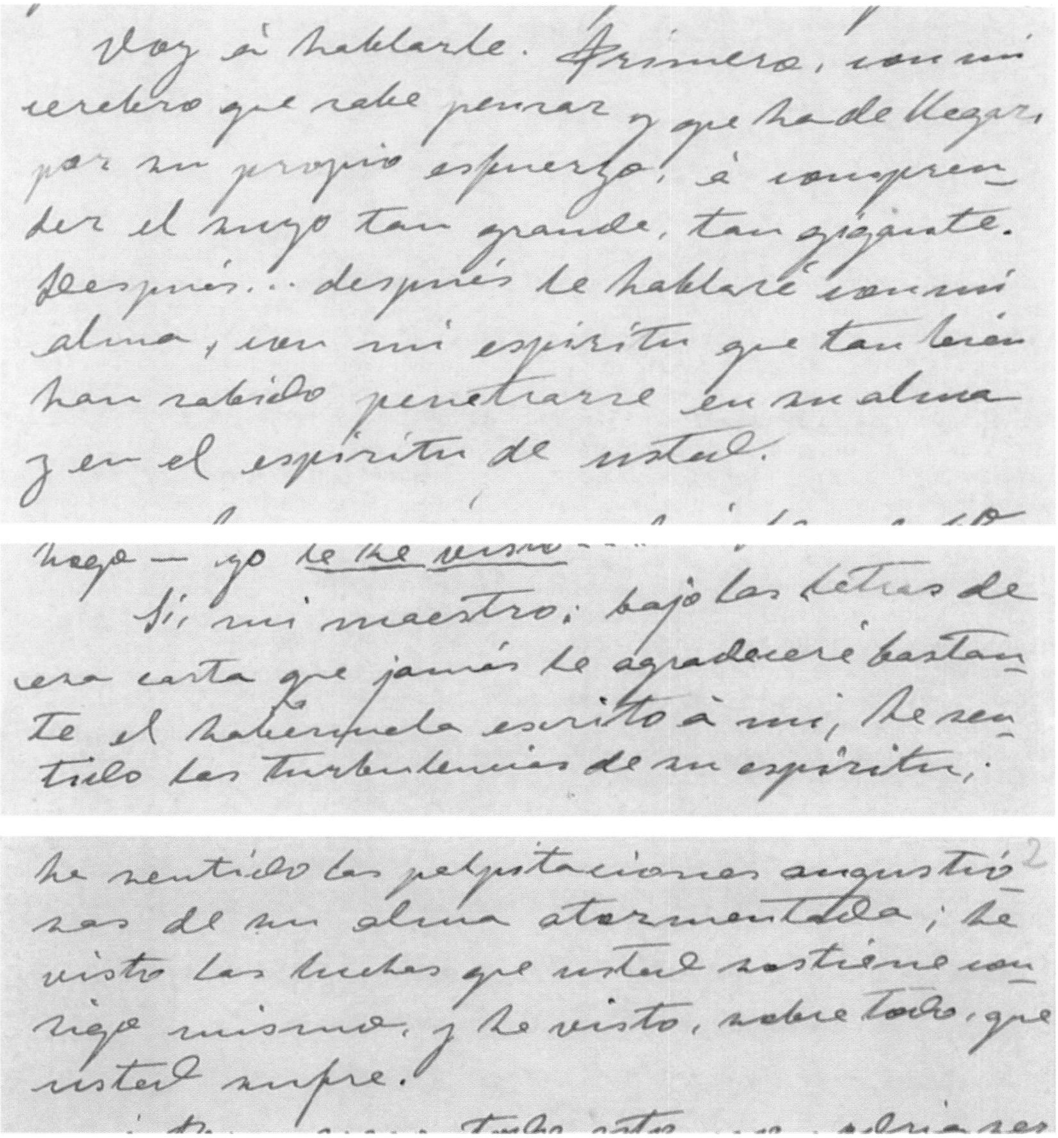
Voy á hablarle. Primero, con mi
cerebro que sabe pensar y que ha de llegar,
por su propio esfuerzo, á comprender el suyo tan grande, tan gigante.
Después... después le hablaré con mi
alma, con mi espíritu que tan bien
han sabido penetrarse en su alma
y en el espíritu de usted.

luego — yo le he visto...
Sí, mi maestro; bajo las letras de
esa carta que jamás le agradeceré bastante el habérmela escrito á mi, he sentido las turbulencias de su espíritu;

he sentido las palpitaciones angustio- 2
sas de su alma atormentada; he
visto las luchas que usted sostiene consigo mismo, y he visto, sobre todo, que
usted sufre.

Figuras 39 a, b y c. Carta enviada por Ángela Barco, el 27 de abril de 1907.

Voy á hablarle. Primero, con mi cerebro que sabe pensar y que ha de llegar, por su propio esfuerzo, á comprender el suyo tan grande, tan gigante. Después... después le hablaré con mi alma, con mi espíritu que tan bien han sabido penetrarse en su alma y en el espiritu de usted.

[...]

Si, mi maestro; bajo las letras de esa carta que jamás le agradeceré bastante el habermela escrito á mi, he sentido las turbulencias de su espiritu; he sentido las palpitaciones angustiosas de su alma atormentada; he visto las luchas que usted sostiene consigo mismo, y he visto sobre todo, que usted sufre.

En un sentido similar al anterior se encuentra también la visión que aporta del escritor Mathilde Pomès, al utilizar el sinónimo de viento, vendaval, soplo... para definirlo como una figura elevada, como se puede ver en los siguientes extractos de algunas de sus cartas: «Así maestro mío, aunque es Vd un vendaval muy recio para pulmones hechos á la templanza, á la dulzura, á la medida, bueno es que de vez en cuando se le corte á uno la respiración en el aire de las alturas [...]» (carta enviada por Mathilde Pomès, el 13 de abril de 1922); «Es Vd un viento muy recio para lo seco y lo caduco que tiene uno; pero bueno es abocarse por lo menos á esas alturas donde vive Vd. [...]» (carta enviada por Mathilde Pomès, el 30 de abril de 1922); «Apártese un poco de España para volver más á ella; y no sólo se debe á sus deberes patrios, sino también á sus deberes humanos. Venga Vd, maestro del alma; necesitamos de su soplo de las alturas y de su profundísima pasión [...]» (carta enviada por Mathilde Pomès, el 18 de junio de 1922); «Lo que Vd fué para mí desde aquel día lejano en que le conocí en su Salamanca, lo sigue siendo: la más alta figura de hombre que había de conocer en mi vida [...]» (carta enviada por Mathilde Pomès, el 1 de mayo de 1933), o «[...] el animo de V es un astro que no se pone, que siempre está en plenitud [...]» (carta enviada por Concha Espina, el 11 de enero de 1929).

Otras mujeres, como Carmen de Burgos, utilizan adjetivos en cambio más terrenales, como es el de «hombre bueno»: «Alejada de todo comadreo, guarde mi [ilegible] y mi culto a las ideas que V., con su autoridad de hombre bueno sustenta [...]» (carta enviada el 17 de febrero) y sabio, pero subyace igualmente la idea anterior de superioridad del personaje.

Figuras 40 a, y b. Carta enviada por Carmen de Burgos, el 29 de julio de 1903.

Es verdad que en el concepto en que generalmente se toma la figura del sabio existe algo de molesto que V. huye como huyo yo el mote de <u>literata</u>; quiera por que ambas figuras no son muy humanas; es decir que la una se coloca fuera de lo real y la otra deja de ser mujer...

Pero en el verdadero sentido, como hombre de ciencia, pensador, sociólogo y altruista V. tendrá que resignarse á que la historia se apodere de su nombre con ese adjetivo que con sinceridad le damos cuantos leemos sus trabajos.

Y en esta misma línea, Concha Espina se refiere a Miguel de Unamuno como «[...] un admirable ejemplo de reciedumbre, de arrogancia y virilidad [...]» (carta enviada el 11 de enero de 1929), a la par que también lo define como un hombre generoso que no solo habla de manera privada con estas mujeres a través de la correspondencia, sino que también se ofrece a compartir sus obras públicamente.

La promesa que V me hace de hablar de mi obra al público argentino es inapreciable y yo le quedaré siempre obligada á este gran favor en el cual pone V toda su benevolencia y su galanteria. Si a V le interesa algo que yo lea su novela y le de mi opinión lo haré así con el mayor gusto en cuanto se reciba en Gil Blas.

Después de adentrarnos en las confidencias e inquietudes que estas mujeres quisieron compartir con Unamuno quizás podríamos volver a decir lo que Ángela Barco afirmaba en una de sus cartas: «Ya le he dicho que yo, conociendole solamente por la impresión de otros, estaba algo engañada con respecto a usted [...]» (enviada el 11 de junio de 1907).

Notas

[1] VÁZQUEZ, M. Para una historia de la familia española en el siglo XX. *Memoria y Civilización*, 2005, 8, pp. 115-170, pp. 127-128.

[2] *Ibid.*

[3] En: SANDOVAL, A. El concepto de mujer en el pensamiento de Miguel de Unamuno. *Cuadernos de la Cátedra Miguel de Unamuno*, 2004, 39, pp. 27-60, p. 30.

[4] Raimundo de Unamuno falleció a la temprana edad de 6 años, en 1902.

[5] MIGUELÁÑEZ GONZÁLEZ, D. Unamuno y su «costumbre»: el tratamiento del amor en Mientras dure la guerra, de Alejandro Amenábar (2019). *ACTIO NOVA: Revista de Teoría de la Literatura y Literatura Comparada*, 2020, (4), pp. 427-445.

[6] En: SANDOVAL, A. El concepto de mujer en el pensamiento de Miguel de Unamuno. *Op. cit.*, p. 44.

AUTORES

Katrine HELENE ANDERSEN es profesora titular en la Universidad de Copenhague donde ejerce su investigación y da clases en el Departamento de estudios ingleses, germánicos y románicos. Es doctora por la Universidad Complutense de Madrid (2008) y obtuvo el grado de MA (Master of Arts) por la Universidad de Aarhus, Dinamarca (2002). Su investigación versa sobre la relación entre filosofía y literatura en el pensamiento español, especialmente centrada en la obra de Gracián, Unamuno y Juan Larrea.

J. A. GARRIDO ARDILA es doctorado en Literatura Española por la Universidad Autónoma de Madrid, director del Depto. de Español y Estudios Latino Americanos de la Universidad de Malta, Investigador Honorario de la Universidad de Liverpool y funcionario docente de carrera en excedencia voluntaria. Sobre Unamuno ha publicado los libros *Etnografía y politología del 98: Unamuno, Ganivet y Maeztu* (Biblioteca Nueva, 2007), *La construcción modernista de Niebla de Unamuno* (Anthropos, 2015), *Literatura y filosofía en Niebla de Unamuno* (Ediciones Universidad de Salamanca, 2019) y, como coordinador, *Textos del Desastre* (Castalia, 2013), *La narrativa subversiva de Unamuno* (Ínsula, 2014) y *El Unamuno eterno* (Anthropos, 2015), además de la edición crítica de las *Novelas completas* (Cátedra, 2017). Es Director de la colección Biblioteca Unamuno (Ediciones Universidad de Salamanca) y Editor Asistente del *Bulletin of Hispanic Studies*.

Leslie J. HARKEMA es profesora titular de lengua y literatura españolas y directora de los programas de español y portugués en el Depto. de Lenguas y Culturas Modernas de Baylor University (EE.UU.). Es autora del libro *Spanish Modernism and the Poetics of Youth: From Miguel de Unamuno to La Joven Literatura* (Toronto University Press, 2017), así como de diversos artículos sobre la modernidad literaria y cultural española o ibérica. Su investigación actual se centra en la historia de la traducción en el contexto ibérico a partir de finales del siglo XVIII.

Lycia LÓPEZ es humanista especializada en Cooperación Internacional por la Universidad de Salamanca. Actualmente es doctoranda de la Universidad de Salamanca bajo la tutoría de la profesora María Martín, analizando la biblioteca de Miguel de Unamuno en pos de libros escritos por mujeres y leídos por el Rector que puedan